C000101508

Schunkeln is awesome!

Adam Fletcher hat sich ausgiebig mit den Marotten und Skurrilitäten der Deutschen beschäftigt. Doch jetzt ist es an der Zeit, endlich den letzten Schritt zu gehen und ein richtiger Deutscher zu werden. Also zieht der Brite die Hausschuhe aus und erkundet Good Old Germany via Mitfahrgelegenheit und Deutscher Bahn – und besteht unterwegs ein paar Prüfungen: Fletcher nimmt an Schützenfesten teil, reist ins 17. Bundesland Mallorca und stürzt sich in die Abgründe des deutschen Schlagers. Liebevoll und mit viel britischem Humor erzählt er von seinen teutonischen Abenteuern und davon, warum er dieses Land und seine Bewohner so in sein Herz geschlossen hat.

ullstein

Adam Fletcher, geboren 1983 in England, ist inzwischen ein glatzköpfiger Berliner. Nachdem er bereits viele Jahre in diesem wunderbaren Land verbracht hat, könnte er sich eigentlich Deutscher nennen – hätte er nicht solche Probleme, Dativ und Akkusativ auseinanderzuhalten und den Plastikmüll korrekt vom Altpapier zu trennen.

Wenn er nicht gerade Bücher oder Artikel über seine geliebte Wahlheimat schreibt, isst er meistens Schokolade oder macht ein Nickerchen. Egal, zu welcher Tageszeit du diesen Text liest – der Autor wird mit einer Wahrscheinlichkeit von 87,4 Prozent gerade vor sich hindösen. Chrrrr. In den kurzen Wachphasen hat er unter anderem die Bestseller *Wie man Deutscher wird* und *Denglisch for Better Knowers* geschrieben.

Adam Fletcher

Make Me German

*Wie ich einmal loszog,
ein perfekter Deutscher zu werden*

Aus dem Englischen
von Oliver Thomas Domzalski

Ullstein

Besuchen Sie uns im Internet:
www.ullstein-taschenbuch.de

Auf nachdrücklichen Wunsch habe ich einige Namen und Erkennungsmerkmale von Personen, die in diesem Buch auftauchen, verändert. Sie bestehen in erster Linie darauf, weil sie Superhelden sind. Oder Verbrecher. Oder verbrecherische Superhelden. Manchmal habe ich die Namen auch einfach geändert, weil ich fiese Sachen über jemanden geschrieben habe und nicht möchte, dass dieser Jemand mir weh tut. Ich habe keine besonders ausgeprägte Schmerztoleranz.

Originalausgabe im Ullstein Taschenbuch
1. Auflage Januar 2015
© Ullstein Buchverlage GmbH, Berlin 2015
Umschlaggestaltung und -abbildung: Robert M. Schöne
Satz: KompetenzCenter, Mönchengladbach
Gesetzt aus der Berkeley Old Style/ITC Officina
Papier: Pamo Super von Arctic Paper Mochenwangen GmbH
Druck und Bindearbeiten: CPI books GmbH, Leck
Printed in Germany
ISBN 978-3-548-37559-5

Für Paul. Danke für die Idee.
Na ja, besser gesagt, für alle Ideen …

Make Me German

2007 bestieg ich einen Flieger von London Stansted (keineswegs bei London, eher bei Cambridge) nach Leipzig-Alten-
burg (keineswegs bei Leipzig, eher bei Zwickau). Ein Leipziger
Unternehmen hatte mir den kleinen Finger eines Vorstel-
lungsgesprächs hingehalten – und ich schnappte mir gleich
den ganzen Arm und erschien mit Sack und Pack zur Arbeits-
aufnahme. Wenn es verlangt worden wäre, hätte ich damals
auch einen echten Arm verspeist.

Niemals in meinem Leben war ich so aufgeregt wie während dieses Flugs. Ich hatte gerade meine vertraute Heimat
verlassen und brach auf in eine unbekannte, exotische neue
Welt. (Na ja, neu zumindest.) Ich war ein Abenteurer, der
sein Schicksal selbst in die Hand nahm. Ich startete eine
Expedition – mit unzureichender Ausrüstung, minimalen
Kenntnissen des Geländes, aber ohne mich tödlichen Gefahren auszusetzen.

Während ich in dieser geflügelten U-Bahn hockte (ich
habe keine Ahnung, wie Flugzeuge funktionieren) und auf
das rasend schnell schrumpfende Inselchen blickte, das
23 Jahre lang meine Heimat gewesen war, durchlebte ich
eine kurze, kompakte Lebenskrise. War ich eigentlich vollständig irre? Ich hatte nicht das geringste Interesse an
Deutschland und war deshalb auch noch nie dort gewesen.
Und jetzt zog ich da hin! Natürlich kannte ich dort buchstäblich niemanden – nicht mal den Freund eines Bekann-

ten eines Freundes. Oder wenigstens einen Cousin zweiten Grades.

Und selbstverständlich sprach ich kein Wort Deutsch. Ich hatte eine Woche vor der Abreise eine dieser »Deutsch-lernen-in-15-Minuten«-CDs gekauft und mir fest vorgenommen, wenigstens die Zahlen von eins bis zehn zu lernen, bevor ich ins Flugzeug stieg. Hatte ich auch nur eine gelernt? Natürlich nicht. Woher soll man auch die Zeit für so was nehmen? Zehn Wörter einer anderen, völlig fremden Sprache! Auf keinen Fall machbar!

Außerdem war ich damals, wie die meisten Engländer, fest davon überzeugt, dass man für jedes erlernte Wort einer Fremdsprache eines der eigenen Muttersprache vergisst. Also auch so wichtige wie »and« oder »flagellate«. Das wollte ich keinesfalls riskieren.

Und Informationen über das Land, in das ich gerade zog? Phhh! Ich kannte die Namen einiger Fußballvereine und die vollständige deutsche Geschichte: fieser Schnurrbart, 1945, Ende. Das musste genügen.

Warum nur verließ ich England – ein Land, das ich so gut kannte und dessen Kultur, bei allen irritierenden Schwächen, doch *meine* war? Warum nur warf ich die überlebensnotwendige Fähigkeit, Menschen anzusprechen und hoffen zu dürfen, dass sie mich verstanden, einfach weg? Warum zog ich in ein Land, das von sich behauptete, zivilisiert zu sein, aber weder Marmite[1] noch Crumpets[2] kannte?

Beruhige dich, Adam! Tief durchatmen! Es würde schon gut-

---

1 Vegetarische Würzpaste mit Hefegeschmack (Anm. des Übersetzers)
2 Englischer Hefekuchen – auch mit Hefegeschmack (Anm. des Übersetzers)

gehen. Wenn nicht, konnte ich immer noch zurück nach Hause fahren, tonnenweise Crumpets mit Marmite beschmieren und so tun, als sei das alles nie passiert.

Und tatsächlich: Der kurze Flug genügte, um mich zu beruhigen. Als ich das Flugzeug verließ, sog ich so viel frische Luft ein, wie ich konnte – und sie roch ein kleines bisschen besser als die englische. Dann stieg ich die Treppe hinunter aufs Flugfeld und sah eine Menge Leute vor einem Zaun stehen. (Altenburg war kein echter Flughafen, sondern eine Betonfläche zwischen Feldern und Wiesen. Ryanair landete damals einmal täglich dort und setzte Passagiere aus, denen man weisgemacht hatte, es gehe nach Leipzig. Mittlerweile hat selbst Ryanair diesen Acker aufgegeben.)

Ich war Neil Armstrong, der kleine Schritte für einen Mann, aber Riesenhopser für *AdamFletcherkind* auf der Oberfläche dieses merkwürdigen Planeten namens Sachsen unternahm. Ich hoffte, intelligentes Leben zu entdecken. *Tatsächlich fand ich sehr viel mehr als das.*

Mein erstes Jahr in Leipzig war einfach nur das beste meines Lebens. Mit fröhlicher Naivität stürzte ich mich in diese fremde Welt wie in eine Riesenparty. Keine Komfortzone, nirgends. Ich quatschte jeden an, den ich traf – mit unbeholfenem Gestammel und oft unverständlich für meine bedauernswerten Opfer, aber voller Enthusiasmus. Jeden, der sich dem länger als zehn Sekunden aussetzte, erklärte ich umgehend zu meinem Freund. Ich brauchte welche, ich war einsam. Wann immer mich jemand fragte, ob ich Lust hätte, morgen mit ihm …, unterbrach ich ihn mit einem hastigen »Ja!«. Alles war schließlich besser, als alleine zu Hause rumzuhocken. Ich geriet in die absurdesten Gegenden und Situationen – fantastische und furchtbare. Einmal wurde ich zu einem Abend mit »Klang-Liebhabern« eingeladen und hörte mir eine geschlagene Stunde lang die Geräusche an, die sie in einem kleinen Hafen aufgenommen hatten: dümpelnde Boote, die manchmal leise aneinanderstießen. Ich schlief ein.

Diese Erinnerungen gehören heute zu den kostbarsten aus meiner Leipziger Zeit. Nie wieder war ich so gesellig, so neugierig, so unternehmungslustig und so offen wie in diesem Jahr. Alles Positive, was in meinem Leben geschehen ist, verdanke ich dieser irrsinnigen Entscheidung, in ein Flugzeug zu steigen und mich ins Ungewisse zu stürzen.

Heute, sieben Jahre später, weiß ich, was ein Umzug ins Ausland bedeutet: Dein Reset-Knopf wird gedrückt. Denn es ist ja so: Wenn du seit der Geburt in einem Land lebst – so wie ich damals in England –, bist du nur von Menschen umgeben, die deine Sprache und Kultur mit dir teilen. Du hast kein Bewusstsein dafür, dass es nur eine unter vielen Kulturen ist. Vielleicht fallen dir manchmal kleine Ungewöhnlichkeiten oder Macken auf – aber im Großen und Ganzen sitzt du dem fatalen Irrtum auf, die Lebensweise bei dir zu Hause sei ganz einfach die einzig *richtige*. Es gibt die *Normalen* und die *Fremden* – und du bist zum Glück beim Stamm der Normalen aufgewachsen und nicht bei den Fremden, mit ihren merkwürdigen, sinnlosen Sprachen, Sitten und Klamotten. Uff!

Dann bist du plötzlich woanders. Bei den *Fremden*. Und nichts ist mehr *normal*. Du stolperst dauernd in Situationen, in denen du nicht weiterweißt. Du bist nicht mehr der Meister der Sprache, der Kenner der örtlichen Geographie und der Experte der Paarungsrituale deines Stamms. Du erlebst, dass Millionen von Menschen die Dinge anders machen und sehen als du – und fragst dich irgendwann, ob hinter ihrem

Handeln nicht doch ein Sinn stecken könnte und ob dein *normal* nicht einfach nur heißt: »Ich kenn's halt nur so.« Deine neuen Mitmenschen finden, *du* machst vieles sehr merkwürdig – und irgendwie sinnlos.

So ersetzt du mit der Zeit die Wörter »normal«, »fremd«, »richtig« und »falsch« durch »anders«. Aber das ist keineswegs die einzige Veränderung. Während du dich an den simpelsten Verrichtungen versuchst und scheiterst – Zahnpasta im Supermarkt kaufen, dem Taxifahrer erklären, wo du hinwillst, den Burger ohne die ekligen Gurken bestellen –, merkst du, dass du dich in ein *Kind* zurückverwandelst. Du stolperst mit derselben traumhaften Mischung aus Neugier und Ahnungslosigkeit durch die Welt. Und lernst. Und staunst.

Es ist wie ein Zauber. Eine Art Disneyland – mit den Einheimischen als Micky Maus und Donald Duck.

Das Tollste an Kindern ist ja, dass sie sich für praktisch alles begeistern können. Eine ordinäre Pfütze macht sie glücklicher als uns abgeklärte Erwachsene eine Villa mit Pool. Wir Großen haben einfach schon zu viele Pfützen gesehen, um noch dieses existentielle Glück empfinden zu können, mit dem Kinder da reinhüpfen (und uns die hellen Sommerklamotten versauen). Wenn wir eine Pfütze sehen, denken wir an nasse Socken. Daran, dass der Sommer zu Ende geht. Und dass wir unaufhaltsam dem Tode entgegengehen.

Um aus dieser traurigen Gedankenpfütze rauszukommen, sollte wirklich jeder mal ins Ausland gehen! Nicht zuletzt, weil Auswanderer mit der Ankunft ein zusätzliches Sinnesorgan ausbilden: den *Ausländerblick*. Er wirkt wie eine Zauberbrille und sorgt dafür, dass alles, was man sieht und erlebt, automatisch mindestens doppelt so aufregend ist wie für die Einheimischen – einfach weil es fremd ist.

Du siehst nicht einfach nur eine Pfütze – du siehst eine ausländische Pfütze! In einem aufregenden ausländischen Schlagloch in einer superinteressanten ausländischen Straße! Gefüllt mit ausländischem Wasser und Matsch! Da reinzulatschen ist kein Missgeschick mehr, sondern ein Abenteuer. Das sich nur noch toppen lässt durch den Versuch, das aufregende ausländische Wort auszusprechen, das sie dafür verwenden. »P-f-u-z-z-ä«.

Aber es ist nicht nur die fremde Welt, die für dich interessant ist – das klappt auch umgekehrt. Du wirst ermutigt, frei von der Leber weg zu erzählen wie ein Kind. Denn du bist nicht mehr ein stinknormaler Engländer oder Belgier oder Deutscher zwischen Millionen anderen, sondern ein Exot, der den Einheimischen etwas zu geben hat. Du bist wie eine frische Mango.

Plötzlich kannst du deine langweiligen Familienanekdoten wieder loswerden – verpackt als funkelnde Köstlichkeiten aus einer fremden Kultur. Deine lahmen Thekenwitze werden zu Knaller-Botschaften aus einem romantischen, fernen Land. Du kannst haarklein Banalitäten wie deinen täglichen Arbeitsweg in England beschreiben – wer nie dort war, wird an deinen Lippen hängen, als seist du Reinhold Messner. Du erwischst dich dabei, die Geschichte von Marmite zu erzählen, als sei sie der achte Band von Harry Potter.

Aber irgendwann verändert sich das Verhältnis zu deiner neuen Heimat. Über Jahre hast du dich in deinem Status als Outsider gesonnt. Du hast das Privileg genossen, nicht wirklich zu kapieren, was um dich herum vorging, und die Leute fanden das niedlich – und nicht nervig, wie zu Hause. Du fandst es super, den lauten Gesprächen am Nachbartisch oder im ICE nicht unfreiwillig zuhören zu müssen – du hast ja eh nix verstanden. Kein Wortspiel auf einem Werbeplakat konnte dich von dem ablenken, woran du gerade dachtest. Du musstest dich nicht tierisch aufregen, wenn ein Politiker, den du nicht kanntest, etwas gesagt oder getan hatte, das du sowieso nicht verstandst. Du hattest echt viel Zeit *für dich*.

Aber irgendwann beginnst du dich zu *integrieren*. Du lernst doch irgendwie, Deutsch zu sprechen und zu verstehen. Du wirst zu einem essentiellen Bestandteil im Leben deines Partners, deiner Freunde, deiner Kollegen und Nachbarn. Man erwartet von dir, dass du dich wie ein Mensch verhältst statt wie eine Mango. Und so stehst du plötzlich mit dem Telefon in der Hand da, weil du der Oma deiner Freundin zum Geburtstag gratulieren sollst – auf Deutsch.

Du kannst – vor dir und den anderen – nicht länger den Eindruck erwecken, du seist ja nur »zu Besuch« in Deutschland und würdest bald wieder »nach Hause« zurückkehren. Dein Zuhause ist jetzt hier. Deshalb beginnt es dich erstmals zu stören, dass du so vieles noch nicht weißt und begreifst. Du verstehst inzwischen die einzelnen Worte der Insider-Gags, die deine Freunde machen. Aber warum sie lachen, bleibt dir trotzdem schleierhaft – weil dir die kulturellen Hintergründe fehlen. Ganz allmählich definierst du dich nicht mehr über deinen Outsider-Status, sondern willst ein Insider werden. Du willst dazugehören.

Dieser Prozess wurde für mich erheblich durch das beschleunigt, was 2012 geschah: Ich geriet auf die schiefe Bahn und wurde Autor. Ich schrieb einen Text mit dem Titel *How to be German in twenty easy steps*. In kleinen Anekdoten erläuterte ich darin, warum ich mich in den vergangenen fünf Jahren regelrecht in Deutschland und seine Bewohner verliebt hatte.

Ich postete den Text – und mir fiel umgehend der Himmel auf den Kopf. Für die ersten 100 Facebook-Likes brauchte es weniger als eine Stunde. Nach einem Monat hatten mehrere Hunderttausend Leute diesen englischsprachigen Text gelesen. Die Medien wurden aufmerksam. Ein Ausländer hatte einen Liebesbrief an Deutschland geschrieben?! »Die Leute mögen uns? Warum? Was ist so gut an Deutschland?«, fragten die Kommentatoren. Radiosender luden mich ein, und ich versuchte auch dort, meine Zuneigung zu den Deutschen loszuwerden.

Im Netz diskutierten die Leute anhand meines Textes, was denn nun typisch Deutsch sei und was nicht. Dann kam ein Verlag und fragte, ob ich aus dem Text nicht ein Buch machen wolle. Wollte ich. Während ich diesen Satz niederschreibe, anderthalb Jahre später, steht das Buch noch immer auf der *Spiegel*-Bestsellerliste.

Ich stehe weiterhin ratlos vor dieser Entwicklung. Wenn ich bisher an Personen des öffentlichen Lebens dachte, an Menschen, die in Talkshows auftreten und Interviews mit Zeitungen führen, habe ich mir immer vorgestellt, dass sie alle schwer bewacht wie Spitzenpolitiker durch die Gegend laufen. Außerdem dachte ich, zwischen mir kleinem Würstchen und der Welt der Promis gebe es fünf bis zehn gepanzerte Hochsicherheits-Stahltüren, die sich nur jenen öffneten, die privilegiert und mit besonderem Talent gesegnet sind. Aber als ich mich mit meinem kleinen Büchlein in der Hand schüchtern der ersten dieser Türen näherte, stellte ich verblüfft fest, dass sie nicht nur unbewacht war, sondern auch sperrangelweit offen stand. So war es auch mit den anderen Türen – einfach durchgelatscht, und schon stand ich in einem Studio, das Publikum applaudierte, eine Wand aus Kameras und Scheinwerfern stand vor mir, und der Talkmaster begrüßte mich zum Gespräch über meinen Bestseller.

Klar, von außen sieht das jetzt alles super aus – nach gebratenen Tauben, neuen Freunden und schönen Schecks. Aber wie es in mir drinnen aussah – danach fragt mal wieder keiner. Denn der Erfolg bringt natürlich auch Probleme mit sich. Man muss verstehen und einordnen, was da geschieht. Genauso wie der einzige Überlebende eines Flugzeugabsturzes lief ich eine Weile durch die Welt und fragte mich: Warum ich? Wieso saß ich in einem Berliner Rundfunkstudio und ließ mich stellvertretend für 63 Millionen Briten nach meiner Meinung über die 80 Millionen Deutschen fragen? War ich ehrlich überzeugt davon, der qualifizierteste Gesprächspartner hierfür zu sein? Der integrierteste Ausländer Deutschlands? Der Deutschland-Experte? Der begnadetste Autor? Oder wenigstens der lustigste?

Nö. War ich nicht.

Hatte ich jemals mehr als zehn Minuten deutsches Fernsehen geschaut? War ich jemals in einer deutschen Schule gewesen? Hatte ich mal als Zimmermann gearbeitet? Was wusste ich über die Schlagerszene? Hatte ich mal Nordic Walking ausprobiert? Oder dieses »Wandern«? War ich per Mitfahrgelegenheit durch das Land gereist? Hatte ich schon einen Mallorca-Urlaub absolviert? War ich bei einem Schützenfest gewesen? Hatte ich den Kopf der Karl-Marx-Büste in Chemnitz geküsst? An einer deutschen Wahl teilgenommen? Mehr als drei Bundesländer besucht? Fließend Deutsch gelernt?

Nein, ich hatte nichts von all dem getan bisher. Ich kannte nur die östlichen Bundesländer. Mein Deutsch reichte lediglich dann für eine gepflegte und den Gesetzen der Logik folgende Konversation, wenn mein Gesprächspartner nicht älter als vier war.

Ich lebte hier und ich beobachtete – aber beobachten und sich integrieren sind zwei ganz verschiedene Dinge. Zugucken heißt nicht machen. Berichten heißt noch nicht verstehen.

Soll heißen: Ich musste den nächsten Schritt tun und mich *integrieren*. Denn während es von außen so wirkte, als hätte ich alles erreicht und sei der glücklichste Mensch der Welt, fühlte ich mich wie ein Hochstapler. Mit diesem Buch will ich dieses Gefühl wieder loswerden – damit ich nachts wieder ruhig schlafen kann. Dieses Buch schildert meinen Weg vom Zufallsexperten, vom oberflächlichen Pseudo-Kenner zum wirklichen, hochqualifizierten Deutschland-Spezialisten. (Ob dieser Weg erfolgreich war, wird sich zeigen.)

Ich habe mich aufgemacht, um rauszukriegen, welche der vielen Behauptungen aus meinen ersten beiden Büchern überhaupt wahr sind. Ich will wissen, was dieses komische Ding namens »Nationalcharakter« ausmacht, das 80 Millionen Menschen miteinander verbindet. Also: Steigt ein und fühlt euch wie der Passagier einer holprigen Mitfahrgelegenheit, an deren Steuer ein glatzköpfiger Engländer sitzt, der zu heftigen, unerwarteten Lenkmanövern neigt, dessen Ziel keineswegs feststeht – und der eine ganze Armee von Leuten braucht, die seine Kommasetzung korrigieren.

Schützenfest

»Ich hab 'ne Idee für dein Buch«, sagte mein Freund Alex eines Tages zu mir. »Auf dem Dorf, wo meine Eltern wohnen, in der Nähe von Mönchengladbach, ist demnächst Schützenfest. Da solltest du dabei sein.«

»Schützenfest? Nie gehört«, antwortete ich. »Aber Mönchengladbach kenne ich. Borussia.«

»Du weißt nicht, was ein Schützenfest ist?! Das ist *das* Ereignis des Jahres!«

»Echt?«

»Aber ja. Das wichtigste Event überhaupt – für ein Dorf. Die meisten Dörfer haben ein eigenes Schützenfest.«

»Was wird da gemacht?«

»Das Wichtigste sind Fahnenschwenken und der Schießwettbewerb.«

»Man schießt auf Leute, die Fahnen schwenken?«

»Nein«, seufzte er. »Diese beiden Sachen finden unabhängig voneinander statt.«

»Schade. Wär doch mal 'ne Idee gewesen«, sagte ich.

»Ich werd sie dem Schützenkönig vortragen.«

»Was zum Teufel ist ein »Schützenkönig«?«

»Derjenige, der das Wettschießen gewinnt, ist für ein Jahr Schützenkönig.«

»Und was ist mit dem Sieger beim Fahnenschwenken?«, fragte ich und wedelte eifrig mit einer imaginären Fahne.

»Der kriegt wahrscheinlich 'nen Schnaps.«

»Hm.« Ich ließ meine imaginäre Flagge wieder sinken. »Hat der Schützenkönig bestimmte Attribute und Privilegien? Eine Krone? Ein Zepter? Einen eigenen Parkplatz?«

»Nee. Na ja, vielleicht eine Krone. Und sein Haus wird geschmückt. Vor allem ist er ein Jahr lang eine besonders wichtige Person im Dorf. Aber er muss auch permanent einen ausgeben. Ist ein teurer Spaß, Schützenkönig zu werden. In der Regel muss man dafür einen Kredit aufnehmen. Kostet schlappe 30.000 Euro, die Ehre.«

Ich schnappte nach Luft. »Nochmal zum Mitschreiben«, sagte ich. »Man nimmt an einem Schießwettbewerb teil – und wenn man gewinnt, besteht der Preis darin, dass man die anderen ein Jahr lang mit Bier und Schnaps versorgen muss und danach 30.000 Euro Schulden hat?«

»Ja«, sagte er, und weil ich meine Ungläubigkeit schlecht verbergen konnte, fügte er hinzu: »Ist Tradition. Da sollte man bekanntlich keinen Sinn drin suchen.«

»Wenn das der erste Preis ist, will ich nicht wissen, was mit dem zweiten und dritten Sieger passiert. Werden die irgendwo hinterm Rathaus erschossen und verscharrt?«

»Genau, oder sie müssen die schwerste Fahne durchs Dorf schleppen. Also – bist du dabei?«

»Klar, wenn es einen Schießwettbewerb gibt, hin da!«

Die Tradition der Schützenfeste hat ihre Wurzeln im Mittelalter. Viele Dörfer bildeten eine Art Bürgerwehr, um sich gegen »Plündererbanden« wehren zu können. Ich weiß, was Wikipedia damit meint. Ich bin in einem üblen Viertel aufgewachsen und kann bestätigen, dass es solche Gangs bis heute gibt. Allerdings sind sie inzwischen fauler als im Mittelalter – niemals würden sie sich die Mühe machen, von

Dorf zu Dorf zu ziehen, um zu plündern. Lieber hängen sie an Bushaltestellen oder vor dem Kiosk rum.

Alex' Vater Dieter hatte die Aufgabe übernommen, den Bürgermeister zu fragen, ob ich als ausländischer Gast am Schützenfest teilnehmen dürfe. Möglicherweise hat er dabei die eine oder andere Ausschmückung vorgenommen. Ausgehend von dem, was mir dort widerfuhr, stelle ich mir dieses Gespräch von Mann zu Mann etwa so vor (*in Klammern das, was sie um der Wahrheit willen besser hätten sagen sollen*):

Dieter: »Es gibt da diesen britischen Schriftsteller – du weißt schon, so was wie J. K. Rowling oder John le Carré. Er würde gerne zum Schützenfest nach Neuwerk kommen, weil er an einem Buch über Deutschland arbeitet.«

(*Es gibt da diesen britischen Möchtegern-Schreiberling. Mein Sohn hat ihn gezwungen, zum Schützenfest zu kommen. Er schreibt wohl in irgendeinem Klobuch über uns.*)

Bürgermeister: »Mensch, wie toll! Er will ausgerechnet Neuwerk kennenlernen? Was für eine Ehre für uns! Am besten rollen wir den roten Teppich aus. Was für Bücher schreibt er denn? Spricht er Deutsch?«

(*Der weiß doch gar nicht, wo Neuwerk überhaupt liegt, oder? Und was für »Bücher« schreibt der? Kann er überhaupt vernünftig Deutsch?*)

Dieter: »Ja, er hat sich ganz gezielt Neuwerk ausgesucht, nach gründlicher Recherche. Er schreibt, glaube ich, ein historisches Fachbuch. Mein Sohn Alex kennt ihn gut und hat eine sehr hohe Meinung von ihm als Wissenschaftler. Und, klar: Er spricht fließend Deutsch.«

(*Er hat keinen Schimmer, wo Neuwerk liegt, und es ist ihm vermutlich auch scheißegal. Sein Buch handelt vor allem von ihm selbst und nimmt uns Deutsche ordentlich auf die Schippe. Alex*

sagt, er spreche praktisch kein Deutsch, obwohl er seit Jahrhunder-
ten hier lebt. Er ist wohl einfach zu doof dazu – und obendrein
stinkfaul.)

Bürgermeister: »Kein Thema, Dieter. Er soll einfach mit dir
und den anderen Alten Herren mitlaufen. Er soll uns unbedingt ein Buch für unser Archiv schicken, wenn's fertig ist.«

(Ich habe ehrlich gesagt meine Bedenken, Dieter. Aber wir kön-
nen ihn ja abfüllen und ein bisschen verarschen. Solange er uns
bloß nicht sein Buch schickt und damit kostbaren Platz im Archiv
wegnimmt, soll er meinetwegen im Umzug mitlaufen, aber schön
versteckt, ganz hinten.)

Wen auch immer sie erwarteten: Wer kam, war ich, mit
meiner Freundin Annett im Schlepptau. Neuwerk hatte sich
echt rausgeputzt für uns. Blaue, gelbe, rote und grüne Wim-
pel schmückten die Straßen. Die Vorgärten präsentierten
stolz die Farben und Wappen der Sektion der Schützenbruderschaft, der die Besitzer angehörten. Ältere Herren in
grünen Trachtenjacken bevölkerten die Straßen. Einer mit
schwarzem Jackett, an dem diverse Orden und Medaillen
hingen, stand schwitzend vor dem Biergarten und begrüßte
die ankommenden Gäste.

Dass Neuwerk ein eher überschaubarer Ort ist, wurde uns
klar, als wir eine Frau mit Kinderwagen nach dem Weg fragten und sie erwiderte: »Du musst Adam sein!«

Es war Alex' Schwester. Sie brachte uns zu dem blassgel-
ben Haus, in dem ihre Eltern seit 34 Jahren wohnen. Wir
hatten ein gemütliches Kaffeestündchen mit Alex' freundlicher, warmherziger Mutter, die uns, wie es sich in Deutschland gehört, bis zur Bewegungsunfähigkeit mit Torte mästete.
Dann kam Dieter. Trotz seiner 69 Jahre hatte er mehr Energie
als die meisten 25-Jährigen, die ich kenne. Er war bereits in

Tracht, inklusive Stiefeln und Hut, setzte sich neben mich und servierte uns das erste Bier des Tages – man trank hier Alt. Dann begann er, mir in allen Details die vollständige Geschichte des Neuwerker Schützenwesens zu referieren, unterrichtete mich über den Ablauf der kommenden Tage sowie über die einzuhaltenden Regeln und Bräuche, zählte auf, wen ich alles kennenlernen würde und müsse, und rundete seinen Vortrag mit einem Überblick über die erdgeschichtlichen Besonderheiten der Region sowie die 250-jährige Geschichte des Ortes ab.

Jedenfalls glaube ich, dass er über all das sprach – denn er tat es in extremem niederrheinischem Dialekt. Für mich klang unser Gespräch etwa so:

»Was maken wir heute Abend, Dieter?«

»Jetzt gehen wir fsfen lkhhdfun gefunfen und die hojhwe-ritgkeit werden hjhfdgeladen und danach zur Kirche asdhen ein jaskdhad.«

Es wäre unhöflich gewesen, ihn permanent zu unterbrechen und um Wiederholung zu bitten. Also lächelte und nickte ich die ganze Zeit, wie ein ruhiggestellter Psychiatriepatient. Immer wenn ich das Gefühl hatte, man erwarte eine Äußerung von mir, sonderte ich eine der vorbereiteten Phrasen ab wie: »Sehr toll. Ich freue mich schon darauf.« Ich hatte keine Ahnung, welchen Plan ich da jeweils mit meiner Vorfreude absegnete. Den Abwasch des ganzen Dorfs zu machen? Eine Million Euro zu bekommen? Meiner eigenen Hinrichtung beizuwohnen?

Annett fügte dann in der Regel hinzu: »Ja, das klingt toll! Kann ich mitkommen?«

»Nein«, antwortete Dieter dann regelmäßig. »Nur die Herren.«

»Warum?«, fragte Annett.

»Tradition.«

Irgendwann unterbrach Dieter sich mitten in einem weiteren historischen Exkurs und blickte vorwurfsvoll auf mein Notizbuch, das ich immer bei mir trage. Dieter war offensichtlich enttäuscht, dass ich keine seiner kostbaren Detailinformationen mitgeschrieben hatte. Schließlich hatte Alex ihm erzählt, ich sei Schriftsteller. Wenn er mir seine Vorträge im Glauben gehalten hatte, er trage damit wertvolles Material zu meinem Buch bei, hatte er ganz offensichtlich nie in ein Buch von mir geschaut. Ich bin kein richtiger Autor. Fakten verwirren mich nur. Geschichte ebenso. Recherchen erspare ich mir – zu anstrengend. Das sollen mal schön die Journalisten und Historiker machen. Oder die richtigen Autoren. Ich bin nur Teil der Popkultur und mache vor allem Witze auf Kosten meiner Freundin.

Aber ich wollte ihn nicht enttäuschen und ihm die Information ersparen, dass ich nicht der akribisch recherchierende Bestseller-Autor war, den er offenbar erwartet hatte. Ich klappte also mein Notizbuch auf und begann mitzuschreiben – allerdings nicht seine Vorträge, sondern nur die lustigen deutschen Wörter daraus (jedenfalls die, die ich verstand), wie »Bruderschaftler«, »Zugführer«, »Hauptmann«, »Fahnenadjutant« – und eine Anekdote über ein paar Deutsche, die Alex' Schwester auf einem Campingplatz kennengelernt hatte und die einen Campingstuhl mit einem großen Loch in der Sitzfläche dabeihatten. Als sie fragte, was sie damit denn vorhätten, sei die sachliche Antwort gewesen: »Kacken gehen.«

Nach weiteren Unmengen von Kaffee und Kuchen gingen wir alle zur Kirche. Dort geschah dann irgendwas – möglicherweise sogar etwas von historischer Bedeutung. Ich fragte

Dieter, aber seine Erklärungen halfen mir leider kein bisschen weiter. Traurig registrierte er, dass ich schon wieder nicht mitschrieb. Annett war draußen geblieben, konnte mir also auch nicht erklären, was hier vor sich ging.

Aber auch wenn der Gottesdienst auf mich nur verwirrend wirkte – ich konnte immerhin einen ersten Blick auf den gestern gekürten Schützenkönig werfen. Dieter zeigte ihn mir. Er stand leicht gebeugt rechts neben der Altarplatte. Ich schätzte ihn auf Ende siebzig. Er sah nicht gerade aus wie einer, den du als Ersten zu Hilfe holen würdest, wenn eine plündernde Bande dich überfällt. Er sah eher aus wie der Erste, der überfallen würde, weil er nicht mal wegrennen konnte, geschweige denn sich wehren.

Nach der Messe versammelten wir uns vor der Kirche, wo es ein Bierchen gab und feierlich der Schützenbaum aufgerichtet wurde. Unter vielem »Haaaaaau – ruck!« taten die Schützen so, als zögen sie ihn wie früher von Hand. In Wirklichkeit zog ein Traktor ihn hoch.

Am Abend gingen Annett, Alex und ich ins Nachbardorf, mit dem sich Neuwerk in diesem Jahr die Ausrichtung der Feierlichkeiten teilte. Der Nachbarort war allerdings nicht mit ganzem Herzen dabei – sie hatten nämlich keinen Schützenkönig. Weil sich niemand gefunden hatte, der es sich hätte leisten können, zu gewinnen, hatten sie den Teil mit dem Schießen hier kurzerhand gestrichen. Aber immerhin hatten sie ein riesiges Festzelt aufgebaut, mit einer Schützenfest-Band, Bierbänken und Alkohol. Viel Alkohol.

Ich hatte mich auf eine raue Proll-Veranstaltung mit derben Sitten und stets nahe an der Prügelei eingestellt. Aber weit gefehlt. Es war eher eine gesittet-spießige Kleinbürger-Veranstaltung. Mit zunehmendem Alkoholpegel wurde die

Stimmung schnell lockerer und glich der einer großen Hochzeit mit drei Generationen auf der Tanzfläche. Nach ein paar Bier fand ich mich im angeregten Gespräch mit Alex' alten Schulfreunden wieder, wir tranken deutlich zu viel Korn[3] und taten im Übrigen wenig überzeugend so, als gefalle uns die Musik nicht. Die Band sprang munter zwischen Elvis-Songs, *99 Luftballons* und Schlager-Hits hin und her.

Dann geschah etwas sehr Merkwürdiges. Zwölf der fünfzehn Leute an unserem Tisch, also alle außer Annett, Alex und mir, hakten sich plötzlich unter und begannen hin- und herzuwackeln wie betrunkene Matrosen.

»Was ist denn mit denen los?«, fragte ich Annett etwas beunruhigt.

»Das nennt man Schunkeln.«

»Du hast noch nie gesehen, wie Leute schunkeln?«, fragte Alex ungläubig. »Das ist echt was typisch Deutsches. Synchrontanzen im Sitzen.«

Hatte ich nie gesehen. Und es war eine Offenbarung für mich! Ich vermute, in mir steckt eigentlich ein passabler Tänzer, aber der ist meistens total verschüchtert wegen der unendlich vielen Tanzvarianten. Es gibt einfach viel zu viele Gliedmaßen und andere Zubehörteile, die man miteinander koordinieren muss. So stehe ich auf Tanzflächen immer etwas verloren rum, als hätte ich mich auf dem Rückweg vom Klo verlaufen. Ich schiebe mich meist unauffällig an den Rand und bete inständig, dass nicht gerade einer dieser mo-

imploringly

---

3 Korn ist normalerweise sehr billig – aus gutem Grund. Ich empfehle ihn nicht. Die vorherrschenden Geschmacksnoten sind »Oh, Fehlentscheidung!« und »Das wirst du bereuen«.

dernen *blippy-bloopy* Elektro-Songs läuft, die alle gleich klingen und 35 Minuten dauern.

Ich schätze, wenn man die größten Tanzgenies der Menschheit – also zum Beispiel den Geist von Michael Jackson, Michael Flatley (*Riverdance*), ein paar Can-Can-Tänzerinnen, Shakira und vielleicht Rick Astley – in einen Raum sperren würde, mit CD-Player, Flipchart und Markern und der Aufgabe, das Tanzproblem endgültig zu lösen: Es käme Schunkeln raus. Denn es vereint alle Vorzüge des Tanzens – Gemeinschaft, Bewegung, das Berühren fremder Menschen – und eliminiert alle Nachteile. Es ist selbst für rhythmische Analphabeten wie mich schlechterdings nicht möglich, beim Schunkeln etwas falsch zu machen. Wenn man in der Mitte der schunkelnden Menschenkette sitzt, muss man buchstäblich nichts tun, sobald die Arme einmal untergehakt sind. Man wird getanzt – ob man will oder nicht. Es ist Nirwana für rhythmisch Unbegabte wie mich.

Schunkeln ist also irgendwie Tanzen – aber in der nach Indien outgesourcten Version: Nur das absolute Minimum an Kenntnissen und Anstrengung ist nötig. Womit es aus meiner Sicht als Tanz-Phobiker ein Höhepunkt der menschlichen Kulturentwicklung ist. Was bitte soll nach Schunkeln noch kommen? Schunkeln for president!

Nach einigen weiteren Korn- und Schunkelrunden brachen wir gegen elf auf, weil ich ja am folgenden Morgen um fünf Uhr aufstehen musste. Warum so früh? Die Frage hatte ich Dieter auch gestellt, und zwar mehrfach.

Seine Antwort: »Tradition.«

Alle Teilnehmer des Umzugs standen um fünf auf, damit sie um sechs zusammen frühstücken konnten – selbstverständlich auf Kosten des großzügigen beziehungsweise bedauernswerten Schützenkönigs.

Als mein Wecker piepste, kostete es mich schier übermenschliche Überwindung, aus dem warmen Bett zu steigen. Zumal sich der Korn nachdrücklich in Erinnerung und meinen Magen zum Schunkeln brachte. Gegen halb sechs torkelte ich schlaftrunken und nur mit Boxershorts bekleidet in den Flur und durfte erfreut feststellen, dass Dieter nicht nur wach, sondern bereits gespornt und gestiefelt war. Er wirkte etwas enttäuscht ob meiner zerzausten Gesamterscheinung und sprach ein paar Sätze, deren Sinn sich mir vor allem aus dem Tonfall erschloss: Beweg deinen faulen englischen Arsch!

Alex hatte mich instruiert – um im Umzug mitlaufen zu dürfen, musste ich die Uniform der Alten Herren tragen: schwarzer Anzug, schwarze Krawatte, weißes Hemd, schwarze Socken, schwarze Schuhe, Zylinder, Gehstock. Das Einzige, was ich hiervon besaß, waren schwarze Socken – und selbst die hatten graue Streifen. Weil ich ein Rebell bin, hatte ich entschieden, sie dennoch zu tragen.

Nach einer schnellen Dusche zog ich mich hastig an. Anzug und Krawatte hatte ich mir von einem Freund geborgt, der mir dieses Outfit schon einmal geliehen hatte. Da das ein großer Erfolg gewesen war, hatte ich darauf verzichtet, es vorher nochmal anzuprobieren. Allerdings begann ich jetzt doch zu rechnen, wie lange das her war. Unter verzweifeltem Zerren, Ziehen, Quetschen und Fluchen kam ich auf drei Jahre. Drei Jahre, in denen ich viel Schokolade gegessen und dafür umso weniger Sport getrieben hatte. Ich war fett geworden. Mit äußerster Mühe quälte ich mich in die Hose und das Jackett – und beschloss, den ganzen Tag lang die Luft anzuhalten und das Beste zu hoffen.

Als ich in den Flur stolziert kam, wartete Dieter ungeduldig auf mich. Er hatte den wichtigsten Teil meiner Uniform in der Hand: die Waffe. Jeder, der mitmarschiert, trägt irgendeine Waffe. Das kann ein (ungeladenes) Gewehr sein, ein Holzgewehr oder – weil akustische Kriegführung auch zählt – die Instrumente des Spielmannszugs. Im Falle der Alten Herren war die Waffe – demütigend genug – ein hölzerner Gehstock.

»Hier ist deine Waffe«, sagte Dieter feierlich. Was er mir in die Hand drückte, war allerdings kein Holzstock, sondern ein grauer Plastikregenschirm. Ich wollte nicht undankbar wirken, aber ich war nicht sicher, ob ich marodierenden Banden damit wirklich Angst einjagen konnte. Ich nahm den Schirm und untersuchte ihn gründlich. Vielleicht war Dieter ja ein Jünger Qs, und der Schirm ließ sich in James-Bond-Manier mit einem versteckten Knopf in ein Maschinengewehr verwandeln. Ließ er nicht.

»Meine Waffe ist ein Regenschirm?«, fragte ich.

»Genau. Leider haben wir keine Stöcke mehr.«

Ich hatte eher den Verdacht, dass hier ein Klischee am Werk war. Haha, der Tommy kriegt den Regenschirm. Allerdings lässt sich Regen leider nur mit großzügigster Phantasie als »Bande« klassifizieren. Immerhin, sollte es regnen, wäre ich super vorbereitet. Blieb es trocken, würde ich allerdings eher als unrasierte Mary Poppins mit regelwidrigen grauschwarzen Socken in die Geschichte Neuwerks eingehen, die in ihrem Kleid steckte wie eine Weißwurst in der Pelle.

Wir brachen zum gemeinsamen Frühstück auf. Eine lebhafte Truppe von sieben Männern zwischen 60 und 82 erwartete uns bereits.

»Adam«, sagte einer von ihnen, »du musst zum Frühstück ein Bier mit uns trinken.«

»Ein Bier? Morgens um halb sieben?!«

»Klar«, sagte er und hielt mir die bereits geöffnete Flasche hin.

»Aber – warum?«

»Tradition.«

Nach dem Frühstück, so gegen sieben, versammelten wir uns draußen. Ich hatte kaum etwas gegessen, weil mein Anzug das nicht zuließ. Der Umzug war recht eindrucksvoll: Hunderte von Männern in der Tracht der Bruderschaftssektion, zu der sie gehörten. Die ganz wichtigen begleiteten den Zug zu Pferde. Auf einem Pferdewagen saßen die Mitglieder, die angeblich zu alt zum Laufen waren. Drückeberger!

»Kannst du eigentlich marschieren, Adam?«, fragte Dieter mich, als wir unsere Plätze im Zug einnahmen. Nach einem Tag in seiner Gesellschaft verstand ich ihn mittlerweile besser.

Ich log und sagte »Ja«. Schließlich ging es nur ums Laufen, oder?

»Okay, wunderbar. Dann gehen wir nach vorne. Könntest du dein Jackett bitte zuknöpfen, wie wir alle hier?«

»Ja, äh, natürlich!«, sagte ich und begann mit dem Versuch, das Jackett zuzuknöpfen. Das Jackett stand diesem Versuch jedoch ausgesprochen reserviert gegenüber. »Die Schokolade!«, sagte es. »Weißt du noch? Klar tust du das, Dickerchen. Nur weil Ritter Sport draufsteht, macht sie nicht schlanker.«

»Oh«, sagte Dieter, als er mich ansah. Er begann zu lachen und teilte den Grund seiner Heiterkeit mit den Umstehenden. Kam offenbar gut an – ein Engländer, der in einem Jackett gekommen war, das mindestens vier Nummern zu klein war. Ich fühlte mich irgendwie quadratisch, unpraktisch, ungut.

Wir reihten uns ein – ich mit offenem Jackett – und übten

noch ein wenig Marschieren auf der Stelle. Als die Blaskapelle an der Spitze des Zuges loslegte, starteten wir. Ich fand, dass ich super marschierte. Allerdings war ich der Einzige, der das so sah. Die Alten Herren nutzten eine kurze Marschpause, um mich aufzuziehen.

»Man sieht, dass du nicht gedient hast«, meinte der erste. »Ich hab schon kleine Mädchen gesehen, die besser marschiert sind«, ätzte ein zweiter. »Ich würde ja sagen, dass du zwei linke Füße hast, wenn das keine Beleidigung für Linksfüßler wäre«, ergänzte Dieter. Das reinste Mobbing. Aber vor allem waren die Sprüche ein Beleg dafür, dass all dies keine bierernste Angelegenheit war.

Nachdem wir etwa eine Stunde lang scheinbar ziellos durch den Ort gezogen waren – offenbar war die Route so angelegt, dass wir möglichst viele Bürger aus dem Schlaf reißen konnten –, erreichten wir das Haus des Schützenkönigs. Es war sorgfältig mit Schilden, Wappen, Wimpeln und einem imposanten Tor aus Strohballen geschmückt. Hatte er Angst gehabt, dass wir sonst vorbeilaufen würden?

Wir formierten uns in Reihen und er trat heraus. Einer der Reiter begrüßte ihn feierlich, dann schritt der König gemeinsam mit einigen Honoritäten der Bruderschaft unsere Formation ab. Ein anderer Reiter rief: »*Präsentiere deine Waffe!*«, und die Situation schien vor Förmlichkeit zu erstarren – bis ein Witzbold etwas rief wie: »Frag mal deine Mutter nach meiner Waffe.« Das anschließende Gelächter und Gegiggele eines Teils der Bruderschaft löste die Verkrampfung auf wohltuende Weise.

Wir formierten uns wieder zum Zug und marschierten denselben umständlichen Weg wieder zurück. Diejenigen, die die religiösen Wurzeln der Schützenbruderschaft noch ernst nahmen, gingen danach zum Gottesdienst. Die Alten Herren und ich wählten eine andere Örtlichkeit, die den Deutschen nicht minder heilig ist: die Kneipe.

In der Kneipe stellte Dieter mich nacheinander jedem Anwesenden mit gewichtiger Mine vor. Der Dialog lief immer gleich ab:

»Das ist unser Ehrengast aus England. Er ist Schriftsteller und schreibt ein Buch über Neuwerk und Mönchengladbach!«

»Über *Neuwerk*? Hast du ihm von dem historischen Ereignis auf dem Viehmarkt von 1864 erzählt, als die Kuh in den Kaufmannsladen …?«

»Mein Buch handelt nicht ausdrücklich von *Neuwerk* …«, sagte ich dann stets, um sofort wieder unterbrochen zu werden.

»Also, Adam, es begann alles mit dem großen Scheunenbrand von 1812 …« Dann blickten sie auf mein Notizbuch und fragten: »Wieso schreibst du nicht mit?«

»Oh, sorry«, sagte ich dann, griff zum Stift und schrieb einen der Witze auf, die sich die Alten Herren erzählten, während sie glaubten, dass ich nicht zuhörte, weil ich mit der Ortshistorie befasst war:

Nach einer durchzechten Nacht erwacht der Ehemann mit komplett vollgekotzten Klamotten. Neben dem Bett steht seine wütende Frau.

»Hat der Herr mal wieder einen schönen Abend gehabt?«

»Oh, ähm«, sagt er, »es ist nicht so, wie es aussieht. Ich hab gar nicht so viel getrunken. Aber du kennst ja Stefan: voll wie eine Strandhaubitze. Irgendwann ist er in eine Hecke gefallen – und als ich ihm rausgeholfen habe, hat er mich zum Dank von oben bis unten vollgekotzt. Mann, war ich sauer! Aber er hat mir immerhin 50 Euro für die Reinigung gegeben.«

Mit spitzen Fingern fischt die Frau einen zerknitterten Geld-
schein aus seiner Brusttasche.

»Das sind aber 100.«

»Ja. Die anderen 50 sind dafür, dass er mir auch in die Hose
geschissen hat.«

Auf das erste Bier in der Kneipe folgte zügig das zweite. Das
dritte nahm ich schon etwas zögerlich zu mir, das vierte
trank ich dann ausdrücklich gegen meine Überzeugung und
nur unter Protest. Für jemanden, der nicht viel Alkohol
trinkt, war das bereits nahe am Komasaufen. Meine Mittrin-
ker mochten ein halbes Jahrhundert älter sein als ich – aber
ihre Lebern waren offenbar fitter als meine.

»Für mich nichts mehr«, flehte ich. »Ich bin schon betrunken.«

»Na und? Schlechter als vorhin kannst du sowieso nicht
mehr marschieren. Ich bestell uns noch 'ne Runde.«

»Näh, ich schaff kein Bier mehr!«, begehrte ich auf. »Ich
werd dann brummig. Außerdem muss ich alle fünf Minuten
pinkeln.«

»Du klingst wirklich wie ein Alter Herr. Hör auf zu jammern und trink. Das ist Tradition.«

Ich begriff langsam, dass »Schützenfest« einfach nur ein
anderes Wort war für »Wir schmeißen uns in Schale und
lassen uns volllaufen«. Beziehungsweise in meinem Fall: nur
»volllaufen lassen«.

Der einzige Vorteil der Sauferei war, dass sie meine Sprach-
kompetenz auf wundersame Weise erhöhte – auch wenn
Dieters Äußerungen mir zum Großteil weiterhin ein Rätsel
blieben. Aber im Zweifel las ich aus seiner Körpersprache,
was er von mir wollte. Wenn er aufstand, um irgendwohin zu

gehen, hieß das in der Regel, dass er von mir erwartete, dass ich ihm folgte. Klar, das konnte auch mal schiefgehen. Irgendwann nach einer Menge Bier stolperte ich hinter ihm her, weil ich annahm, dass die Nachmittagsparade begann. Er schaute etwas misstrauisch, als ich mit Schirm und Zylinder direkt hinter ihm stand. Offenbar wollte er doch lieber allein pinkeln. Ich tat überrascht.

Oh, haha. Du musst auch pinkeln, stimmt's? Jaja, das Pinkeln. Kommt in den besten Familien vor. Ich pinkle mit Zylinder auf dem Kopf. Scheint mir sinnvoll, schon wegen der Tradition.

Irgendwann, nach stundenlangem Biersaufen, versammelten wir uns wieder draußen. Ich war noch nie in einer echten Parade mitmarschiert. Es fühlte sich auf surreale Weise gut an, im Takt der Blaskapelle zu marschieren, als Teil von etwas Größerem als mir selbst, das aber im Einklang mit mir war. Vor mir Reihen über Reihen uniformierter Kämpfer, so weit das Auge reichte. Man wünschte sich fast, dass sich jetzt eine Plündererbande blicken ließe – die hätten was erleben können! Zum Beispiel ein hektisches Treiben, sobald die Parade an etwas vorbeikam, das größer war als ein Himbeerstrauch. Dann verließen die Männer ihren Posten und erleichterten sich hinter dem Busch. (Musste ich auch zweimal machen.) Ob man damit eine Räuberbande einschüchtern konnte? Wohl nur, wenn sie sich ausgerechnet in diesem Gebüsch versteckte.

Nach einer Stunde Marsch und Pinkelpausen erreichten wir die Kirche des Nachbarorts. Hier sollten wir in die festlich geschmückte Hauptstraße einbiegen, wo der eigentliche Festumzug stattfand. Hunderte von Zuschauern hatten sich am Straßenrand versammelt, und für den Schützenkönig und die Würdenträger war extra eine Tribüne errichtet worden. Vor dieser Tribüne sollten alle Gruppen in den Stech-schritt wechseln – eine Fortbewegungsart, die mich schlag-artig begreifen ließ, wie Monty Python auf die Idee mit dem *Ministry for Silly Walks* (Ministerium für Alberne Gänge) ge-kommen waren. Durch den Wechsel in den Stechschritt ent-stand ein veritabler Stau, worauf meine Alten Herren keine Lust hatten. Anstatt eine Stunde zu warten, bis wir dran wa-ren, entschieden sie sich, aus der Reihe zu tanzen und – ratet mal – eine Kneipe aufzusuchen.

»Adam, ich hab dir ein Bier geholt«, sagte einer von ihnen, als ich von meinem 27. Klogang zurückkehrte.

»Super. Danke«, sagte ich ohne jeden Enthusiasmus.

»Dieter, hast du ihm eigentlich schon die Geschichte mit dem Papst und dem Schützenfest erzählt?«, fragte er. »Nein? Die ist sehr interessant. Also, es begann 1811, als es noch nicht erlaubt war… wieso schreibst du nicht mit? Du bist doch Schriftsteller!«

Ich zückte meinen Stift und begann zu schreiben. Über-wiegend die Wörter »HELP« und »DRUNK« und »WHY«. Ich hatte es auch aufgegeben, mich weiter gegen den unaufhör-lichen Biernachschub zu wehren. Half ja eh nichts – und ich musste meine Energie aufsparen, um im entscheidenden Moment noch einigermaßen geradeaus laufen zu können. Ursprünglich hatte ich gedacht, dass dieses Fest etwas mit Tradition und Gemeinschaft zu tun hätte – im Sinne der vielen Banner, auf denen in Frakturschrift »Glaube, Heimat und Sitte« stand. Aber der Text hätte eigentlich lauten müs-sen: »Saufen, Saufen, Saufen«.

Um ein Uhr mittags kamen wir aus der Kneipe – gerade noch rechtzeitig für unseren Vorbeimarsch an der Tribüne. Ich war seit sieben Uhr morgens am Marschieren und Trinken – und hatte gerade mal ein Brötchen gegessen. Ich war so besoffen wie noch nie am helllichten Tag – der mittägliche Rausch während meines Fernsehmarathons war nichts dagegen gewesen.

Träge und betrunken formierten wir uns zum abschließenden Marsch. Ich versuchte mein Bestes, motiviert auszusehen statt betrunken und ausgehungert. Schließlich würde Annett zuschauen und sich wünschen, dass ich eine gute Figur machte. Auch andere aus der Gruppe kämpften um eine positive Ausstrahlung. Wir gruppierten uns wie ein Fußballteam vor dem Finale, feuerten uns mit Schlägen auf die Schultern an und besprachen nochmals die Schrittfolge beim Marschieren. Aber wir waren einfach nur ein torkelnder Haufen alter und besoffener Männer.

Als wir losmarschierten, hatte ich den Anspruch, im Takt zu marschieren, längst als zu ambitioniert verworfen. Mein Ziel hieß jetzt, nicht hinzufallen und mich nicht zu übergeben. Und meine Blase im Griff zu haben. Auch die anderen Alten Herren konzentrierten sich auf die elementaren Herausforderungen. Trotzdem applaudierte die versammelte Menge – oder jedenfalls eine Frau aus Ostdeutschland – uns begeistert und schoss fleißig Fotos.

»Du sahst echt gut aus«, sagte Annett und beglückwünschte mich mit einer Umarmung zum unfallfreien Erreichen des Zieleinlaufs. »War echt mal was anderes als immer diese Jeans mit den Löchern drin.«

»Tja, das ist eben Tradition«, sagte ich.

»Aber warum hast du dein Jackett nicht zugeknöpft wie die anderen?«, fragte sie und machte sich an meinen Knöpfen zu schaffen.

»Oh …«, sagte sie. »Verstehe.«

Zurück in Alex' Elternhaus packte ich meine Sachen und verabschiedete mich von Dieter und Margit. Dieter griff in sein Bücherregal und zog einen dicken Band heraus: *Gegen Die Gladbacherischen Einwendungen – Geschichte der Pfarre St. Mariä Himmelfahrt, Neuwerk*. 300 Seiten mit historiographischen Abhandlungen, Karten und Diagrammen.

»Hier steht alles drin, was du über Neuwerk und Mönchengladbach wissen musst. Ich schenke es dir.«

Eigentlich wollte ich das Geschenk ablehnen. Ich wollte ihm klarmachen, dass es Perlen vor die Säue geworfen wäre, weil vermutlich keine Witze über Apfelsaftschorle oder Fenster auf Kipp drinstanden. Ich hätte am liebsten die Maske fallen lassen und Dieter gebeichtet, dass ich gar kein richtiger Schriftsteller war und dass es für mich schon eine Beschäftigung mit historischem Material bedeutete, wenn ich einen Film von vor 1999 sah. Und dass die einzige Tradition, die mir wichtig ist, das monatliche Überweisen der Miete ist. Und vielleicht noch, dass ich zweimal die Woche beim selben Asiaten esse – dem gleich bei uns in der Straße.

Stattdessen sagte ich: »Danke, Dieter, das ist aber nett von dir!«, blätterte ein wenig in dem Buch, von dem ich wusste, dass ich es nie, nie, nie lesen würde, und sagte: »Großartig. Und so detailreich.«

»Na ja, das wirst du auch brauchen, nachdem du dir kaum Notizen gemacht hast.«

Den Heimweg nach Berlin absolvierten wir in einer Metallröhre, die die großartige Deutsche Bahn zur Verfügung gestellt hatte (ich habe keine Ahnung, wie Züge funktionieren). Ich trank Unmengen Wasser, um meinen Kater zu bekämpfen, döste und dachte über meine Schützenfest-Erfahrung nach. Abgesehen davon, dass ich keinen einzigen Schuss gehört, gesehen oder gar abgegeben hatte, war mir große Gastfreundschaft zuteil geworden und ich hatte das Wochenende sehr genossen. Ich hatte sehr schrullige und unterhaltsame Leute kennengelernt.

Zugleich wusste ich genau, warum Alex sich immer wieder mal unwohl gefühlt hatte. Ich hasse es, in die kleine Stadt im ländlichen Norfolk zurückzukehren, in der ich meine Kindheit verlebt habe. Zu viele schlechte Erinnerungen, zu viele Geister der Vergangenheit. Für manche Menschen sind solche Erinnerungen ja das Fundament ihres Selbst. Für mich sind sie mehr verbunden mit dem Menschen, der ich einmal war, bevor ich jemand wurde, den ich wirklich mag.

Es ist einfach, sich verächtlich über Traditionen zu äußern. Manche meinen, wir bräuchten die Rituale nicht mehr, die den Übergang in eine neue Lebensphase gestalten sollen – ob es der Geburtstag, die Hochzeit oder das Schützenfest ist. Ich meine, dass sie weiterhin eine wichtige Funktion haben. Sie holen uns aus unserem Alltagstrott und machen uns bewusst, dass die Zeit voranschreitet und wir selbst unweigerlich auf die nächste biographische Zäsur zugehen – die Volljährigkeit, die Hochzeit, die Taufe der Kinder, den Ruhestand oder unsere Beerdigung. Wenn es gut läuft, geben Ereignisse wie ein Schützenfest uns Gelegenheit, zusammenzukommen und dabei auch die Werte zu bekräftigen, die uns teuer sind. Aber wenn wir die Verantwortung für das Überleben alter Traditionen übernehmen, sollten wir auch den Mut haben, sie sinnvoll an die Gegenwart anzupassen. Sinnvolle Traditionspflege bedeutet, dass wir aus heutiger Sicht entscheiden, welche der Sitten und Werte unserer Vorfahren wir bewahren und ehren wollen –

und welche nicht. Die Tradition, Frauen von Dingen auszu-
schließen, die Männer tun, finde ich nicht bewahrenswert;
und das hat mich am Schützenfest gestört. Welchen vernünftigen Grund soll es geben, dass die christlichen Schützen-
bruderschaften keine Schützenkönigin küren und Frauen
von fast allen Bestandteilen des Fests ausschließen? Wenn
sie sich davon verabschieden, bin ich gerne wieder dabei.
Vorher nicht.

Später schauten wir uns auf Annetts Laptop die Fotos an,
die Alex und sie übers Wochenende gemacht hatten. Nach
den ersten Bildern weinten wir vor Lachen, so dass wir kaum
weiterklicken konnten. Ich hatte mich das ganze Wochenende lang selbst dafür gelobt, so eine gute Figur gemacht und
mich so tadellos integriert zu haben. Die Fotos jedoch beleg-
ten eindeutig, dass ich den Umzug als eine Art Wiedergänger
von Stan Laurel absolviert hatte. Ich war unübersehbar – die
Fotos waren ideal für die Deppenversion eines Wimmel- und
Suchbilds. Man erkannte mich schon am schiefen Sitz meines Zylinders, der eher wie eine überdimensionierte Kippah
mit Rand aussah, an meinem Hinterkopf festgesteckt wie ein
Faschingsartikel. Dazu kamen mein breites, albernes und
zunehmend besoffenes Grinsen, mein falsch gebundener
und deshalb viel zu kurzer Schlips und die Tatsache, dass ich
der einzige Teilnehmer mit offenem Jackett war. Ganz abgesehen natürlich von meiner »Waffe«, einem Plastikregenschirm. Ich war nur froh, dass niemand die grauen Teile meiner schwarzen Socken entdeckt hatte. Das hätte einen
Volksaufstand geben können.

Oh dear!

Der einzige Trost war, dass ich erst jetzt entdeckte, wie
lächerlich ich ausgesehen hatte. Den ganzen Tag rumzulau-

fen in dem Gefühl, ich sei der englische Scheißhaufen im Swimmingpool des Neuwerker Schützenfests, hätte mich einiges von meiner Unbefangenheit gekostet.

Aber möglicherweise wird ja gerade der unfreiwillige Humor meines Auftritts in die Lokalgeschichte von Neuwerk eingehen – eher noch als dieses Buch. Vielleicht wird es ja sogar eine neue Tradition, zu jedem Neuwerker Schützenfest einen unvorbereiteten und mangelhaft ausgerüsteten Ausländer einzuladen, der weder Bier verträgt noch marschieren kann. Das fänd ich irgendwie gut.

Deutsch lernen – die acht Stufen der Erkenntnis

Logischerweise gehört zu einer vollständigen Integration in den deutschen Alltag das Erlernen der deutschen Sprache. Man kann eine Kultur nicht begreifen, deren Sprache man nicht versteht. Ich habe festgestellt, dass viele Ausländer beim Versuch, Deutsch zu lernen, einen achtstufigen Prozess durchlaufen – an dessen Ende meistens steht, dass sie nicht klarkommen mit dieser Sprache. Trotzdem kann man sich nach Stufe acht irgendwie als integriert betrachten. Schließlich können viele Eingeborene auch nicht richtig Deutsch.
Hier sind die acht Stufen – präsentiert als fiktive Tagebucheinträge.[4]

Stufe 1 – Lass es bleiben!
Liebes Tagebuch, rate, wer nach Deutschland gezogen ist! Ich!

---

4 Kursiv gesetzte Wörter: Deutsch im englischen Original (Anm. des Übersetzers)

Verrückt, oder? Großes Abenteuer! Berlin ist wirklich super. Ich fühle, dass ich dafür geboren bin, hier zu leben. Ich fühle es in meiner ~~Sailor Sayle Seela~~ Seele. Ich wohne in dieser Super-WG in der Nähe der *Sonnenalleye* mit einem verrückten spanischen Künstler, einem Lesbenpärchen aus Kanada und deren Hund namens MUFFINS. Kannst du dir das vorstellen? Ich weiß, es klingt *ferruckt!* Ich bin so froh, der öden Heimat entronnen zu sein! Langweilig! Hat meine Kreativität echt gekillt. Jeder sollte mal ins Ausland gehen. So wie ich.

Das einzige Problem ist, dass die Leute hier sehr merkwürdig sprechen. Sie nennen es *Deutsch*. Man versteht sie echt kaum. Sie benutzen für fast alle Sachen andere Wörter als wir. Echt krank! Das werd ich nie lernen. Schon Mark Twain hat ja gesagt, dass es keine Sprache gebe, die schwerer zu lernen sei als Deutsch. Glaub ich sofort. Nicht mal Chinesisch kann komplizierter sein als diese Scheißsprache. Diese Idioten haben zum Beispiel Geschlechter – *der, die, das*. Wusstest du das, Tagebuch? Ich hab keine Zeit für diesen Blödsinn. Ich bleib sowieso nicht sooo lange hier. Paar Monate oder so. Dafür muss ich nicht extra Deutsch lernen.

Stufe 2 – Lass es bleiben!

Schon ein Jahr? Echt? *Unglaublich.* Siehst du, dass ich schon *unglaublich* schreiben kann? Das ist extra und gratis für dich, liebes Tagebuch, *bitte schön*. Ich kann kaum glauben, dass es schon ein Jahr ist, seit ich hergekommen bin. War ein wildes Jahr. Wirklich geil. Ich liebe Deutschland. Vor allem das Bier und die sechs Straßen um meine Wohnung rum. Deutschunterricht nehme ich weiterhin nicht. Wieso auch? Ich hab schon viel gelernt. Ich komme klar. Das Notwendigste krieg ich schon hin auf Deutsch. *In die Bäckerei's* und so! Ich brauche Deutsch auch kaum. Ich arbeite auf Englisch. Wenn ich arbeite. Immerhin habe ich viele deutsche Freunde ... einige meiner besten Freunde sind Deutsche ... wenn ich es genau betrachte, sind praktisch alle meine Freunde Deutsche ... also: alle. Yeah, ich bin integriert! Und wir sprechen auch Deutsch miteinander, *manchmal*. *Prost!* Na, ich werd hier sowieso bald abhauen. Paar Monate noch, höchstens.

Stufe 3 – Lass es bleiben!

Zwei Jahre schon?!? *Unglaublich.* Siehst du, dass ich immer noch weiß, wie man *unglaublich* schreibt? Das ist *total kostenlos* für dich, liebes Tagebuch, *bitte schön.* Ich kann kaum glauben, dass es schon zwei Jahre sind, seit ich hergekommen bin. War eine wilde Zeit. Wirklich geil. Ich liebe das *Fatherland.* Vor allem das Bier und die neun Straßen um meine Wohnung rum.

Ich find's toll hier. Was ein bisschen nervt, sind die ganzen Ausländer, die hierherziehen und alles cool finden. Die ruinieren echt den Kiez. Und nicht mal Deutsch können sie.

Also ich kann's ja auch noch nicht fließend, aber immerhin *genug.* Gerade gestern hat mich jemand für einen Deutschen gehalten! O. k., ich stand mit dem Rücken zu ihm, hatte noch nichts gesagt und trug eine Mütze. Aber komm! Und so was passiert mir echt dauernd!

Das mit der Sprache hab ich wirklich versucht. Aber diese Deutschen sind auch komisch: Wenn ich sie *auf Deutsch* anspreche, antworten sie direkt auf Englisch. Man kann mit denen gar nicht Deutsch sprechen, weil alle immer zeigen wollen, wie toll sie Englisch können. Vielleicht sollte ich mich als Russen ausgeben? *Ypa!* Na, ich werd sowieso bald abhauen. Paar Monate noch, höchstens.

Stufe 4 – Lass es bleiben!

Drei Jahre schon? ~~Seemlich~~, hmm, no, I mean *ziemlich Verruckt*! Siehst du, wie ich *ziemlich Verruckt* schreiben kann? *Ja*, das ist *total kostenlos. Bitte sehr.* Ich kann kaum glauben, dass es schon drei Jahre sind, seit ich hergekommen bin. War eine wilde Zeit. Ohne die 8.201 Partyfotos, die ich bei Facebook gepostet habe, wüsste ich gar nicht genau, was ich gemacht habe in den Jahren.

Ich find's immer noch super hier. Aber um ehrlich zu sein: Mit meiner Schriftstellerkarriere läuft es noch nicht so. Der Roman über einen Ausländer in Berlin steckt noch in der Konzeptions-phase. Ich überlege, ein Café aufzumachen. Irgendwas mit Cupcakes. Keine Ahnung. Es gibt viele Möglichkeiten.

Dass ich immer noch fast kein Wort Deutsch kann, ist wohl all-mählich *peinlich.* Aber ich denke, ich werde es jetzt systematisch angehen. Ich werde wohl einen Kurs an der ~~Vauxhallschooler Vaulkshallschule~~-*Volkshochschule* belegen. Ich finde, Ausländer sollten sich echt mehr Mühe geben, Deutsch zu lernen. Die *Volkshochschule* ist eine öffentliche Einrichtung, also super-preiswert. Allerdings haben die meisten Lehrer dort die letzte Lebensregung so um 1973 gezeigt und führen seither die intellektuelle Existenz von Amöben. Es ist gleich bei mir um die Ecke. Am Montag geht's los. Aber sehr lange werd ich sowieso nicht mehr hierbleiben, liebes Tagebuch. Paar Monate noch. Höchstens.

Stufe 5 – *Erste Deutsch-Unterricht*

Liebes Tagebuch, es war fantastisch! Es ist irre, wie viel ich schon wusste! Muss ich so über die Jahre aufgeschnappt haben, ohne es zu merken. Wie Osmose *oder etwas.* Der Kurs war gut. Der Lehrer spricht kein bisschen Englisch mit uns – nur Deutsch

41

gleich ab *erste Klasse*. *Bin beeindruckt*! Der Anfang war echt einfach: Namen, Alter, Hobbys *und so weiter*. Ich freu mich schon auf morgen! Ich zieh dieses Deutsch-Ding jetzt durch. Wieso hab ich das nicht viel früher gemacht? Ich liebe *Sprachen lernen! Ich bin ein Donut!*

Stufe 6 – Deutsche Grammatik

UGHHHHHHHHH. *OWWWWWWWWWWWWWWWWWWWW.*
OUCHHHHHHHH.
Seufz!
Ich hasse Fremdsprachen! Ich hasse Ausländer! I hasse mein Leben! Aber am allerallerallermeisten hasse ich die deutsche Sprache!!!!!
Marky Twain! Oh, Marky Twain! Du hattest so was von recht, Junge! Aber echt. Ich verneige mich vor deiner Brillanz. Die deutsche Sprache wurde erfunden, um mich fertigzumachen und zu demütigen. Mein Kurs ist okay, aber ich bin einer der Schlechtesten, was *super peinlich* ist. Ich bemühe mich, meine ~~homework~~ *Hausaufgabe* zu machen, aber der Kurs ist immer gleich morgens, liebes Tagebuch. Ach so, das Wort »morgens« kennst du ja gar nicht, oder? Hab ich bisher ja fast nie erwähnt. Es bezeichnet alle Sachen, die vor dem Mittagessen passieren. Ich weiß, es klingt verrückt, dass man überhaupt von Leuten erwartet, irgendetwas vor dem Mittag zu tun – geschweige denn das Pauken ganzer Listen langweiliger *unregelmäßiger Verben*. Davor waren *Vokabeln* dran, das war o.k., aber jetzt machen wir diesen Grammatikscheiß. *Total langweilig!* Wenn ich die Wörter *Akkusativ* und *Dativ* noch einmal höre, haue ich irgendjemandem in *dem Kopf*. Es ist *total sinnlos*. Die deutsche Sprache ist so ein Dinosaurier. Und nicht mal einer von den coolen, wie T-Rex. Einfach nur ein blöder Scheiß-Dino ohne jeden Sinn. Ein

Vaterkrautasaurus, der blöde in der Gegend rumsitzt und versucht, sich an die 87 verschiedenen *Endungen* seiner Verben und Adjektive zu erinnern.

Heute habe ich zum ersten Mal geschwänzt. Ich hatte Kopfweh und keine Hausaufgaben gemacht. Aber morgen bin ich wieder voll da.

Stufe 7 – Rettungslos verloren

Leider leider bin ich nicht wieder in den Kurs gegangen, liebes Tagebuch. Ich konnte ein paarmal nicht hin wegen wirklich übler Kopfschmerzen ... eigentlich eher Migräne ... eine total heftige Migräne übrigens ... wahrscheinlich sogar ein unentdeckter Hirntumor, der insbesondere mein Fremdsprachenlernzentrum betroffen hat.

Als ich wieder gesund war, hatte ich so viele Stunden verpasst, dass ich mich da nicht mehr blicken lassen konnte, so weit, wie ich jetzt zurück war. Aber ich hab ja die ganzen Bücher und CDs und Arbeitsblätter und so Zeugs und lerne jetzt zu Hause Deutsch. Morgen geht's los. Eine Stunde am Tag, konsequent, und ich werde in sechs Monaten fließend Deutsch sprechen. Kein Ding! Ich werde den Drachen besiegen, der sich deutsche Sprache nennt. Ich bin bereit wie nie!

Anmerkung des Autors: Egal, wie toll die Vorsätze sind – solche Lehrbücher werden niemals auch nur aufgeschlagen. Ihre Funktion besteht ausschließlich darin, als Staubfänger im Bücherregal zu stehen und ihrem Besitzer ein schlechtes Gewissen zu bereiten, während er keinerlei Fortschritte macht. Diese Phase kann Jahre dauern. Erst wenn die Schande zu groß wird, weil jeder sich fragt, warum du nach so vielen Jahren noch immer Kauderwelsch sprichst wie ein blutiger Anfänger, und wenn du endlich akzeptiert hast, dass du nicht in ein paar Monaten wieder abhauen wirst, sondern Deutschland jetzt deine Heimat ist – erst dann bist du wirklich bereit, Deutsch zu lernen.

Stufe 8 – Endlich (fast) fließend

Heute habe ich endlich mit Englisch sprechen ~~stoppen~~ aufgehört. Egal, wer mit mir redet, jetzt antworte ich nur auf Deutsch. Ist peinlich, ich hasse es, niemand kann ein interessant ~~Gespräch Gesprish~~ Gespräch mit mir habe, weil ich wie ein Kind mit zwei Jahren rede, aber egal, ich muss das machen. Da gibt es keine ~~shortgeeuts~~ Abkürzung, keine ~~excusigungen~~ Entschuldigungen mehr. Ich möchte hier bleiben. Ich möchte Deutsch sprechen. Ich möchte mit der Familie von ~~mein meine~~ meiner Partnerin sprechen. Es wird nicht einfach sein. Aber genug ist genug. Ich will Vaterkräutasaurus reiten.

Anmerkung des Autors: Dies ist die finale Stufe der Erkenntnis. Du musst dich kategorisch weigern, Englisch zu sprechen. Selbst mit Engländern. Das ist der Trick. Wenn du das mal zum Prinzip erhoben hast, bist du erstens ein Stückchen deutscher geworden – denn was gibt es Deutscheres als die Formulierung »aus Prinzip«? – und wirst zweitens nach einiger Zeit fließend Deutsch sprechen. Nicht perfekt – aber gut genug, damit du ohne Peinlichkeit beschließen kannst, dass das so o. k. ist. Wenn du diese Stufe erreicht hast, werden das Deutsche und die Deutschen dich lieben und dir helfen. Und denk dran: Es könnte schlimmer sein. Zum Beispiel Russisch ...

Deutscher Alltag

Von allen Aufgaben, die ich mir für meinen Integrations-Crashkurs gestellt hatte, war es diese, der meine deutsche Freundin Annett am freudigsten entgegengesehen hatte – und ich am lustlosesten. Sie unterstellte mir regelmäßig, ich wolle mich davor drücken.

»Wann fängt die deutsche Woche noch mal an?«

»Du meinst das deutsche Wochenende?«

»Ja, die deutsche Woche.«

»Wochenende!«

»Ja, Woche.«

Annett und ich hatten ein »German weekend« vereinbart. Ich sollte binnen zwei Tagen all das lernen, was Deutsche von Geburt an zu beherrschen scheinen, was meine englische Erziehung mir aber komplett vorenthalten hatte: wie man richtig grillt, wie man eine Bierflasche mit einem Feuerzeug öffnet, wie man etwas repariert, wie man korrekt Wäsche aufhängt, wie man die Spülmaschine sinnvoll einräumt, wie man Kartoffelsalat zubereitet.

Annett vereint eine eindrucksvolle Kollektion typisch deutscher Eigenschaften in ihrem Charakter: Sie liebt es, zu planen; sie hasst Risiken; sie würde niemals Schulden machen; sie trägt beim Radfahren auch am helllichten Tag eine absurde Warnweste; sie ist extrem praktisch veranlagt und sie ist so bedacht darauf, alles unter Kontrolle zu haben, dass sie praktisch immer unter Spannung steht.

Unbegreiflicherweise ist sie zugleich sehr offen und warmherzig, extrem selbstkritisch – und sie hat diesen kleinen Anarchisten auf ihrer Schulter sitzen, der ihr ständig einflüstert, gegen ihr eigenes Deutschsein zu rebellieren.

Um der Wahrheit willen: Sie gestattet dem Anarchisten nur sehr selten einen Sieg. Aber immerhin ist er da – und das macht es – trotz unserer extrem verschiedenen Weltsichten – so wunderbar und abwechslungsreich, mit ihr zusammenzuleben.

Wir wohnen jetzt seit fünf Jahren zusammen. Weil wir so verschieden sind, waren diese fünf Jahre ein fortwährendes Gekabbel um die Frage, wessen Vorstellung von »Wohnen« sich durchsetzt. Das Hauptproblem dabei: Annett und ich beurteilen die meisten Dinge auf Grundlage vollkommen verschiedener Kriterien – und dies scheint mir auf einen kulturellen Unterschied hinzuweisen. Wir nennen diesen Kulturunterschied »Englische Romantik« vs. »Deutscher Pragmatismus«.

Englische Romantik heißt, es ist unwichtig, wie gut etwas funktioniert – solange es nur gut aussieht. Nicht die Effizienz zählt, sondern die edle Absicht. Zwei Einzeldecken mögen praktischer sein, aber nur unter einer großen gemeinsamen Decke kann man die ganze Nacht aneinandergekuschelt liegen bleiben. Teppiche sind Staubfänger, aber man hat keine kalten Füße, wenn man barfuß durch die Wohnung läuft. Nur weil Winter ist, verzichten junge Engländerinnen noch lange nicht darauf, im Minirock auszugehen. Sie wollen gut aussehen und sich gut fühlen. Wollten sie es vor allem warm haben, würden sie zu Hause bleiben. Es geht nicht darum, ob du wirklich beherrschst, was du dir vorgenommen hast – etwa ein Abendessen zuzubereiten oder ein Regal zusammenzubauen –, und ob du es tatsächlich hinkriegst. Entscheidend ist, dass du es mit bestem Willen versucht hast. Ob das Kochen dann mit einem Kohlebrikett statt einem Steak endet und das Regal am Ende nur von verbogenen Nägeln und Paketklebeband zusammengehalten wird – egal. Du hast etwas gewagt – und darauf kommt es an. Also setz dich, nimm dir eine Tasse Tee und einen Keks und sei zufrieden.

Für Annett hingegen schlägt Praktikabilität alles andere. Der deutsche Sinn fürs Praktische sagt: Nimm eine Sache nur dann in Angriff, wenn du sicher bist, dass alles klappen wird. Also zuerst Informationen sammeln. Vielleicht gibt es einen VHS[5]-Kurs im Möbelaufbauen? Oder ziehen wir einen Fachmann hinzu? Kaufen einen Satz Spezialwerkzeuge? Der deutsche Pragmatismus behauptet, es gebe kein schlechtes Wetter, sondern nur falsche Kleidung. Hier, zieh doch die neonfarbene Outdoorjacke an; es soll schließlich regnen heute Abend. Sie hat auch Reflektoren an den Ärmeln, und im Kragen steckt eine Trillerpfeife für Notfälle. Nicht schön, aber echt superpraktisch.

Einmal war es mir gelungen, ein fantastisches Apartment oberhalb von Haifa (Israel) für uns zu mieten. Es gehörte einem Grafikdesigner, hatte einen riesigen umlaufenden Balkon und war geschmackvoll, wenn auch karg eingerichtet. Ich fand's toll. Annett hingegen hasste es. Zu wenige Töpfe in der von ihr benötigten Größe, keine vernünftigen Ablage- und Arbeitsflächen in der Küche und kein einziger bequemer Stuhl. Die fantastische Aussicht aufs Mittelmeer? Ohne prak-

---

5 VHS steht nicht für ein altes Videosystem, sondern für Volkshoch-schule. Ich glaube aber, dass die identischen Abkürzungen kein Zufall sind. Wenn noch irgendwo auf der Welt Schulungsvideos mit VHS-System eingesetzt werden, dann in deutschen Volkshochschulen …

tische Relevanz für sie. Was nützt ein toller Blick, wenn man Abendessen kochen will.

Kürzlich haben wir uns ein neues Sofa gekauft. Für normale Menschen bedeutet das: Ein Besuch bei IKEA oder ein, zwei Abende Internetrecherche – und zack ist das Sofa gekauft. Annett und ich haben geschlagene anderthalb Jahre gebraucht. Vermutlich geht es schneller, das Kyoto-Protokoll neu zu verhandeln. Beide Seiten wollten gehört und ernst genommen werden. Zugeständnisse mussten gemacht werden, um Kompromisse zu ermöglichen. Freunde wurden als Lobbyisten missbraucht.

Für mich sollte ein Sofa in erster Linie schick aussehen und so gemütlich wie möglich sein. Ich stelle mir lange Faulenz-Abende vor, dösend unter einer kuschligen Decke. Aus meiner Sicht ist ein Sofa ein stylishes Zusatzbett fürs Wohnzimmer, auf dem man auch tagsüber rumlümmeln kann.

Annett mit ihrem deutschen Pragmatismus hingegen wünschte sich ein ergonomisch ausgefeiltes Möbelstück, das eine gesunde Sitzhaltung ermöglicht – und schnelles, effizientes Staubwischen. Die Polster sollten nicht nachgeben beim Probesitzen. Wenn man schon im Laden einsinkt, kann man sich ja ausrechnen, wie lange der Schrott halten wird. Zwischen den Kissen sollte es keine Ritzen geben, in denen Krümel verschwinden können, um eine Armee von Staubmilben zu ernähren.

Die fundamentalen Unterschiede zwischen unseren Auffassungen zum Thema Haushalt haben – zusammen mit meiner angeborenen Scheu vor Konflikten – in unserer ansonsten ganz gut ausbalancierten Beziehung dafür gesorgt, dass Annett in Haushaltsdingen eine Art Kim Jong-Un unserer *Volksrepublik Wohnung* ist. Sie macht die Regeln. Ich breche sie, worauf sie mit einem Sperrfeuer von passiv-aggressiven Post-its und Hinweisschildern reagiert, die mich überall und immer an die Doktrin der Großen Führerin erinnern sollen.

Weil Annett, wie viele Deutsche, panische Angst vor Schimmel hat und überzeugt ist, sie müsse sofort sterben, wenn sich ein Schimmelpilz in der Wohnung befindet, wird bei uns nach jeder Dusche die Duschwanne gründlichst gereinigt. Was ich natürlich in 99,7 Prozent der Fälle vergesse, weil »es mir scheißegal ist und ich ein unsensibles Arschloch bin«, das sie »einfach nicht ernst nimmt«.

Also erscheinen Botschaften, die mich an meine Pflichten erinnern sollen. Die erste war ein recht höflich formuliertes Post-it: »Bitte die Dusche nach Benutzung wischen.« Es klebte am Spiegel, damit ich es beim Rasieren entdeckte – direkt neben der schon älteren, liebevollen Bitte »Mach die Barthaare weg!«. Aus der Tatsache, dass ich das mit der Dusche weiterhin »vergaß«, schloss Annett, dass die Botschaft eindeutig zu nett formuliert gewesen war. So begrüßte mich eines Morgens ein DIN-A4-Blatt mit der Aufforderung »NACH DEM DUSCHEN PUTZEN!«. Funktionierte wieder nicht. Ich nahm es einmal wahr, dachte kurz: »Oh, ein neues Schild von Annett«, und fuhr dann fort, *Final Countdown* zu summen: »*BABABA BABA-BABA BABABA BABABABA BABABABABABABABABABABA*«, über neue Buchideen nachzudenken und zu grübeln, wer noch mal 1990 in Italien Weltmeister geworden war.

Bald erschien ein drittes Schild. Es war in DIN A2 und versperrte den Zugang zur Dusche: »PUTZ MICH!«

Natürlich! Deutschland ist 1990 in Rom Weltmeister geworden!

Wo war ich noch mal? Ach so, ja: Egal, wie groß die Zettel sind, ich vergesse, die Dusche nach dem Duschen zu putzen.

Wahrscheinlich ist ein Plakat in Arbeit, das das ganze Bad blockiert. Oder eine Botschaft in Spiegelschrift, die Annett mir an die Stirn tackert.

Natürlich gibt es nicht nur die Badezimmerzettel – unsere ganze Wohnung ist ein ausgeklügeltes System von Ermahnungen und Erinnerungen an die Regeln. Da ich »ein Idiot« bin und »niemals mitdenke«, hat Annett ein System ersonnen, das mich daran hindern soll, eine neue Orangensaftpackung zu öffnen, bevor die angebrochene leer ist. Sie deponiert alle Saftpackungen nebeneinander in der Kühlschranktür und greift dann zum Edding – um sie durchzunummerieren. Nr. 1 ist die bereits geöffnete, Nr. 2 die nächste, die geöffnet werden darf, und so weiter. Da sie das aber noch nicht für idiotensicher hält, stellt sie zudem mit höchster psychologischer Raffinesse alle Packungen außer der Nr. 1 mit dem Deckel nach hinten – damit sie mir sozusagen den Rücken zudrehen und ich keine Lust habe, nach ihnen zu greifen.

Wenn jemand etwas Dämliches tut, lache ich normalerweise – und wenn ich Kunde eines Unternehmens bin, dessen Mitarbeiter ineffizient und planlos arbeiten, bin ich eher erleichtert, weil ich nicht der einzige Chaot auf der Welt bin. Annett hingegen möchte dann sofort erzieherisch eingreifen, weil sie von schlechter Organisation »Kopfschmerzen« bekomme. Sie behauptet, es handle sich bei diesen Kopfschmerzen, die bevorzugt Zeugen ineffizienter Arbeit befallen, um ein in Deutschland weit verbreitetes Leiden.

Ihr Planungsdrang und ihre Angst vor Kopfschmerzen angesichts meiner multiplen Inkompetenz haben dazu geführt, dass Annett mir mehr und mehr Alltagsverrichtungen aus der Hand genommen hat. So habe ich keinen Schlüssel mehr für unseren Briefkasten. Ich öffne auch meine Post nicht mehr selbst. Das tut Annett. Sie liest sie, markert die wichtigsten Passagen und legt sie dann in eine spezielle Box in der Küche, die sie mit »Posteingang Adam« beschriftet hat. Kleine Post-its führen mich zu der Stelle, an der ich – was auch immer – unterschreiben muss. Wobei ich das für eine Tarnmaßnahme halte. Wahrscheinlich habe ich irgendwann vor Jahren nichtsahnend unterschrieben, dass ich ihr Prokura erteile und sie könnte, wenn sie wollte, längst mein Konto leerräumen. Aber sie weiß ja besser als ich, dass das nicht lohnt …

Ich weiß, das klingt nach einem sehr schrägen Arrangement, das mich als ziemlich unfähigen Volldeppen erscheinen lässt. Aber man könnte es auch anders sehen: Ich habe eine Privatsekretärin. Wer hat das schon? Auf jeden Fall funktioniert die Regelung: Annett hat weniger Kopfschmerzen.

Aber es gibt trotzdem noch Meinungsverschiedenheiten. Wenn die Wohnung unaufgeräumt wirkt, ist mein Lösungsvorschlag: Rumliegendes Zeugs einsammeln und in einer Ecke stapeln, Möbel davorschieben – fertig. Annetts Strategie hingegen ist systematischer: Zunächst lässt sie das Chaos noch größer werden, um es dann in all seiner Pracht zu dokumentieren. Dann ermittelt sie den Ausgangspunkt, bildet eine Kommission, entwickelt ein neues System von Regeln, etabliert das System und evaluiert schließlich in einem späteren Meeting den Prozess und seine Ergebnisse. Während all dies geschieht, wird die Wohnung endgültig zur Messie-Bude. Jede freie Fläche ist mit Papier und anderem Zeugs bedeckt. Was aber für sie nicht das eigentliche Problem ist. Denn die Unordnung ist nicht die Krankheit, sondern nur ein Symptom. Und Symptome kann man nicht heilen. Es gilt, den Ausgangspunkt des Chaos zu finden, also den Verantwortlichen für das leere Schokoladenpapier auf der Couch, das IHK-Magazin auf dem Küchentisch oder das nicht mehr zuzuordnende Kabel auf der Kommode im Flur. Komischerweise ergibt die Recherche übrigens meistens, dass *ich* der Verursacher der Unordnung war.

Annetts Methode heißt Prävention – meine heißt Heilung. Sie geht zum TÜV – ich warte, bis was kaputtgeht, und bringe die Trümmer dann, eingewickelt in ein Geschirrhandtuch, zur Reparatur in die Werkstatt. Sie geht alle sechs Monate zum Zahnarzt, ich war seit 16 Jahren nicht.

Das *German Weekend* sollte Gelegenheit bieten, einen Mittelweg zwischen unseren beiden Grundeinstellungen zu finden. Dafür sollte Annett mir die »Richtige Methode« beibringen, die identisch ist mit ihrer Methode beziehungsweise mit der Deutschen Methode.

Annett hatte den folgenden Plan für dieses perfekte, typisch deutsche Wochenende entworfen:

Annetts Plan für Adams superlustiges, typisch deutsches Wochenende

Samstag

8:00   Brötchen holen (*roten Beutel mitnehmen!*)

8:30   Frühstück (*Bitte weck mich, wenn du mein 5-Minuten-Ei aufgesetzt hast*)

9:30   Aufräumen und Putzen

11:30   !!!!Hausschuhe kaufen!!!!! (*ja, endlich!*)

       – Spülmaschine einräumen (*mit System und ohne alles kaputtzumachen*)

       – Wäsche aufhängen (*aber nicht wie ein Henker, sondern wie eine Hausfrau*)

– Den Gebrauch von Werkzeug üben *(ja, du Affe!*
Ein Gemüsemesser ist kein Schraubenzieher – auch nicht,
wenn es dir schon abgebrochen ist!)

12:30 Kartoffelsalat machen *(hmmmmm, lecker!)*

13:00 Mittagessen: Kartoffelsalat mit Würstchen *(bitte auch*
für mich machen)

14:00 Kaffee trinken, dabei *Spiegel Online* checken *(ich frag*
dich später ab)

15:00 Dinge reparieren/Auto waschen/Gartenarbeit *(Haupt-*
sache, du bist draußen, und ich hab meine Ruhe)

16:00 Fernsehen auf'm Sofa *(Organisier dafür Kaffee und*
Kuchen. Ich wärme derweil das Sofa für dich vor.)

19:30 Grillen mit Freunden im Park *(du bist der Grill-*
meister!)

Sonntag

9:00 Laaaanges Frühstück *(Ja, das systematische Durch-*
arbeiten einer großformatigen, dicken Sonntagszeitung
erfordert wiederholtes Umblättern. Und das raschelt nun
mal.)

16:00 Abhängen auf dem Sofa *(du kümmerst dich um Kaffee*
und Kuchen, während ich … siehe oben)

18:30 Abendessen *(Schnitzel und Kartoffelsalat, also die*
Reste vom Grillen. Du hast doch alles wieder eingepackt
gestern?!)

20:15 Tatort *(Natürlich ist das langweilig. Na und?)*

22:00 Jammern, dass du morgen früh wieder zur Arbeit
musst *(Du musst dir vorstellen, du hättest einen richtigen*
Job. D. h. eine Tätigkeit, die du hasst. Alles andere zählt
nicht als Arbeit.)

22:30 Ins Bett

Um acht am Samstag meines *German Weekend* klingelte mein Wecker, und während Annett wohlig weiterschlummerte, schlich ich mich raus, um uns frische Brötchen zu holen. Annett hatte mir mit glänzenden Augen erzählt, dass das als Kind an den Wochenenden ihre Aufgabe gewesen sei und dass sie immer denselben roten Beutel mitgenommen habe. So wie sie es erzählte, hatte in der gesamten DDR buchstäblich jede Familie einen solchen »Brötchenbeutel«. Was mir angesichts der Tatsache, dass es in der DDR auch nur die Wahl zwischen einem Auto (o. k.: zwei) gegeben hatte, absolut plausibel erschien. Da wir keinen designierten Brötchenbeutel hatten, schnappte ich mir einen Stoffbeutel *made in China*, der dem gewünschten Behältnis am nächsten kam.

Wieder zu Hause, deckte ich den Frühstückstisch wie einst in meiner ersten WG – ich kramte alles noch irgendwie Essbare aus den Schränken und dem Kühlschrank und verteilte es großzügig auf dem nunmehr reich gedeckten Tisch. Es gab Marmelade, sechs Sorten Käse, Spiegeleier mit Speck, und ich fügte noch die entscheidende Zutat der englischen Küche hinzu: *Heinz baked beans*.

Da ich gelesen hatte, dass 74 Prozent der Deutschen morgens Radio hören, suchte ich einen Sender auf meinem Laptop und drückte Play.

Gegen neun, während ich gerade die letzten Eier briet, betrat Annett die Küche.

»Sieht super aus«, sagte sie anerkennend und stocherte in der Käsebox herum. »Echt professionell.«

»Danke. Ich hab dir sogar die Zeitung mitgebracht«, sagte ich und wedelte stolz damit in ihre Richtung.

»Wow. Das ist ja ein Luxus.«

»Ja. 72 Prozent der Deutschen über 14 lesen regelmäßig Zeitung, also dachte ich …«

»Woher weißt du so was?!«

»Berufskrankheit. Wie würdest du deine Laune heute Morgen beschreiben? A) Überhaupt nicht zuversichtlich, B) Wenig zuversichtlich, C) Ziemlich zuversichtlich, D) Sehr zuversichtlich?«

»Was ist denn das für 'ne Frage?«

»'ne komische, vermute ich. Ich will wissen, wie du im Vergleich zum nationalen Stimmungsbarometer dastehst.«

»Ich würde sagen: ziemlich zuversichtlich.«

»Perfekt«, sagte ich und warf den Pfannenwender in die Spüle. »79 Prozent der Deutschen geben an, sich morgens meist ziemlich zuversichtlich zu fühlen.«

»Das ist, äh, sehr interessant«, sagte sie, während sie sich an den Frühstückstisch setzte. »Bist du aufgeregt, dass *German Wochenende* ist?«

»Aufgeregt? Weil ich dein Sklave sein darf und alles über langweiligen Haushaltskram lernen muss? Nicht wirklich.«

»Das ist die richtige Einstellung«, sagte sie, während ihr Blick kritisch über das Chaos schweifte, das ich in der Küche angerichtet hatte. »Du hast die Küche zerlegt, um ein Frühstück für zwei zu machen. Damit, das wieder in Ordnung zu bringen, kannst du gleich anfangen.«

Artig räumte ich also nach dem Frühstück ab, und als alle Flächen frei waren, suchte ich im Schrank herum und fand etwas namens »Scheuermilch«. Ich begann zu putzen. Nach ein paar Minuten kam Annett rein.

»Was machst du da?« fragte sie.

»Den Tisch abwischen.«

»Das ist nicht Tisch abwischen.«

»Sondern?«

»Eine sinnlose Wellness-Massage für Schmutz«, sagte sie. »So macht man nicht sauber!« Sie nahm mir den Lappen aus der Hand und führte eine elegant-fließende Bewegung damit aus: von der rechten oberen Ecke des Küchentischs zur linken unteren. Im Zuge dieser Bewegung fing sie alle Krümel ein, schob sie an den Rand und schlug den Lappen dann so um, dass der Dreck auf dem Weg Richtung Mülleimer keine Fluchtmöglichkeit hatte. »So wischt man den Tisch ab«, sagte sie und schüttelte den Lappen vorsichtig über der Mülltonne aus.

Ich war beeindruckt. Diese Technik wirkte zwar ein bisschen zwanghaft und forderte sowohl Gedächtnis als auch Disziplin, aber sie war offensichtlich effektiver als meine. Ich hatte Krümel mein Leben lang nur hin und her geschoben, aber nun war ein neuer, effizienterer Adam in der Stadt. Oder genauer: in der Küche.

Ich putzte weiter. Als die Küche glänzte, wandte ich mich der Übung »Wäscheaufhängen« zu. Annett beschwerte sich seit Jahren über meine Technik. Jetzt stand sie neben mir vor dem Wäscheständer und nahm ein trockenes Handtuch ab, um mir die richtige Falttechnik zu demonstrieren.

»Zuerst Ende auf Ende. Dann in der Mitte falten, aber exakt, und dann noch dreimal so. Kapiert?«, fragte sie und hielt mir das säuberlich zusammengelegte Handtuch unter die Nase.

»Genau so mach ich's doch immer«, protestierte ich.

»In deinem Kopf sieht es vielleicht so aus. In der Realität aber leider nie.«

»Scheiß auf die Realität.«

»Beim Wäscheaufhängen«, fuhr sie fort, nahm ein nasses

T-Shirt aus dem Wäschekorb und drehte es erst mal auf rechts, »kommt es auf maximale Luftzufuhr an. Nasser Stoff sollte nicht an nassem Stoff liegen. Beim Aufhängen sollte man bedenken, wie die Wäsche später im Schrank liegen soll.«

»Aber genau das mach ich doch immer!«

Annett verdrehte die Augen und schnappte sich ein paar Jeans. Sie führte mir eine simple Technik vor – und ich muss leider zugeben, dass sie weniger Kraft brauchte und weniger nasses Geknautsche veranstaltete als ich mit meiner patentierten englischen Hängetechnik.

»Als Erstes drehen wir jetzt mal alle Sachen auf rechts. Hemden und T-Shirts kommen auf Bügel, das vermeidet Falten, und man kann sie direkt in den Schrank hängen, wenn sie trocken sind.«

Nach ein paar Minuten waren alle Klamotten ordentlich und hübsch aufgehängt.

»Jetzt öffnen wir die Fenster hier und im Wohnzimmer, so dass es einen schönen Durchzug gibt. Dann trocknet die Wäsche schneller, und es kann sich kein Schimmel bilden.«

»Wer genau ist eigentlich ›wir‹?«, fragte ich.

»Oh«, sagte sie und dachte kurz nach. »Mit ›wir‹ meine ich den Teil der Menschheit, der über gesunden Menschenverstand verfügt. Also alle außer dir.«

Dann lotste sie mich für die nächste Lektion zur Spülmaschine. »Der Trick ist von hinten nach vorn und von groß zu klein. Was du versuchst, ist, einen dicken Mann in einen Koffer zu stopfen. Wenn der Deckel erst mal zu ist, scheint alles o. k. zu sein – aber sauber wird auf die Art höchstens die Hälfte des Geschirrs.«

Ich musste schon wieder zugeben, dass sie es besser drauf hatte als ich. Sie kriegte mehr in die Maschine als ich, indem sie das Geschirr vorsortierte – Teller zu Tellern, Gläser zu Gläsern und so weiter. Ihr dabei zuzusehen, war wie einen Pro-Gamer beim Geschirr-*Tetris* zu beobachten.

Nachdem ich das Bad geputzt und überall gesaugt hatte, traf ich Annett Kaffee trinkend auf dem Sofa an.

»Wie lange hab ich jetzt geputzt?«, fragte ich.

»'ne Stunde?«

»Oh Gott! Fühlt sich an wie zwei Wochen! Putzen ist so laaangweilig! Wie erträgt die durchschnittliche deutsche Hausfrau (oder der Hausmann) es, das vier Stunden und elf Minuten am Tag zu machen? Jeden Tag?«

»Na ja, vielleicht hat sie auch ein Haus, keine Wohnung?«

»Tatsächlich hat eine deutsche Wohnung im Schnitt 70,6 Quadratmeter. Wir haben 60.«

»Willst du mir jetzt den ganzen Tag solche Statistiken aufzählen?«

»Soll ich?«

»Nee«, sagte sie, setzte ihre Kopfhörer wieder auf und wandte sich ihrem Laptop zu.

Wir kamen zu dem Teil des Wochenendes, auf den Annett sich am meisten gefreut hatte. Sie hatte mich an ihrer Vorfreude durch ein Bombardement von E-Mails, Skype-Nachrichten und SMS teilhaben lassen, die sämtlich nur ein Wort enthielten: *Hausschuhe*. Denn Annett hatte an praktisch jedem Tag unseres fünfjährigen Zusammenwohnens versucht, mich von den Vorteilen dieser Fußbekleidung zu überzeugen. Ich vermute, in ihren Augen bin ich zur Hälfte ihr geliebter Partner, zur anderen Hälfte Dreckverteiler. Ich bin ein passionierter Barfußgeher und habe deshalb zu Hause nichts an den Füßen und draußen mindestens sieben Monate des Jahres nur Flipflops an. Meine Versuche, ihr das zu erklären, waren rhetorische Sternstunden des Englischen Romantizismus: Ich schwärmte vom Genuss, dank nackter Füße mehr zu spüren, ganz egal, ob man mit Schuhen schneller wäre, ob man mal in Hundescheiße tritt oder ob es in festen Schuhen bequemer ist. Aber sie kapiert's nicht so richtig.

Hausschuhe sind ein potentieller Beziehungskiller. Unsere Freundin Stefanie erzählt gern eine Geschichte aus ihrer Firma: Zwei Kollegen flirteten schon seit einiger Zeit vorsichtig miteinander, und schließlich machte er den ersten Schritt und lud sie zum Abendessen zu sich ein. Als er ihr die Tür öffnete, steckten seine Füße in Hausschuhen – und im Flur bot er ihr ein Paar »Gästehausschuhe« an. Der Abend war ansonsten nett, aber sie kam nicht über die Hausschuhe hinweg. »Es war, als hätte ich ein Date mit meinem Papa«, erzählte sie ihren Kolleginnen. Diese ermunterten sie zu einem weiteren Anlauf. Sie lud ihn zu sich zum Abendessen ein. Als sie die Tür öffnete, stand er mit einer Rose in der einen Hand vor ihr. In der anderen hielt er einen Beutel mit seinen Hausschuhen.

Zu einem dritten Date kam es nicht.

Das Komplizierte ist, dass nicht alle Frauen so reagieren würden. Käme ein Mann zu Annett und brächte seine Hausschuhe mit – sie würde ihn vom Fleck weg heiraten. Er fände kaum noch Zeit, vor der Trauung die Hausschuhe aus dem Beutel zu kramen und anzuziehen.

Da Annett die Regeln des *German Weekend* hatte bestimmen dürfen, schwangen wir uns also auf unsere Räder und strampelten zum nächsten *Deichmann*.

»Manche Frauen«, unterrichtete sie mich, als wir vor einem der eindrucksvoll reichhaltigen Hausschuh-Regale standen, »stehen ja auf Muskeln. Oder auf Geld. Oder auf Selbstbewusstsein. Ich stehe auf Männer mit Sinn fürs Praktische. Schau mal, diese hier« – sie zeigte auf zwei Holzbrettchen mit Riemen dran – »sind die Klassiker. Birkenstock. Extrem praktisch und viel bequemer, als sie aussehen.«

»Immerhin das«, sagte ich ironisch, »wo sie schon so aussehen, als seien sie von einer primitiven Kultur aus einem Einbaum geschnitzt worden.«

»Eine Zivilisation, die ausreichend kultiviert war, um den Wert von Hausschuhen zu ermessen. Also sicherlich höher entwickelt als du«, schnappte sie zurück. Dann wandte sie sich einem Paar bequem aussehenden, grauen Filzpantoffeln zu. »Die hier gehen natürlich auch. Werden gerne von Opas getragen.«

»Danke! Sprich mich in 40 Jahren noch mal drauf an.« Ich räumte sie zurück ins Regal.

»Crocs gehen natürlich auch, zur Not. Sind keine Hausschuhe im strengen Sinne, aber jüngere Leute mögen sie. Ich bin da wohl eher traditionalistisch.«

Ich musste zugeben, dass diese Crocs ziemlich verrückt aussahen. Die Dinger sorgten sicher für heftige Diskussionen in Hausschuhkreisen.

»Probier diese mal an.« Sie gab mir das am bequemsten aussehende Birkenstock-Paar.

»Könnten o. k. sein«, murmelte ich, während ich mich vor dem kleinen Spiegel drehte und hoffte, von der Seite würden sie etwas weniger peinlich aussehen.

»Gekauft!«, verkündete Annett und marschierte zur Kasse. Oh Gott – was hatte ich getan?!

Zurück in der Wohnung und mit meinen neuen Hausschuhen an den Füßen machte ich mich an die Zubereitung von Annetts legendärem Kartoffelsalat. Sie folgt dabei stets demselben alten Familienrezept und bringt ihn zur Freude unseres Freundeskreises bei jeder nur denkbaren Gelegenheit mit. Inzwischen wird er oft ausdrücklich mit eingeladen: »Kannst du deinen Kartoffelsalat mitbringen?« Da ich weder Mayonnaise noch Zwiebeln, Gewürzgurken oder Senf mag, bin ich nicht der größte Fan von Kartoffelsalat. Aber Annett fand, ich solle im Rahmen meiner Integration trotzdem lernen, ihn nach ihrem geheiligten Familienrezept zuzubereiten. Es war erstaunlich einfach – und ich wandelte das Rezept auch nur ganz leicht ab, indem ich mir beim Kartoffelschälen in den Finger schnitt. Das Ergebnis schmeckte o. k., wenn man Kartoffelsalat mag (was auf mich, falls ich es noch nicht erwähnt haben sollte, nicht zutrifft). Euch zuliebe gebe ich das Originalrezept am Ende dieses Kapitels der ganzen Welt preis.

Nach dem Mittagessen (es gab zu meiner Freude Kartoffelsalat mit Würstchen) stand auf Annetts Plan, dass ich jetzt runtergehen solle, um das Auto zu waschen.

»Aber anders als 77 Prozent der deutschen Haushalte haben wir kein Auto«, wandte ich ein.

»Und was ist mit dem Keller? Da müsste dringend mal aufgeräumt werden. Oder du könntest dort irgendwas werkeln.«

»O. k., und ich könnte mein Fahrrad putzen. Das ist ja sozusagen mein Auto.«

Unser Keller, muss man wissen, ist in erster Linie ein praktisches Sperrmülldepot: Wir stellen dort Sachen rein, von denen wir hoffen, dass sie von Dieben entsorgt werden. In Berlin lohnt es sich – außer für die Baumärkte – definitiv nicht, ein Vorhängeschloss am Keller anzubringen, weil es binnen einer Stunde geknackt wird. Leider haben Diebe aber heutzutage keine Berufsehre mehr: Sie nehmen nur mit, was ihnen gefällt. Die Entsorgung ist also eine zähe Angelegenheit.

Ich räumte den Keller so auf, dass man den Boden wieder sah, und schob die Dinge nach vorn, die wir am dringendsten loswerden wollten. Dann füllte ich einen Eimer mit warmem Wasser und begann im Hof mein Rad zu putzen.

Wie 99 Prozent der europäischen Haushalte haben wir dieses billige rote IKEA-Set mit Fahrradwerkzeug, bei dem 81 Prozent des Inhalts fehlen – verloren, auf Nimmerwiedersehen verborgt oder kaputt. Verzagt betrachtete ich die kümmerlichen Werkzeugreste – für Reparaturen ist bei uns natürlich Annett zuständig. Aber es konnte doch nicht so schwer sein.

Ich schnappte mir den Schraubenschlüssel und zog alle Schrauben an, auf die er passte. Ein Nachbar, der auch an seinem Fahrrad herumwerkelte (und damit Annetts »Typisch-deutsch«-These bestätigte), borgte mir etwas Öl für meine Kette. Als ich fertig war, sah mein Fahrrad aus wie neu.

»Hey, das sieht viel besser aus als vorher«, sagte Annett, die heruntergekommen war, um meine handwerkliche Tätigkeit zu begutachten.

»Ich weiß. Super, oder?«

»Ja. Aber was willst du hiermit machen?« Sie zeigte auf meinen Vorderreifen.

»Ich weiß, der Reifenschutz ist vor ein paar Tagen rausgerutscht.«

»Das kann man reparieren. Muss man anschweißen«, sagte sie leichthin, als sei sie professionelle Schweißerin.

»Ich hatte eine andere Idee …«

»Oh nein!«, unterbrach sie mich. »Sag bitte nicht Klebe-band!«

»Bingo.«

Annett griff sich an die Stirn und wechselte in die Pose *Diva bekommt kurz vor der Gala Migräne.*

»Das wird böse enden. Ich geh lieber rein, bevor ich noch Kopfweh bekomme.«

Der Abend war dann auch ganz erfolgreich: Ich lernte, einen Grill zu benutzen, ohne jemanden zu vergiften. Am Sonntag schloss ich mich einer Wandergruppe an und quälte und jammerte mich 20 Kilometer durch die brandenburgische Pampa. Na ja, 20 Kilometer waren der Plan gewesen. Ich hatte keine geeigneten Schuhe und deshalb nach 500 Metern üble Blasen, so dass ich nach zwölf Kilometern aufgab. Die Land-schaft war sehr schön, glaube ich. Ich steh nicht so auf Natur. Ich würde gerne mehr erzählen, aber ich weiß nicht, wie man Natur schildert. Ich kenne nur zwei Baumarten – Eiche und Bonsai. Da es dort keine Bonsais gab, habe ich nur Eichen gesehen. Massenhaft Eichen. Und es gab viel grünes Zeugs dort – Blätter, Gras und Zeugs. Das war gut. Und Vögel. Vögel sind auch gut. Einmal hab ich eine Kuh gesehen. Kühe sind sehr gut, sie machen Käse. Und Cheeseburger. Ich hab auch einen Baum gesehen, an dem Äpfel hingen, wie im Supermarkt. Aber hier waren sie gratis. Ich nahm mir aber lieber keinen. Ich meine, wenn die Äpfel in Ordnung wären, würde man sie sicher nicht zum Verschenken hier draußen hinhängen.

Ich glaube nicht, dass ich noch mal wandern gehe. Es sei denn, sie führen WLAN und bequemere Sitzgelegenheiten ein.

Nach meiner Rückkehr klagte ich über die Blasen, hum-

pelte zum Sofa und recherchierte dort ein paar weitere Baumarten. Weide, Platane, Kastanie, Walnuss. Es gibt echt viele
verschiedene Bäume. Mindestens zwölf oder so.

Dann aßen wir Kuchen. Annett jammerte ein wenig, dass
sie morgen wieder zur Arbeit müsse. Ich tat so, als würde ich
auch arbeiten, und jammerte mit.

Wir warteten auf den *Tatort*, den wir dann gähnend über
uns ergehen ließen. Sie kriegten den Mörder. Es war der, den
die Zuschauer als Ersten verdächtigt hatten – der mit der fie-
sen Visage. Aber da der Drehbuchautor ein Fuchs war, wusste er natürlich, dass wir ihn verdächtigen würden, und ver-
plemperte deshalb eine halbe Stunde damit, uns so zu
verwirren, dass wir jemand anderen verdächtigten. Aber
dann – Wendepunkt, Verfolgungsjagd, Fall gelöst.

Nun, da das *German Weekend* absolviert war, führten wir
ein abschließendes Feedback-Gespräch.

»Nachdem du nun verschiedene Dinge gelernt hast, möchte ich mit dir über deine allgemeine Tages- und Wochen-
gestaltung sprechen«, begann Annett. »Als Erstes solltest du
dir angewöhnen, Kaffee zu trinken. Ich weiß, dass du keinen
Kaffee magst, aber man kann sich auch mal überwinden.
Kaffee ist ein wichtiger Teil der deutschen Entspannungs-
kultur. Vor allem das nachmittägliche Kaffee-und-Kuchen-
Ritual. Außerdem möchte ich, dass du ab jetzt einen Wochen-
plan für die Abendmahlzeiten erstellst. Das macht den
Wocheneinkauf effizienter und befreit dich davon, täglich
neu zu grübeln, was es abends geben soll. Bitte häng den
Speiseplan – so nennt man so was – für die folgende Woche
jeweils freitagabends an die Kühlschranktür, dann können
wir Samstag alles einkaufen.

Weiter: Im Moment stehst du um 8:30 Uhr auf. Das ist

eigentlich zu spät, aber weil du nicht richtig arbeitest, lassen wir's mal gut sein. Aber: Wo auch immer du deinen Arbeitstag verbringst – am Anfang, also noch bevor du dich selbst googelst, musst du 15 Minuten auf *Spiegel Online* rumsurfen! Das machen alle! Wenn du dich integrieren willst, ist das entscheidend. Mittagessen bitte ab jetzt immer um Punkt zwölf in einer Kantine oder Ähnlichem. Das Essen darf nicht schmecken, und der Service muss miserabel sein, damit man ein Gesprächsthema mit den Kollegen hat. Eine authentische deutsche Kantinenerfahrung sozusagen.«

»Ich weiß«, sagte ich. »Kantine kenne ich. Kulinarisches Fegefeuer.«

»Nach dem Mittagessen gehst du wieder an deinen Schreibtisch für weitere zehn bis 15 Minuten *Spiegel Online*. Abendessen gibt's um Punkt sechs. Manche Deutschen – wie auch meine Familie – bevorzugen es früher, so um 17:30 Uhr.

Für deine Abendgestaltung trittst du bitte zwei Vereinen bei. Einmal Sport, also Badminton oder Schwimmen zum Beispiel, und einmal Vereinsmeierei, also Chor, Skat, Schrebergarten oder was Politisches. Generell möchte ich ab jetzt mehr Struktur und vorausschauende Planung in deinem Leben sehen. Du bist zu verspielt.«

»Was ist dagegen einzuwenden?«

»Verspieltheit ist o. k. – an ihrem Platz und zu ihrer Zeit.«

»Wann wäre das?«, fragte ich.

»In der Kindheit.«

Das supergeheime (und frustrierend ungenaue) Kartoffelsalat-Rezept von Annetts Familie

Die bestgehüteten Geheimrezepte der Welt sind die Coca-Cola-Formel, die KFC-Würzmischung und – mit mehr Essiggurken – das Kartoffelsalat-Rezept von Annetts Familie. Letzteres plaudere ich jetzt einfach mal aus. Schließlich ist es vielfach bewährt und beliebt, auch wenn seine Ursprünge im Dunkel der ostdeutschen Geschichte versunken sind. Viel Spaß!

(Mit Anmerkungen von Annett)

Zutaten: *(genügend für 4–5 Kartoffelsalat-Fans)*

– Viele ungeschälte Kartoffeln   *(füll deinen größten Topf mit Kartoffeln, das sollte genügen)*
– 500 ml Mayonnaise   *(Marke egal)*
– 250 g Jagdwurst   *(andere Kochwurst geht auch)*
– 1 Zwiebel   *(rot oder weiß – egal)*
– 1/2 Apfel   *(eher säuerliche Sorte; Farbe egal)*
– Gewürzgurken/Spreewälder   *(so viel oder wenig, wie man mag)*
– 1 EL Senf
– Salz und Pfeffer   *(bisschen)*
– 1 Prise Zucker   *(streng vertrauliche, überraschende und absolut unerlässliche Geheimzutat)*

Zubereitung:
1. Kartoffeln kochen.
2. Währenddessen die Wurst, die Zwiebel, den Apfel und die Gewürzgurken in kleine Würfel schneiden und in einer großen Schüssel mit der Mayonnaise und dem Senf

vermischen. *(Profitipp: Das Gurkenwasser enthält ebenfalls viel Aroma; mit einem Schluck davon das Mayonnaiseglas ausspülen und in den Kartoffelsalat geben.)*

3. Nach Geschmack mit Salz und Pfeffer würzen.

4. Die gegarten Kartoffeln pellen *(idealerweise solange sie noch ein bisschen heiß sind)*, in mittelgroße Würfel schneiden und sofort in die Schüssel mit den restlichen Zutaten geben.

5. Abschmecken und ggf. mit Salz und Pfeffer sowie der unerlässlichen Prise Zucker nachwürzen. Alles behutsam, aber gründlich verrühren.

6. Den Kartoffelsalat sowie den Orgasmus der Geschmacksknospen genießen.

7. Das Geheimrezept weitersagen *(sharing is caring)*.

Hier ist das deutsche Fernsehen

Obwohl wir junge, trendige Internet-Typen das Fernsehen oft mit Ver- und Missachtung strafen, ist es immer noch ein geradezu absurd einflussreiches und glaubwürdiges Massenmedium. Kein anderes prägt unseren Alltag mehr. Um eine Nation zu verstehen, muss man ihr Fernsehen studieren. Man lernt ihren Humor, ihre Werte, ihre Abneigungen und ihre Ängste kennen. Das Fernsehen ist weiterhin das Medium des Durchschnittsbürgers.

Das heißt nicht unbedingt, dass das Programm gut ist. Aber um ehrlich zu sein, konnte ich das bisher überhaupt nicht beurteilen, weil ich außer einigen *Tatort*-Folgen nichts davon kannte. Das wollte ich ändern. Der Plan: sieben Tage am Stück jeden Tag zehn Stunden lang deutsches Fernsehen gucken. Ich betrachtete diese Unternehmung wie einen Job. Einen Scheißjob allerdings, mit Wochenendarbeit und *Bauer sucht Frau*.

Die Reaktionen in meinem Freundeskreis reichten von »Nennst du das eine wissenschaftliche Methode?« über »Du arme Sau – das deutsche Fernsehen ist schrecklich!« bis hin zu »Du hast es echt geschafft! Als Kind hatte ich auch vor, mir, wenn ich groß bin, einen Job zu suchen, bei dem man fürs Fernsehen bezahlt wird«.

Ja, ich hab's geschafft.

Für den ersten Tag der Challenge hatte ich mir vorgenommen, mich einfach berieseln zu lassen und maximal eine

Stunde im Voraus zu planen, was ich sehen wollte. Dafür nutzte ich die Programmzeitschriften, die ich mir gekauft hatte. (Ja, ich war auch verblüfft, dass es die noch gibt.) Meine Freunde saßen bereits an Listen mit den typischsten, den schlimmsten und den besten Sendungen, aber die sollten erst ab Tag zwei zum Einsatz kommen.

Das Erste, was ich sah, war eine Folge *Sturm der Liebe* (ARD). Offenbar war ich recht spät in die Handlung der Serie gestolpert: Die Figuren schienen sich alle gut zu kennen, und jeder war auf jeden wegen irgendwas sauer – Liebe, Eifersucht, Betrug, das Übliche. Ich war jetzt nicht gerade von den Socken, aber es war ganz o. k. und ich sah meiner Aufgabe – nach einer Stunde und mit 69 weiteren vor mir – recht zuversichtlich entgegen. Klar, exakte Wissenschaft war das hier wirklich nicht, aber es war allemal besser als so mancher Job, den ich bisher gehabt hatte, etwa neun Stunden am Stück in einer Fabrik für türkische Süßigkeiten Deckel auf Plastikboxen drücken. Oder bei *Tesco* an der Kasse zu sitzen.

Eine Stunde später war ich am Boden zerstört. Noch 68 weitere Stunden diesen Mist – das würde ich niemals überleben. Das hier würde schlimmer sein als *Tesco* – und sogar schlimmer als Wissenschaft. Was war geschehen? Ich hatte mir zwei »Scripted Reality«-Sendungen angeschaut: *Family Stories* (RTL) und *Verklag mich doch* (VOX).

Für mich suggeriert die Bezeichnung »Scripted Reality«, dass »scripted« und »reality« gleichermaßen an der Geschichte beteiligt seien. Aber weit gefehlt. In Deutschland heißt die Formel: 99 Prozent scripted – und das eine Prozent reality beschränkt sich auf die Tatsache, dass Wesen auf dem Bildschirm zu sehen sind, die vermutlich humanoid sind.

Jedenfalls haben sie die Anatomie mit uns gemein: Augen, Ohren, Gliedmaßen. Obwohl die Farbe nicht ganz stimmte. Zuerst dachte ich, mit meinem Laptop stimme etwas nicht, und drehte wild am Kontrastregler rum. Aber die Leute sahen wirklich so orange aus wie Oompa Loompas oder Mohrrüben. Klarer Fall: All diese Leute waren nur für die Dreharbeiten unter der Sonnenbank hervorgekrochen und hatten sich zusätzlich mit Selbstbräuner behandelt – vermutlich äußerlich *und* innerlich. Zudem schmückten ausnahmslos alle eine wilde Kombination aus Piercings und Tattoos. Die Frauen trugen die Haare gerne in verschiedenen Neonfarben. Die Männer hingegen waren vom Beginn der Dreharbeiten so überrascht worden, dass sie offensichtlich mitten während des Friseurbesuchs weggerannt waren: An den Seiten war schon alles wegrasiert, auf dem Kopf standen noch fett gegelte Haarbüschel herum.

Diese verrückt aussehende, aber in sich sehr homogene Population bevölkerte auch die nächste Sendung: *Shopping Queen*. Hier geht es meinem Verständnis nach um Frauen, die sehr gerne rumkreischen. Sie ziehen ein Kleidungsstück an, kreischen, ziehen es wieder aus, kreischen, kaufen die Klamotte, kreischen, fragen, wie viel Zeit noch ist, kreischen, hetzen zurück ins Studio, kreischen, ziehen die gekauften Klamotten an, kreischen, präsentieren sich drei anderen Frauen, die kreischen und dann Punkte vergeben, die Kreischen auslösen. Eine Frau gewinnt am Ende und, ihr dürft raten: kreischt. Dann kehren sie in ihr normales Leben als Robbenbabyschlächterinnen oder Kätzchenertränkerinnen zurück (so stelle ich es mir jedenfalls vor).

Am Nachmittag zeigte sich, dass ich keine andere Wahl hatte, als weiterhin »Scripted Reality« zu schauen. Zuerst *Im*

Namen der Gerechtigkeit, dann *Familien im Brennpunkt,* gefolgt von *X-Diaries – love, fun and sun.*

Währenddessen kam Annett regelmäßig rein und setzte sich zu mir.

»Was guckst du jetzt gerade?«

»Familien im Brennpunkt.«

Sie versuchte mitzugucken und verzog ihr Gesicht, als sauge sie Wespengift aus. »Aua, aua, aua. Mein Kopf!«

»Ich weiß. Furchtbar, oder?«

»Wie viele Stunden musst du noch?«

»65.«

»Arme Sau!« Sie stand auf, um zu flüchten und mich meinem Elend zu überlassen.

Gegen sechs Uhr abends trieben mich Kopfschmerzen, schlechte Laune und das nagende Gefühl, der deutschen Seele durch meinen Trash-TV-Marathon nicht entscheidend nähergekommen zu sein, zu einem Spaziergang. Dazu muss man wissen, dass ich so gut wie nie spazieren gehe. Ich bin eher der Typ, der zu Hause überwintert – und zwar auch im Sommer. Es spricht deshalb Bände über meinen Zustand, dass ich diesen Spaziergang wirklich, wirklich, wirklich genoss. Und wie ungern ich ihn beendete. Aber ich musste: Um 19 Uhr kam *Berlin Tag und Nacht* – und das durfte ich nicht verpassen. Mehrere Freunde hatten es in ihren Listen auf Platz eins der schlimmsten Sendungen überhaupt gesetzt. Außerdem hatte ich eine persönliche Beziehung zu der Sendung: Ich hatte mal mitgespielt. Na ja, irgendwie fast jedenfalls.

Vor ein paar Jahren war ich in einer Bar, die ich vor allem deshalb liebe, weil sie so schön nah an meiner Wohnung ist. (Irgendwelche Rückschlüsse auf meine Faulheit?) Irgendwann enterte eine Filmcrew in Begleitung einiger schwersttätowierter orangefarbener Menschen die Kneipe; heute weiß ich, dass ich damals so nah wie nie wieder an sogenannten »Reality-TV-Stars« war. Die Crew bot an, uns einen Cocktail auszugeben, wenn wir als Statisten für die zu drehende Szene zur Verfügung stünden. Wir sollten erschrocken schauen, wenn gleich ein heftiger Streit zwischen der einen Gruppe von Karottenmenschen und der anderen ausbräche. Wir sagten ja, weil: Gratis-Cocktail! Nach dem Genuss des Cocktails beschloss jedoch einer aus unserer Gruppe, ein innerlich nicht sehr gefestigter Freund von Annett, ein schlechtes Gewissen zu bekommen, weil er sich »korrumpieren« ließ von den Machern einer Serie, die für »Volksverdummung« sorge und die menschliche Dummheit feiere. Ich hingegen hatte noch nie von *Berlin Tag und Nacht* gehört und, wie gesagt: ein Cocktail, umsonst. Also hielt ich die Klappe. Er jedoch leider nicht – er begann, die stiernackigen Karottenmenschen dafür zu beschimpfen, was sie der Populärkultur antaten. Er kündigte an, für seinen Cocktail doch lieber selbst zu bezahlen – und dann mussten wir plötzlich ganz schnell gehen, weil der schrankähnlichste der Karottentypen seinerseits begann, sich aufzuregen, und es nur eine Frage der Zeit war, bis unser Freund eine melonengroße orangefarbene Faust in seinem kleinen, schmalen, prinzipienfesten Gesicht haben würde.

Nachdem ich *Berlin Tag und Nacht* nun eine geschlagene Stunde lang geschaut hatte (was härter und schmerzhafter und deprimierender war als jede andere Sendung, die ich jemals geschaut habe; einschließlich englischer Elfmeterschießen), weiß ich, dass es ungerecht wäre, dieser Sendung vorzuwerfen, sie feiere die menschliche Dummheit. Selbst dafür fehlt es ihr nämlich am erforderlichen Geist. Sie ist einfach nur unglaublich, unbeschreiblich, unfassbar *schlecht*. Und ich weiß jetzt auch, warum die Crew uns so einschärfen musste, wir sollten überrascht schauen, wenn der Streit losgehe: Sie mussten damit rechnen, dass wir die Serie kannten und deshalb wussten, dass sie praktisch ausschließlich aus Streitereien und Rumgeschubse besteht – nur ab und zu unterbrochen durch halbnackte Mädchen. Es war also keineswegs überraschend, dass auch in der Kneipe gestritten wurde. Eine wirkliche Überraschung wäre gewesen, wenn die Mohrrüben entspannt beisammengesessen und miteinander gelacht oder eine Runde Mensch ärger dich nicht gezockt hätten.

Nachdem ich neun Stunden voll hatte, machte ich den Fernseh-Folter-Plan für den nächsten Tag und ging dann mit Annett in eine Kneipe, wo wir uns mit einem Freund trafen. Wir verquatschten uns, ich verlor die Zeit aus dem Blick und musste dann – Höflichkeit war in dieser Woche sekundär – mitten im Satz losrennen, um *Markus Lanz* (ZDF) nicht zu verpassen. *Markus Lanz* ist eine Talkshow, deren bemerkenswertestes Charakteristikum ihre vollständige Belanglosigkeit ist und dass sie ganz oben auf der 08/15-Liste stand. Sie war erwartungsgemäß so lala.

Am nächsten Tag durfte ich bei meinem Freund Alex fernsehen. Er hat einen richtigen Fernseher, etwa achtmal so groß wie mein Telemonitor und mit 100 Sendern mehr. Außerdem hat er tonnenweise DVDs und ist Abonnent von *Watchever*, womit man sich fast alles runterladen kann. Er hat einen Nine-to-five-job, was bedeutet, dass er tagsüber nicht zu Hause ist.

Es war komisch, morgens bei Alex aufzuschlagen – normalerweise treffen wir uns nur im Dunkeln, wie Vampire, nur dass wir dann eher zum Bier als zur Blutkonserve greifen. Er drückte mir diverse Fernbedienungen in die Hand und gab mir ein paar Profi-Fernseh-Tipps.

»In ein paar Minuten kommt *Frauentausch*. Musst du gucken! Viele Leute sehen es ›ironisch‹.« Er zeichnete Anführungszeichen in die Luft.

»Wie schaut man ›ironisch‹ Fernsehen?« Ich wiederholte die Geste.

Er dachte einen Moment nach. »Keine Ahnung. Probier's aus. Ich muss los.«

Ich fläzte mich auf seine Couch und begann mit *Frauentausch* (RTL 2). Ich versuchte es »ironisch«, aber es gefiel mir leider wirklich. Vielleicht war genau das die Ironie? Ich bin nicht sicher. Ist kompliziert.

Die andere erwähnenswerte Sendung, die ich an dem Tag sah, war die letzte: *Gute Zeiten, schlechte Zeiten* (RTL), eine klassische deutsche Soap. Die wunderschönen, bedauernswerten Menschen, um die es darin geht, hatten offenbar keinen guten Tag erwischt. Nur *schlechte Zeiten*. Mir war vorher nicht klar, wie schlimm schöne Menschen eigentlich dran sind. Nur Probleme! Von nun an werde ich so viel netter zu schönen Menschen sein, weil ich jetzt weiß, welche Last sie von Geburt an mit sich herumtragen.

Am Abend war ich zu einem Geburtstag eingeladen und entging so weiteren Fensehqualen. Es fühlte sich sehr merkwürdig an, einem Freund mitteilen zu müssen, dass man später zu seinem Geburtstags-Abendessen kommen werde, weil man noch *Gute Zeiten, schlechte Zeiten* schauen müsse. Als ich auf der Party erschien, hatte Annett bereits jeden Anwesenden von meinem Großversuch unterrichtet. So musste ich zwar nicht fernsehen, aber den ganzen Abend darüber sprechen. Die Konversation lief eigentlich immer gleich ab.

»Ich hab von deinem Plan gehört. Wie läuft's?«

»Puuuuh! Anstrengend!«, klagte ich. »Und es sind noch fünf Tage!«

»Du armes Schwein! Zehn Stunden am Tag? Unvorstellbar! Deutsches Fernsehen ist *so* schlecht.«

Ich bekam so viele Mitleidsbekundungen, als hätte ich nicht den ganzen Tag auf dem Sofa gehangen und *Shopping Queen* geschaut, sondern meine Mutter verloren. Oder eine Krebsdiagnose bekommen. Wobei für manche sicher ein direkter Zusammenhang zwischen *Shopping Queen* und Augenkrebs besteht.

Aber ich bekam auch einen super Tipp von meinem Freund Manuel.

»Trinkst du denn auch schön ein paar Bierchen vor der Glotze?«, fragte er.

»Nee. Macht man das so?«

»Natürlich! Jeder, der tagsüber fernsieht, trinkt dazu ein Bierchen.«

»Na ja, da ich die deutsche Kultur ja ohne Rücksicht auf Verluste studieren will, werde ich das wohl auf mich nehmen müssen. Um wie viel Uhr fängt man damit so an?«

»Also, ich würd sagen, so gegen elf.«

»Was? Gleich zum Frühstück?«

»Na ja, die meisten, die das machen, frühstücken nicht so richtig. Vielleicht holen sie sich Pommes, wenn sie Bier holen sind. Oder ein Snickers. Oder eine Dose Red Bull.«

»Okay. Ich werd ein bisschen später anfangen. So gegen zwei vielleicht.«

Als ich am nächsten Morgen auf dem Weg zu Alex war,

erinnerte ich mich an Manuels Rat und betrat meinen Lieblings-Späti[6]. Es fühlte sich komisch an, morgens um neun drei Bier zu kaufen. Aber als ich die beiden Typen vor dem Späti sah, die offenbar bereits ihr zweites oder drittes Frühstücksbier zischten, entspannte ich mich. Auch der Kioskbesitzer hob nicht mal die Augenbraue. Es war eben ein ganz normaler Kreuzberger Werktag – was sich bestätigte, als ich in Alex' Hausflur um einen Drogendeal herumkurven musste.

Vor dem Fernseher angekommen, leistete ich meinen Beitrag zum deutschen Bruttosozialprodukt, indem ich eine Tüte Erdnussflips öffnete und meinen Arbeitstag mit *Frauentausch* begann.

Der Vormittag glitt recht schnell dahin, und um kurz vor zwei zog ich mir eine *Switch*-DVD rein und öffnete mein erstes Bierchen. Ich kann nicht sagen, dass der Alkohol meine Begeisterung für *Switch* steigerte. Aber er schien die Comedyserie auch nicht schlechter zu machen. Also ein zweites Bier.

Ich war mir nicht sicher. Also gleich das dritte hinterher.

Dann muss ich eingeschlafen sein. Als ich aufwachte, lief *Topfgeldjäger* (ZDF). Im Rückblick weiß ich, dass die Kombination von Bier und Fernsehen zwar sedierend wirkt, aber nichts für Wissenschaftler wie mich ist.

---

6 Erst nachdem ich in Köln auf meine Frage »Wo ist hier der nächste Späti?« in ratlose Gesichter geblickt hatte, begriff ich, dass die Institution der Trinkhalle beziehungsweise des Kiosks nicht überall »Späti« oder »Spätkauf« genannt wird. In Köln sagt man »Büdchen«, im Ruhrgebiet »Bude« und in Frankfurt »Wasserhäuschen«. In England übrigens »newsagent«. Jedenfalls geht es um diese kleinen Läden, in denen du morgens um drei mit einem Sixpack, einer Packung Eis und dem *Kicker* an der Kasse stehst und dich fragst, was genau schiefgelaufen ist in deinem Leben.

Tag drei endete dann auf dem Sofa in unserem Wohnzimmer – mit *Germany's Next Topmodel* (Pro7). Annett hatte erstmals entschieden, mir einen ganzen Fernsehabend lang Gesellschaft zu leisten. Was sie genau elf Minuten lang durchhielt. Nachdem eines der Mädchen rumheulte, weil sie sich die Haare abschneiden lassen sollte, aber keine kurzen Haare haben wollte und das alles voll gemein fand und so, sagte Annett entschlossen: »Sorry, aber ich halte das nicht aus«, und verließ den Raum. Ich wusste nicht genau, ob sie das mit dem Haareschneiden auch voll fies fand und zu sehr mitlitt, aber nach einem Blick auf die Uhr wusste ich genau, dass ich noch zwei Stunden und 49 Minuten aushalten *musste*.

Am meisten irritierte mich, wie grundlegend die Sendung das Konzept »sexy« missverstand. Umgekehrt proportional zur Attraktivität der Sendung, fiel das Wort etwa 200-mal pro Stunde. Bekäme ich einen Euro für jede Erwähnung von »sexy«, hätte ich nach einem Jahr genügend Geld zusammen, um mich zu Heidi Klum umoperieren zu lassen. Und *Germany's Most Dangerous Drinking Game* wäre es, bei jedem »sexy« einen Schnaps zu trinken.

Ich wollte Heidi Klum am liebsten entgegendonnern: »Heidi, hier eine für dich sicherlich brandneue Information: Die Vielfalt der menschlichen Körperlichkeit und Attraktivität umfasst mehr als das Gegensatzpaar ›sexy‹ und ›unsexy‹. Und der Begriff ›sexy‹ ist subjektiv. Jeder empfindet etwas anderes als ›sexy‹. Es gibt keinen objektiven Maßstab dafür, was sexy ist. Deine Lieblingssätze ›Mach das einfach sexier‹ und ›Finde eine andere Art von Sex-Appeal, nicht sexy sexy, sondern süß sexy‹ *sind! nicht! hilfreich!*«

Das erinnerungswürdigste Ereignis des vierten Fernsehtages

war eine Folge der – englischer Fachbegriff! – *Classic-German-TV-old-people-nonsense-on-a-boat-Serie Traumschiff* (ZDF). Selbst ich begriff schnell, dass die Handlung so subtil und raffiniert aufgebaut war wie ein Turm aus zwei Legosteinen. Hier eine Szene vom Beginn der Folge:

Eine ältere Dame steht auf dem Kai, während das Gepäck auf das Traumschiff geladen wird. Sie nimmt das Foto eines älteren Mannes aus ihrer Handtasche und betrachtet es traurig. Sie seufzt. Traurige Musik setzt ein. Sie steckt das Foto wieder in die Handtasche und seufzt nochmal.

Ein weibliches Crew-Mitglied in weißer Uniform tritt hinzu und begrüßt sie.

»Ist das Ihre erste Kreuzfahrt?«, fragt die schmucke Bordkraft.

Die traurige Musik setzt wieder ein. Die ältere Dame blickt in die Ferne.

»Ja. Davon haben mein Mann und ich so lange geträumt.«

Die Stewardess studiert die Passagierliste und entdeckt die Frau, deren Namen sie noch nicht kennt, innerhalb einer Sekunde zwischen den anderen 1.500 Passagieren.

»Aber ich sehe hier, dass Sie nur eine Einzelkabine haben.«

»Ja. Mein Mann ist vor zwei Jahren gestorben.«

»Keine Sorge, Sie werden hier an Bord sicher sehr schnell andere Gäste kennenlernen.«

Im *Traumschiff* fällt den Protagonisten die Handlung förmlich auf den Kopf. Es ist ein Wunder, dass sie sich dabei nicht das Genick brechen. Braucht es eine Hintergrundinformation, wird sie in die Handlung geschmissen wie ein Medizinball. Menschen teilen einander ihre größten Traumata und Ängste mit, bevor sie sich auch nur die Mühe gemacht haben, sich vorzustellen. Jeder Passagier trägt ein großes Schild vor sich her, auf dem steht, was sein Schicksal ist. Und diese Schicksale sind allesamt so schwer, dass das Schiff den Hafen eigentlich gar nicht verlassen dürfte. Beziehungsweise draußen auf See eigentlich jeden Moment mit einem der subtilen kleinen Eisberge kollidieren müsste, aus denen die Handlung zusammengekloppt wurde.

Tag fünf begann mit zwei Ausgaben von *TV Total* (Pro7). Danach lief nichts Interessantes im aktuellen Programm, also nahm ich mir eine weitere Position von der Liste der schlimmsten Sendungen vor, die meine Freunde zusammengestellt hatten: *Familie Dr. Kleist* (ARD). Ich hatte schon bemerkt, dass es im deutschen Fernsehen jede Menge Arztserien gab. Die Deutschen haben einen Mordsrespekt vor akademischer Bildung, weil sie eine Nation von Klugscheißern sind. Weil sie so großen Wert darauf legen, alles richtig zu machen (und mit Hingabe auch den kleinsten Fehler bei anderen bemerken und verbessern), genießen bestimmte Berufe besonders hohes Prestige. Die Menschen, die diese Jobs ausüben, machen alles richtig und haben immer recht. Jura ist nicht aus purem Zufall einer der beliebtesten Studiengänge in Deutschland. Juristen können am ungestraftesten klugscheißen, weil sie DAS GESETZ auf ihrer Seite haben. Auch wenn sie sich irren, tun sie das so kompliziert und einschüchternd, dass der Normalbürger ihnen trotzdem jedes Wort glaubt und freiwillig eine Abmahnung bezahlt.

Ärzte sind so ähnlich – sie klugscheißen mit den Waffen der Wissenschaft. Also freute ich mich ganz besonders auf *Familie Dr. Kleist* – und eine fette Überdosis deutscher Titelhuberei. »Herr Doktor« hier und »Herr Doktor« da.

Es geht in der Serie um einen gutaussehenden, kultivierten Landarzt mit breiten Schultern und weißen Zähnen. Völlig überraschend hat er ein attraktives, schlankes, blondes Ehezubehör und ein paar ebenfalls hübsche, kluge, überwiegend blonde Kinder-Add-ons. Mit Hilfe der Medizin und extremer Ernsthaftigkeit heilt er Kranke. Trüge er Sandalen und bezeichnete seine Patienten und Familienzubehörteile als Jünger, er wäre der *Dorf-Jesus*. Die Folge anzuschauen war wie eine einstündige Geißelung. Es fehlte wirklich nur noch, dass die Kinder ihn mit »Herr Doktor Vater« ansprachen.

Der fünfte Tag neigte sich dem Ende zu. Bisher war ich stets mit Fernseh-Kopfschmerzen ins Bett gegangen und hatte Schwierigkeiten gehabt, einzuschlafen. Aber in dieser Nacht, mit dem Wissen, nur noch zwei Tage TV-Camp vor mir zu haben, schlief ich, als hätte der gute Dr. Kleist selbst mich mit einer Maximaldosis seiner überwältigenden Güte sediert.

Weil es mich langweilte, allein zu Hause vor der Glotze zu hocken, hatte ich Nozomi und Gregor, das einzige Paar in unserem Freundeskreis, von dem ich wusste, dass sie regelmäßig fernsahen, gefragt, ob ich den sechsten Tag – den Samstag – bei ihnen verbringen konnte. Annett hatte entschieden, für mindestens zwölf Minuten dazuzukommen. Weil es sich um ein soziales Event handelte, machte sie was? Genau, Kartoffelsalat! Ich steuerte eine Flasche Rotkäppchen-Sekt und eine Tüte Erdnussflips bei – ihr braucht gar nicht das Gesicht so verziehen, passt super zusammen.

Es fühlte sich toll an, Gesellschaft zu haben beim Fernsehen – zumal ich jetzt die Sender und die Sendungen gut genug kannte, um mich qualifiziert am Gespräch zu beteiligen. Um Mitternacht, am Ende meines vorletzten Tages, hatte ich mit zwölf Stunden Fernsehen meinen persönlichen Rekord aufgestellt. Meine Augen und mein Gehirn brannten. Aber ich war stolz.

Am nächsten Morgen wachte ich mit einem Gefühl auf, wie zuletzt als kleiner Junge am Weihnachtsmorgen. Ich lief ins Wohnzimmer und sah lachend zum Bildschirm. *Tag sieben!* Letzter Tag der Challenge! Danach würden sich die Tore zur Freiheit öffnen: nie mehr deutsches Fernsehen!

Den letzten Tag wollte ich ausschließlich dem *Tatort* (ARD) widmen – war dies doch das Sendeformat, das die Deutschen am meisten umtrieb. Ich wollte mir fünf alte Folgen ansehen, was netto siebeneinhalb Stunden am Stück bedeutete, um dann am Abend gemeinsam mit Freunden in einer Kreuzberger Kneipe den aktuellen *Tatort* beim Public Viewing zu genießen. Ich begann mit einigen Klassikern auf YouTube. Ich war noch etwas verkatert vom Vorabend und hatte echt Mühe, der Handlung zu folgen. Nach einer Folge kapitulierte ich und platzierte den Laptop so neben der Couch, dass ich zwar weiter zuhören, aber meine Augen ausruhen konnte.

»Das sieht nicht sehr nach fernsehen aus«, ermahnte Annett mich, als sie reinkam.

»Ich höre zu«, protestierte ich schlaftrunken. »Das ist wie gucken, nur für die Ohren.«

»Das ist geschummelt.«

»Mag sein, aber ich mach die Regeln«, murmelte ich.

»*Das* ist geschummelt!«

»Pssst! Ich höre zu!«

Die übrigen vier Folgen nahm ich in einem ähnlichen Zustand der Halbaufmerksamkeit wahr. Dann war es Abend, und um halb acht bestieg ich mein Fahrrad. Ich tat dies wie ein Tatort-Kommissar aus, sagen wir, Münster: mit einem gewissen Widerwillen, aber zugleich erfüllt von Pflichtbewusstsein. Ich wusste, durch die folgenden anderthalb Stunden würde mich das Wissen tragen, dass es sich um den krönenden Abschluss meiner Fernsehwoche handelte.

Der *Tatort* repräsentiert den deutschen Föderalismus – er kommt reihum aus jeweils einem anderen Bundesland. Auch die beiden hässlichen Halbgeschwister Österreich und die Schweiz sind eingeladen mitzumachen. Unglücklicherweise lief an diesem Abend eine Folge, die in Luzern spielte. In den fünf Folgen, die ich tagsüber gesehen hatte, waren circa 60 Prozent der Dialoge für mich verständlich gewesen. Während mein Alltagsdeutsch ganz o. k. ist, wird es schnell wacklig, wenn es um spezielle Themen und Wortfelder geht. Wie zum Beispiel Kriminalfachvokabular. Im Rahmen meiner Ausflüge zum Späti oder zum Asiaten um die Ecke brauche ich eher selten Wörter wie »Erpressung«, »Täter«, »Haftbefehl«, »Mord«, »Festnahme«, »Leiche«, »Ermittler« oder »Verdächtiger«. Obwohl ich nach dem Schreiben dieses Kapitels – weil ich die schönen Vokabeln nicht wieder vergessen wollte – Sätze wie diesen benutzte: »I'm just nipping out for Sushi. It'll only be ten minutes, assuming I'm not *erpresst* by a *Täter* later *festgenommen* following a *Haftbefehl* for *Mord* initiated by an *Ermittler* for which he is the main *Verdächtiger*. You want something? *Tierleiche*?«

Schon nach wenigen Minuten des Luzern-*Tatorts* war klar, dass eine Verständnis-Quote von 60 Prozent in diesem Fall ein sehr optimistisches Szenario war. Ich war aber bei weitem nicht der Einzige in der Kneipe, der Mühe hatte, zu folgen. Viele hatten auch offensichtlich mehr Spaß daran, den Schweizer Akzent nachzuahmen, als der Handlung zu folgen.

Wie wenig ich verstanden hatte, wurde mir klar, als der Abspann lief (meine TV-Woche war vorbei – yeahh!) und ich immer noch nicht wusste, wer der Mörder war. Dies löste hysterisches Gelächter unter den Kneipenbesuchern aus, die wohl der Meinung waren, ich hätte gerade anderthalb kostbare Stunden meines Lebens verplempert. Sie hätten mich mal während der anderen achtundsechzigeinhalb sehen sollen.

Um meine Erkenntnisse zum *Tatort* zusammenzufassen: Der Erfolg dieser seit Jahrzehnten bestehenden Krimireihe lässt sich nicht aus den Filmen selbst erklären. Von Ausnahmen abgesehen sind es nicht die raffinierten Plots oder die Hammer-Drehbücher, die den Sonntagabend bestimmen. *Tatort* schauen ist vielmehr wie eine Geisterbahnfahrt in die Abgründe der deutschen Seele. Eine Art »Mord im Dunkeln«-Spiel mit Millionen von Teilnehmern. Deutschland hält sich kollektiv einen Spiegel vor. Einen Spiegel, der durch die Konkurrenz von »On-Demand« zu erblinden droht. Die Fernseh-Institution *Tatort* verbindet Deutschland über regionale Konkurrenz- und Dialektgrenzen hinweg. Klassenübergreifend und unabhängig von der Herkunft schaut Deutschland sonntags um 20:15 Uhr Tatort. Kein Sender setzt eine attraktive Sendung dagegen – sie hätte keine Chance. Für dieses kollektive Erlebnis ist es wichtig, dass alle gleichzeitig schauen – und sich am Montag bei der Arbeit darüber austauschen können. Wenn die *Tatort*-Zuschauerschaft mal zerbröselt ist, wird es nichts geben, das dieses egalitäre Gemeinschaftserlebnis ersetzt.

Was sagt uns der *Tatort* noch über Deutschland? Ich denke, eine ganze Menge. So ist um den Tatort herum ein System von

Regeln entstanden, wie es nur die Deutschen zustandebringen dürften – Regeln, die so gut wie nie gebrochen werden:

- Immer 90 Minuten.
- Immer sonntags um 20:15.
- Vorspann und Abspann sind seit 40 Jahren unverändert – und werden es auch weiterhin bleiben.
- Es muss immer um Mord gehen.
- Der Mord muss in den ersten fünf Minuten geschehen.
- Der Fall muss immer aufgeklärt und der Mörder immer gefasst werden.

Es gibt »inoffizielle« Regeln – wie die, dass die Zuschauer (nach einer oder mehreren falschen Fährten) gegen 21 Uhr die erste begründete Vermutung haben sollen, wer der wahre Mörder ist.

Diese Regelhaftigkeit entspricht dem deutschen Wesen. Erstens: Es gibt feste Regeln. Zweitens: Innerhalb der Grenzen dieser Regeln kannst du frei und sehr kreativ sein. In einem Til-Schweiger-*Tatort* kann so viel rumgeballert werden wie in allen anderen *Tatort*-Folgen eines Jahres zusammengenommen nicht. Aber einfach mal den betagten Vorspann ändern wollen? *No way*!

Ich denke, dass man diese deutsche Philosophie in vielen Lebensbereichen beobachten kann. Erst die Ordnung schafft den Raum für verantwortungsvoll genutzte Freiheit. Wir wollen flexibel sein – aber es gibt Grenzen. Freiheit ja – aber keine Anarchie. Es gibt eine Sehnsucht nach Rebellion – aber sie muss geregelt, versichert und kontrolliert sein, wie beim Abistreich. Oder beim akademischen Viertel: auf die Minute pünktliche Unpünktlichkeit. Kreativität: ja bitte – aber nur im umzäunten Gehege, es soll ja nicht zu unordentlich werden.

Die ~~zehn~~ sieben Gebote des deutschen Fernsehens

1. Du sollst nicht Arte schauen

Es gibt ein lustiges Phänomen, wenn man das deutsche Fernsehen kritisiert: Zuerst nicken alle eifrig und sagen so was wie: »Ja, furchtbar, oder?« – um dann einzuschränken: »Außer Arte. Arte ist gut.« Wenn man dann aber fragt, was sie sich auf Arte so anschauen, erwischt man sie irgendwie stets auf dem falschen Fuß. Rumgestammel, »Ich wollte gerade zur Toilette«, oder plötzlicher Themenwechsel. *Weil niemand tatsächlich Arte guckt!* Unter den Sendern ist Arte das, was *Citizen Kane* und *Hotel Ruanda* unter den Filmen sind – muss man haben und kennen, hat aber niemand angeschaut. Weil man dann doch mehr Bock auf *Jenseits von Afrika* oder *Fast and Furious 4* hatte.

»Gibt's irgendwas im Fensehen?«

»Auf Arte läuft 'ne Dokumentation über einen norwegischen Hafen. Auf *VOX* kommt *Promi Shopping Queen*.«

»*Arte* ist wirklich super! Wenn jemand das deutsche Fernsehen rettet, dann die! Ich meine, wer bringt sonst eine Doku über skandinavische Häfen? Man erfährt da oft mehr über das Land als aus irgendeinem Spielfilm oder so. Komm, lass uns bis zur ersten Werbung *Shopping Queen* gucken und dann schalten wir zu Arte um.«

Spoiler-Alert: Sie werden nicht zu Arte umschalten.

2. Du sollst nicht erkennen, dass das Fernsehen das Fernsehen ist

Das deutsche Fernsehen tut stets so, als sei es gar kein Fernsehen. Nichts Künstliches, sondern das wahre Leben. Vor allem in vielen »Scripted-reality«-Szenen hört man den Regisseur förmlich sagen: »Okay — jetzt die Begrüßungsszene. Du bist der Gast. Wenn du an der Wohnungstür bist, tritt dir erst mal die Füße ab, das wirkt authentisch. Was? Da ist keine Fußmatte? Dann besorgt gefälligst eine, ihr Pfeifen!« *45 Minuten später:* »Was? Die Türklingel geht gar nicht? Wie soll man dann eine echt wirkende Begrüßungsszene spielen?! Repariert die Türklingel! Sofort! Und die Scheiß-Fußmatte sieht viel zu neu aus. Macht das Preisschild ab und macht sie draußen dreckig! Au-then-ti-zi-tät, Leute! Also: Gast kommt an, tritt sich die Füße ab, klingelt, Tür auf, Gast tritt ein, lobt die Wohnung, Gastgeber sagt ›herzlich willkommen‹ und so weiter.«

Aus demselben Grund werden viele Talkshows nicht in einem Studio, sondern in einem gefakten Kneipen-Setting oder einem furchtbar künstlich aussehenden Wohnzimmer gedreht. Die Gäste sollen so tun, als seien sie nicht zu Gast in einer Talkshow, sondern privat eingeladen vom Talkmaster, um gemeinsam bei Bier und Pizza abzuhängen.

Wer hat die ganzen Kameras und Scheinwerfer hier hingestellt? Und wer sind die ganzen Leute da hinten? Schmeiß die mal raus — wir sind hier doch unter uns. Wir wollen einfach einen gemütlichen, entspannten Abend haben, da stören die alle nur. Günther, gibst du mir mal die Salzstangen?

3. Du sollst Denglisch talken

Deutsches Fernsehen wirkt so, als sei überall der durchgeknallte Übersetzungs-Babelfisch aus *Per Anhalter durch die Galaxis* dazwischengeschaltet. Man hört Sätze wie: »Hey Leute. Das ist ein No-Go. Es ist einfach too much. Hört mit all dem bullshit auf.«

Babelfisch, warum überträgst du willkürlich jedes fünfte Wort ins Englische, obwohl es eine perfekte deutsche Formulierung für »too much« gibt?

»Sexy. Voting. Committen. Style. There's no better way to fly. Like us on Facebook. Come in and find out!«

STOPP! SCHLUSS DAMIT! LASST DIE DEUTSCHE SPRACHE IN FRIEDEN! WAS HAT SIE EUCH ÜBERHAUPT GETAN?!

4. Du sollst Dialektpassagen untertiteln

Im britischen Fernsehen würde niemand jemals auf die Idee kommen, eine im Dialekt gesprochene Szene zu untertiteln – auch wenn es noch so nötig wäre. Und ich versichere euch: Bei einem Glasgower mit nur noch zwei Zähnen, einem walisischen Bauern oder einem Bauarbeiter aus Birmingham *wäre* es nötig – und zwar für jeden Zuschauer. Allenfalls deren eigene Mutter könnte vermutlich das eine oder andere verstehen. Aber Untertitel? Das würde als grob unhöflicher Hinweis darauf verstanden, dass sie kein richtiges, verständliches Englisch sprechen. Stimmt zwar, sagt man aber nicht.

In Deutschland dagegen? Total in Ordnung. Jemand spricht Bairisch oder Sächsisch? Wir können alles außer Hochdeutsch? *Sub 'em!*

5. Du sollst Hände schütteln

Mit dem sogenannten »Bechdel-Test« kann man den Sexismusgehalt von Filmen messen. Um den Test zu bestehen, müssen sich in dem Film mindestens zwei Frauen (mit Namen) miteinander unterhalten (keine Einzeiler) – und zwar über etwas anderes als Männer. Hollywood wird von Männern dominiert, und die haben bekanntermaßen keine Ahnung von Frauen.

Ich schlage für das deutsche Fernsehen den »Fletcher-Test« vor: Bestanden hat jedes Format, in dem eine Viertelstunde lang niemand einer anderen Person die Hand schüttelt. Ich lebe seit sieben Jahren in Deutschland und denke im Alltag nicht mehr über diese deutsche Angewohnheit nach. Aber obwohl ich mittlerweile auf einer Party als Erstes in die Küche stürme (weil da die meisten Gäste stehen und rauchen) und jedem die Hand schüttle und obwohl ich brav noch mal dasselbe tue, wenn ich gehe, kann ich mich noch immer nicht an die Händeschüttel-Orgien in förmlicheren Situationen gewöhnen – und daran, dass das deutsche Fernsehen ein Paradies für Handfetischisten ist. Guckt mal, wie viele Sendungen den »Fletcher-Test« bestehen. Ihr werdet staunen.

6. Du sollst regional senden

Das britische Fernsehen wird oft für seine einseitige Fixierung auf London und Südengland kritisiert. Das deutsche Fernsehen ist da ganz anders. Der Äther wird fair zwischen den Regionen aufgeteilt. *Tatort* ist ein bereits gewürdigtes Beispiel dafür, die vielen dritten Programme ein anderes. Aber da endet es nicht. Als ich mal einen Freund im sächsischen Pirna besuchte, stellte ich entgeistert fest, dass es einen eigenen Lokalsender namens *Pirna TV* gibt. Ich war neugierig, und wir schalteten ein. Das Problem: In Pirna geschieht nichts Erwähnenswertes. So sahen wir einen langen Bericht über eine Schmiererei an der Kirchenwand. Der Bericht leuchtete alles gründlich aus, es wurde mit allen relevanten Akteuren gesprochen und es lässt sich wie folgt zusammenfassen: *Da hat jemand die Kirche beschmiert! Wer war das?! Man sollte die Kirche nicht beschmieren! Pfui!*

7. Du sollst deines Volkes Laster verbergen

Ich habe mich oft darüber gewundert, dass es in einem so hochentwickelten und der Vernunft ergebenen Land wie Deutschland immer noch so viele Raucher gibt. Bis ich mal nachts fernsah. Was da zusammengesoffen und -gequalmt wird, geht auf keine Kuhhaut! Für das heutige, gesundheitspolitisch korrekte Empfinden läuft zur Geisterstunde ein einziger langer Werbespot für Tabak und Alkohol – nur ab und zu unterbrochen durch ein bisschen Handlung.

Während ich staunend davorsaß, führte ich folgenden Dialog mit mir selbst:

»Ich hasse Zigaretten!«

»Ja, ich auch. Man stinkt davon so eklig. Und man stirbt früher.«

»Aber sie sind auch irgendwie cool. Schau nur, wie sie innehält, superlässig den Rauch an die Decke pustet – und ihm dann mit einem tödlichen Satz die Luft rauslässt.«

»Ob ich jetzt eine rauchen sollte?«

»Nein, sei nicht blöd. Rauchen ist dumm.«

»Ja, stimmt. Fernsehen aber auch.«

»Und jetzt trinken sie auch noch Whisky?! Ist das überhaupt erlaubt, im Fernsehen?! Das ist doch kein Western, wir haben 2014!«

»Ach, wer will denn schon ewig leben? Alte Menschen gucken den ganzen Tag nur fern!«

»Hast recht. Gib mal 'ne Kippe rüber.«

Deutsche Bürokratie

Ich war immer der Meinung, dass die Klischees über die sinnlose deutsche Bürokratie eine Übertreibung seien – gepflegt nicht zuletzt von den Deutschen selbst, in einer Mischung aus Selbsthass und perversem Stolz. Natürlich gibt es Vorschriften, und oft haben diese Vorschriften und Verordnungen sehr lange Namen und sind für jeden unverständlich, der nicht mindestens 27 Semester Jura studiert hat (und selbst diese Experten brauchen noch eine zweite Meinung, um sicher zu sein). Aber ich glaube nicht, dass die Bürokratie in Deutschland absurder ist als die anderer Länder. Wahrscheinlich ist es genauso kompliziert, in Russland zu heiraten, in Frankreich ein Wohnmobil zu mieten, in England ein Atomkraftwerk zu kaufen oder gar in Italien auf legalem Wege neue Nummernschilder zu besorgen, wie in Deutschland die Erlaubnis zu bekommen, im eigenen Garten einen toten Baum zu fällen. Daher hatte ich beim Konzipieren dieses Buchs ursprünglich gar kein Kapitel über Bürokratie und Beamtentum geplant.

Doch dann mussten Annett und ich eines Tages zu einem Notar. Beziehungsweise musste eigentlich nur ich da hin und Annett kam nur mit, um mir zu helfen, weil ich bei so was komplett unfähig bin. Die Aktion entpuppte sich als zentrale Integrationsherausforderung, die unbedingt Eingang in dieses Buch finden musste. Plötzlich schienen sich alle negativen Vorurteile über die deutsche Bürokratie doch zu bewahrheiten.

Wir mussten zum Notar, um meine Firma abzumelden. Ich habe vergessen, warum ich ein Jahr zuvor überhaupt auf die Irrsinnsidee gekommen war, meine planlosen Internetaktivitäten in eine hochtrabend klingende *Unternehmergesellschaft (haftungsbeschränkt)* umzuwandeln. Ich denke, es war eine Mischung aus Größenwahn und dem Wunsch, aus Scheiße irgendwie Gold zu machen.

Seit dieser Firmengründung bestand meine Tätigkeit jedenfalls vor allem darin, die nun erforderliche monatliche Umsatzsteuervorauszahlung zu verhauen oder gleich ganz zu vergessen, lächerlich wenig Umsatz zu machen und massenhaft Briefe von Abkürzungen namens IHK, IHS, STI, GEZ et cetera zu bekommen, in denen stand, dass ich ihnen Geld schuldete für Leistungen, die sie nie erbracht hatten, die sie aber – so beteuerten die Briefe – erbracht hätten, wenn ich danach gefragt hätte. Hatte ich aber nicht.

Stellt euch vor, ihr lauft an einem Restaurant vorbei und ein Kellner kommt rausgerannt und drückt euch eine Rechnung über zwei Euro in die Hand. Ihr würdet vermutlich sagen, dass ihr weder etwas bestellt noch verzehrt habt. Worauf er antworten würde: »Hätten Sie aber können. Wir standen da drin bereit, all Ihre Wünsche zu erfüllen. Und es ist sowieso Vorschrift, dass Sie zahlen. Macht zwei Euro bitte.« So funktioniert Selbständigkeit in Deutschland.

Ich war also begierig darauf, die unsinnige Episode als Firmeninhaber wieder zu beenden. Mir schwante schon, dass das kompliziert sein könnte – und mich mit weiteren Geldforderungen staatlich lizenzierter Ganoven für nie benötigte und nie in Anspruch genommene Leistungen konfrontieren würde. Aber immerhin durfte ich einen von ihnen persönlich kennenlernen, er würde mir – natürlich – die Hand geben und mir vielleicht sogar einen Kaffee anbieten, bevor er begann, meine Taschen auszuräumen.

Die Kanzlei war im dritten Stock eines Protzbaus in einem Viertel von Berlin, das wir normalerweise nie betreten, weil sich dort nur Notare, Anwälte und andere Vorboten amtlichen Grauens herumtreiben. Wir betraten den Flur der Kanzlei. Im ersten Büro rechts saß eine voluminöse Dame und tippte auf ihrer Tastatur herum. Sie fuhr erschrocken zusammen und herrschte uns an: »Wie sind Sie hier reingekommen?!«

Ich sah zur Eingangstür und dann wieder zu ihr. War das eine Fangfrage?

»Durch die Tür?«, sagte ich zögerlich.

»War die offen?«

Nein, aber zum Glück hatten wir unsere Zauberumhänge dabei.

»Ich hab sie aufgemacht.«

»Sie haben diese Tür nicht zu öffnen!«

»Oh. Ähm …« Ich überlegte, was die korrekte Entgegnung wäre, und probierte es mit »… Entschuldigung?!«

Ich hatte ja nun nicht gerade das Schloss geknackt oder die Tür eingetreten.

Ihre Miene entspannte sich keineswegs. »Das Öffnen der Tür ist *meine* Aufgabe!«, sagte sie, erhob sich und schob mich mit Hilfe der Drohung, die ihr majestätischer Körper vermittelte, zurück in den Flur.

»Setzen Sie sich!«, befahl sie und zeigte auf die Stuhlreihe im Flur. Mein Blick folgte ihrem Finger, und so sahen wir beide gleichzeitig, dass da schon jemand saß: Annett.

»Oh«, sagte die Frau.

Was sie eigentlich sagen wollte, war: »Denkt ihr Arschlöcher eigentlich, ich komme hier jeden Morgen zum Spaß her? O. k., natürlich, diesmal hat es geklappt – ihr seid reingekommen, und sie hat sich zufällig auf den richtigen Platz gesetzt. Aber wenn jeder das so machen würde, hätten wir hier das reinste Chaos! Türen auf und zu, Türenknallen, und die Leute würden sich nach Belieben hinsetzen oder nicht! Es wäre alles in Unordnung – und ich hätte keinen Job mehr.«

»Danke«, sagte ich und setzte mich neben Annett.

Das Empfangsmonster stapfte zurück zu ihrem Schreibtisch. Die Dielen knarrten unter ihren Schritten. Nach einer Viertelstunde war alles unverändert. Wir saßen brav auf unseren Stühlen, niemand kam rein, niemand ging raus. Stille.

»Bisschen komisch hier, oder?«, flüsterte Annett.

Ich antwortete ihr nicht mal – ich war viel zu sehr darauf konzentriert, bloß nichts falsch zu machen. Die Atmosphäre hier war so merkwürdig, dass ich am liebsten wieder abgehauen wäre. Aber ich war mir nicht sicher, ob ich die Tür eigenständig benutzen durfte oder jemanden rufen musste, der die Klinke für mich betätigte.

Dann öffnete sich die Tür des gegenüberliegenden Büros, und ein kurioses Geschöpf kam heraus. Eine verhuschte, depressiv aussehende Person, die sichtlich ungern in ihrem knochigen Körper steckte, wieselte den Gang hinunter bis zum Büro ganz am Ende. Dann kam sie mit einem Aktenstapel im Arm zurückgehuscht. Sie vermied jeglichen Augenkontakt mit uns.

Später erfuhren wir, dass es sich bei diesem Wesen um Frau Braun handelte – den Gollum der deutschen Bürokratie, der all ihre geheimen unterirdischen, düsteren Gänge kannte.

»Meinst du, die haben uns vergessen?«, fragte ich.

»Pssst! Nein«, flüsterte Annett, »kann nicht sein. Wir sind doch die Einzigen hier.«

»Ich frage.«

Ich klopfte an die offene Tür des Gollum-Büros und trat ein. »Hallo, ich bin Herr Fletcher, ich hatte einen Termin um elf Uhr.«

»Ja«, sagte Frau Braun. Es entstand eine Pause, weil ich erwartete, dass sie weitere Wörter hinzufügen würde. Was sie nicht tat. Gegenüber ihrem Schreibtisch stand ein leerer Stuhl. Ich nahm Platz. Schon während ich mich in den Stuhl sinken ließ, entnahm ich ihrem Gesichtsausdruck, dass das keine gute Idee war. Aber da ich nicht wieder hochkam, musste ich es jetzt selbstbewusst zu Ende bringen.

»Bitte nicht setzen«, sagte sie eisig. Mein Selbstbewusstsein löste sich in Luft auf. Ich war in ihr Revier eingedrungen. Das mochte sie nicht.

»Oh. Sorry«, sagte ich und schoss wieder hoch, als handele es sich um einen elektrischen Stuhl.

»Ich bringe Ihnen die Unterlagen. Warten Sie bitte draußen.«

Kurz danach kam sie mit den Unterlagen herausgehuscht und verschwand dann wieder in ihrem Büro. Wir füllten sie im Flur aus. Dann passierte wieder minutenlang nichts.

»Ich bring sie ihr schnell rein«, sagte ich zu Annett. »Vielleicht weiß sie nicht, dass wir schon fertig sind.«

Ich klopfte und drang erneut in ihr Revier ein.

»Ich bin fertig«, sagte ich.

»Okay, Herr *Fletscher*.«

Ich setzte mich erneut – nicht um sie zu provozieren, sondern weil ich annahm, sie würde den ausgefüllten Bogen jetzt mit mir durchgehen. Ich dachte, das sei der Service, für den ich hier bezahlen sollte.

»Bitte nicht setzen!«, sagte sie, deutlich schärfer als beim ersten Mal.

»Ah. Mein Fehler.«

»Sie können draußen sitzen.«

»Oh.« Ich stand auf und trottete wie ein Schaf nach draußen, um mich wieder neben Annett zu setzen. Die ballte ihre Fäuste. Annett kann eine Bulldogge sein, wenn es jemand wagt, mich auch nur schief anzusehen.

»Was denkt die sich, so mit dir umzuspringen?«, fragte sie empört. Wir mussten weiterhin flüstern, denn Gollums Büro war nur wenige Meter entfernt – und man weiß ja, dass bei Menschen, die einen Sinn eingebüßt haben, alle anderen Sinne geschärft werden. Frau Braun hatte ihren Sinn für Humor definitiv verloren. Oder ihn nie besessen. Jedenfalls sah und hörte sie sicherlich alles.

»Du bist doch einfach nur ein kleiner, freundlicher Engländer«, fuhr Annett fort und nahm meine Hand. »Es gibt keinen Grund, dich so scheiße zu behandeln. Geh lieber nicht noch mal in ihr Büro.«

»Ich versuche nur, die Sache etwas zu beschleunigen. Ich hab schließlich nicht den ganzen Tag Zeit.«

»Doch, hast du«, konterte Annett trocken.

»O. k., ja. Aber ich will den Tag nicht in diesem dämlichen Flur verbringen.«

Irgendwann öffnete sich eine Tür am anderen Ende des Flurs, und ein kleiner, lächelnder Mann mit Rundbrille erschien. Er sah aus wie ein fröhlicher kleiner Maulwurf. Er schaute kurz in das Büro des Empfangsmonsters und holte sich dann meine Unterlagen aus Frau Brauns Büro.

»Herr *Fletscher*«, er begrüßte mich mit einem festen Händedruck und wies auf sein Büro, »kommen Sie bitte.« Annett folgte uns.

Ich habe längst aufgehört, die Leute zu korrigieren, die mich mit »Fletscher« ansprechen. Sogar auf meinem Briefkasten steht wieder »Fletscher«, nachdem die Hausverwaltung mein handgemaltes Schild ersetzt hat, das ihr fehlerhaftes ersetzen sollte.

Der Notar war ein wunderbarer, freundlicher Mann. Der Unterschied zwischen seinem Verhalten und dem seiner beiden Angestellten war geradezu verstörend. Möglicherweise wollte er die Stimmungsbilanz wieder ausgleichen, damit wir bei null beginnen konnten.

»Mr Fletscher. Sie sind Engländer, oder?«, fragte er, als wir uns an seinem runden Besprechungstisch niederließen.

»Ja.«

»Woher genau kommen Sie, wenn ich fragen darf?«

»Aus Norwich.«

»Oh, interessant. Ist das in der Nähe von Bournemouth? Da war ich im … Moment … Sommer 79, glaube ich. Es war großartig!«

»Das ist schön. Sie sollten mal wieder hinfahren, um zu sehen, was sich verändert hat.«

»Das würde ich sehr gerne. Ich fürchte aber, ich bin hier einfach viel zu beschäftigt«, sagte er und wies mit dem Kinn vage in den Raum.

»Ja, das sieht man«, sagte ich und folgte seinem Blick bis zu einem bequemen Liegemöbel.

Beschäftigt womit? Dösen? Wohnen? Ich hatte auch eine Woh-

nung[7] – *aber mir blieb trotzdem Zeit, nach Bournemouth zu fahren, wenn ich es denn wollte.*

Ich gab ihm meinen Pass. Theatralisch überprüfte er meine Identität: Foto – Gesicht. Foto – Gesicht. Hoch – runter. Foto – Gesicht. Da ich die legendären DDR-Grenzkontrollen nicht mehr erlebt habe, war dies der skrupulöseste Gesichtsvergleich meines Lebens.

Er schob den Pass wieder über den Tisch – und das Formular direkt hinterher. Wortlos wies er mir die Stelle an, wo ich unterschreiben musste. Jetzt verstand ich auch, warum er die Gesichtskontrolle so in die Länge gezogen hatte: *Das war das Einzige, was der Mann zu tun hatte!*

Ein deutscher Notar vergleicht Gesichter mit Passfotos und schaut Menschen beim Unterschreiben von Formularen zu.[8] Dafür kassiert er – zumindest in meinem Fall – 65 Euro. Dieses Büro war ein Paradies für Mitarbeiter mit beschränkten Fähigkeiten: Eine Frau kontrolliert die Klinke der Eingangstür. Eine andere gibt Formulare aus. Und einer schaut Menschen beim Unterschreiben zu.

Ich gab ihm das Formular zurück. Nun überprüfte er gründlich, ob es wirklich ich war, der dort unterschrieben hatte. Dann machte er einige Bemerkungen über Menschen, deren Unterschrift schwer lesbar sei. Das mache seinen Job ungemein anstrengend.

---

7 Na ja, ich hatte sie nicht – sie war gemietet. Und offiziell auch nicht von mir, sondern von Annett, weil ich als Ausländer mit schwankendem Einkommen keine Chance auf dem halsabschneiderischen Berliner Wohnungsmarkt gehabt hätte.

8 Manchmal, haben Leute mir erzählt, liest der Notar auch den zu unterzeichnenden Vertrag vor – in so rasendem Tempo, dass niemand etwas versteht. Was aber egal ist, weil deutsche Verträge von deutschen Juristen formuliert werden, man also sowieso nichts versteht.

Anstrengend?! Minenarbeiter haben anstrengende Jobs. Kran-kenschwestern haben anstrengende Jobs. Kinderarbeit ist anstren-gend. Das einzig Anstrengende an deinem Job sind deine beiden Angestellten. Die du vermutlich selbst eingestellt hast.

Als die Formalitäten erledigt waren, öffnete Annett ihre mitgebrachte Mappe und begann ihm die von ihr vorberei-teten Fragen zu stellen. Fast alle Fragen beantwortete der stu-dierte Notar mit derselben qualifizierten Antwort: »Das kann Ihnen Frau Braun erklären.«

Kennen Sie Frau Braun, Herr Notar? Ich habe schon Eisbäder genommen, die mehr Wärme ausstrahlten. Mit Frau Braun zu kommunizieren ist wie der Versuch, Wasser aus einem Stein zu pressen, der in einem Safe liegt. Auf einer einsamen Insel. Die umgeben ist von Haien. Auf einem anderen Planeten.

Wir gaben ihm die Hand mit dem Gefühl, unsere 65 Euro so richtig gut investiert zu haben.

Frau Braun erwartete uns in ihrer Tür – vermutlich um zu verhindern, dass ich ein drittes Mal in ihr Revier eindrang. Annett wiederholte ihre Fragen. Wie zu erwarten, gab Frau Braun darauf die denkbar nutzlosesten und unklarsten Ant-worten. Sie konnte ihre Verachtung für uns nur schwer ver-bergen. Es war wie Scharade spielen, mit einem toten Käfer.

Ein Theaterstück, Frau Braun? Ein Film? Zwei Wörter? Der Hobbit?

Hätte uns jemand beobachtet, wäre für den Zuschauer nicht deutlich geworden, ob die Frau uns eine Auskunft gab oder ob sie wegen Mordes angeklagt war und sich nicht selbst belasten wollte. Aber ich muss zugeben, dass sie ab und zu etwas sagte. Hilfreiche Dinge wie:

»Nein.«

»Das ist nicht unsere Aufgabe.«

»Da müssen Sie das Finanzamt anrufen.«

»Keine Ahnung.«

»Nein. Darum müssen Sie sich selbst kümmern.«

Ich ertappte mich dabei, wie ich mir die drei Fachkräfte der Kanzlei bei der jährlichen Weihnachtsfeier vorstellte. Die monumentale Rezeptionskraft würde die Tür bewachen und niemanden vor der vereinbarten Zeit reinlassen. Die Party würde in einem Flur stattfinden. Frau Braun würde herumhuschen und vergifteten Punsch ausschenken. »Mich um Weihnachten zu kümmern ist nicht meine Aufgabe«, würde sie motzen. »Da müssen Sie den Weihnachtsmann anrufen.« Der Notar würde wieder und wieder die Identität aller Anwesenden überprüfen und ihnen währenddessen etwas von Bournemouth 1979 erzählen; dann müssten alle wieder und wieder seine Weihnachtskarte unterschreiben, und er würde zuschauen. Der alte Voyeur.

Zurück in die Realität: Wir standen immer noch im Flur und versuchten, Wasser aus diesem Stein namens Frau Braun zu pressen. Es war ungemütlich. Die Situation, nicht der Flur. Der bot das, was man von einem Flur nur erwarten kann. Annett hatte keine Fragen mehr übrig, deren Beantwortung Frau Braun verweigern konnte.

»Die Rechnung«, sagte Frau Braun, »ist vorbereitet.« Sie wedelte mit einem Stück Papier. Ich wollte danach greifen.

»Nein, Herr *Fletscher*«, sagte sie und zog das Papier blitzschnell weg, »wir schicken sie per Post.«

»Aber ich kann sie doch gleich mitnehmen, wo ich schon hier bin.«

»Nein, wir schicken sie.«

»Das leuchtet mir natürlich völlig ein«, sagte ich. Ich denke nicht, dass Gollum so was wie Ironie verstand. Da unsere

Angelegenheit hier offensichtlich geregelt und meine Geduld erschöpft war, wollte ich nur noch weg. Aber als ich mich gerade zum Gehen wandte, ergriff Annett Frau Brauns Hand, schüttelte sie und dankte ihr. Was ich ihr brav nachtat – aus Angst davor, dass sie mich sonst verhexen würde. Auf dem Weg zur Tür kamen wir am Büro des Rezeptionsmonsters vorbei.

»Halt!«, rief sie und bemühte sich strauchelnd, hastig aufzustehen. »Ich lasse Sie raus.«

Was sie dann auch tat! Sie betätigte die Klinke. Sie drückte sie in einer Abwärtsbewegung runter. Es ging alles sehr schnell, aber ich glaube, ich hab verstanden, wie's geht.

Annett und ich sahen uns an, als die Tür sich hinter uns schloss. Aber wir sagten nichts, bis wir zwei Stockwerke weiter unten waren. Annett brach als Erste zusammen. Sie setzte sich auf die Treppenstufen und schüttelte ungläubig den Kopf, um dann in einem unkontrollierbaren Lachkrampf zu explodieren.

»Das war wie bei Kafka«, sagte ich. »Fehlte nur noch, dass sich jemand in ein Insekt verwandelt.«

»Na ja – Frau Braun hat schon mindestens zwei Drittel des Wegs hinter sich, würde ich sagen.« Annett keuchte inzwischen vor Lachen.

»Sie ist ein giftspuckender Drache, der alle Witze, Klischees und Übertreibungen über die Servicewüste Deutschland in sich vereint.«

»Ich schätze, es ist Jahrzehnte her, dass sie sich um irgendwen oder irgendwas gekümmert hat«, vermutete Annett.

»Wenn ich recht überlege, will ich auch gar nicht, dass sie sich um mich kümmert«, sagte ich schaudernd.

VOLLSTÄNDIGER UND DETAILLIERTER ÜBERBLICK ÜBER DEN KUNDENSERVICE IN DEUTSCHLAND

Es gibt keinen.
Ende.

Okay, das ist jetzt ein bisschen übertrieben – aber wirklich nur ein bisschen. »Deutsche Kundenfreundlichkeit«, das ist in der Regel ein Widerspruch in sich. Als Kunde wird man in Deutschland in der Regel als Vollidiot betrachtet, der sich erdreistet, auch noch Sauerstoff wegzuatmen. Service, das ist in Deutschland allenfalls eine vage Idee, die jemand mal auf ein Post-it gekritzelt und in die Schachtel mit den Verbesserungsvorschlägen geworfen hat. Die Schachtel steht jetzt übrigens im zentralen *Bundesideenamt,* das bisher nur eine einzige Idee umgesetzt hat, nämlich diese Schachtel niemals zu öffnen.

Jede Medaille hat bekanntlich zwei Seiten – und ich präsentiere euch jetzt beide: den deutschen Kundenservice aus der Sicht der Kunden – und den deutschen Kunden aus der Sicht der Servicekräfte.

DAS DEUTSCHE SERVICEPERSONAL AUS DER SICHT DER KUNDEN

Deutsche Dienstleister behandeln euch in der Regel nicht als Kunden, die ihrem Arbeitgeber Geld bringen, von dem dieser dann ihre Gehälter bezahlt – sondern wie eine heiße Kartoffel, die unerklärlicherweise in ihre Unterhose geraten ist.

Autsch! Aua! Ahhh! Arggggh! Kunde! Achtung, Kunde im Laden! Wie ist der hier reingekommen? Raus mit ihm, schnell! Autsch,

autsch! Er hat Fragen?? Scheiß auf seine Fragen! Hau ab, Kunde, raus! Verschwinde! Autsch, ist das heiß!

Wenn du dich weigerst, wieder zu verschwinden, und stattdessen weiter Fragen stellst (was die übelste Folter ist, die deutsche Dienstleister kennen), haben sie andere Methoden, um dich loszuwerden:

1. Der Gesichtsausdruck

Das Gesicht deutscher Servicekräfte sagt: *Hä? Sie wollen was?! Von mir?!? Sehen Sie nicht, dass ich beschäftigt bin? Ich versuche hier zu arbeiten! Sehe ich so aus, als würde ich mich über Ihre Fragen freuen? Lesen Sie meinen Gesichtsausdruck! Ich werde Sie weiter feindselig anstarren, bis Sie gehen – oder zu Stein geworden sind. Ich trage nur Verachtung für Sie im Herzen. Haha, das war natürlich ein Scherz: Ich habe gar kein Herz. Aber das war jetzt auch der einzige Scherz hier. Also verpissen Sie sich! Sonst muss ich zum Äußersten greifen: dem genervten Stöhnen mit Augenverdrehen. Ich tue es! Jetzt!*

Stöhn.

Da sehen Sie, was Sie angerichtet haben! UND JETZT VERSCHWINDEN SIE!

2. »Da sind Sie hier falsch.«

»Guten Tag, können Sie mir helfen? Ich suche ...«

»Nein, tut mir leid.«

»Äh, ich hab doch noch gar nicht fertiggefragt ...«

»Egal. Sie müssen sich an die Auskunftsabteilung wenden. Dies hier ist nicht die Auskunftsabteilung.«

»Es ist auch nicht die Informationsabteilung, oder?«

»Nein. Es ist die Weiterschickabteilung.«

»Sie wollen Ihren Vertrag kündigen? So einfach geht das nicht, Herr *Fletscher*. Sie brauchen eine *Abmeldebestätigung*. Rufen Sie Frau Huber in der *Ich-habe-kein-Interesse-mehr-Abteilung* an. Die Nummer ist 030112323424 898989898998.«

Und so beginnt eine Odyssee, während der du wie eine Flipperkugel im Modell »Dafür bin ich nicht zuständig« hin und her geschubst wirst.

3. »Wo ist Ihre Bescheinigung?«

Um es dir so schwer wie möglich zu machen, verlangt man in Deutschland für nahezu alles eine Bescheinigung oder eine Erlaubnis. Immerhin vermittelt diese Schikane den Kunden gleichzeitig ein Gefühl der Privilegierung – diese Bescheinigung hat sicher nicht jeder!

»Sie brauchen ein USB-Kabel, Herr *Fletscher*? Kein Problem! Ich brauche nur noch Ihren *USB-Gerätebenutzungsschein*. Oh, den haben Sie nicht? Kein Thema. Ziehen Sie bitte draußen eine Nummer und beantragen Sie ihn dann bei Frau Huber im Zimmer 4356.145B. Bitte fügen Sie einen frankierten Rückumschlag, Ihre Geburtsurkunde und eine Kopie Ihrer *Elektronikzubehörerwerbserlaubnis* hinzu. Das Büro ist an Dienstagen mit Vollmond von 12:10 bis 12:15 Uhr geöffnet. Viel Glück.«

Wie man deutsche Servicekräfte nervt

Es scheint, als hätten die Dienstleister alle Macht in Deutschland, wenn man etwas von ihnen will – aber es gibt durchaus Möglichkeiten, sie zu nerven, zu ärgern und zu verwirren. Das führt zwar nicht zum Ziel, fühlt sich aber gut an.

✓ Bleib vage

Alle Deutschen hassen es, mit unpräzisen Informationen konfrontiert zu werden – vor allem natürlich, wenn sie sowieso schon von deiner Anwesenheit genervt sind.

»Ich suche … hier: Dings!« – »Wo finde ich denn bei Ihnen so – Sachen?« – »Welche Marmelade würden Sie jemandem empfehlen, der sich nicht mit Marmelade auskennt?« – »Kann man damit auch diese halbrunden Dinger aus Glas oder Holz oder so reparieren?«

✓ Mach Smalltalk/Stell ganz viele Fragen

Sei wie ein Dreijähriger, der Fragen stellt, weil es so lustig ist, genervten Erwachsenen Fragen zu stellen. Mach dir nicht die Mühe, dir die Antworten anzuhören.

»Wetter ist super, oder? Haben Sie neulich diese legendäre Sache im Fernsehen gesehen? Finden Sie Helene Fischer auch so nervig? Bayern oder Dortmund? Gentrifizierung – unser Untergang, oder?«

✓ Sprich sie mit ihrem Namen an

Die meisten Chefs zwingen ihre Untergebenen, ein Namensschild zu tragen. Nutz das, um exzessive menschliche Nähe herzustellen.

»Frau Huber! *Wie geht es Ihnen*? Ich hab mich schon gefragt, ob heute wohl meine liebe Frau Huber Dienst hat. Wie schön, Sie zu sehen, Hubi. Ich darf doch Hubi sagen?«

✓ Bestell Leitungswasser

Nichts nervt deutsche Bedienungen so sehr wie die Frage nach *Leitungswasser*. Die Reaktionen könnten nicht befremdeter sein, wenn du einen Gratis-Goldbarren oder ein Diamantencollier bestellen würdest. Natürlich wollen sie in der Gastronomie mit den Getränken Geld verdienen. Aber wenn man schon ein Essen bestellt hat, bringt der Umsatzverlust den Wirt sicher nicht um. Er kann die Flüssigkeit, die einfach aus dem Hahn läuft, ruhig rausrücken – und zwar ohne dafür dreiste 2,50 Euro zu kassieren, nur weil er sie in eine schicke Karaffe umgefüllt hat.

✓ Kombiniere alles

»Guten Morgen, Frau Huber! Wie schön, dass Sie heute an der Käsetheke sind! Ich weiß noch gar nicht so recht, was ich brauche – Sie können mir da sicher helfen. Ich bin Sternzeichen Zwilling und wandere gern. Welchen Käse mögen Sie eigentlich am liebsten, Frau Huber? Normalerweise nehme ich ja mittelalten Gouda, aber was meinen Sie, Frau Huber: Passt der zu Salat? So ein italienischer Salat, wissen Sie? Ach, dieses Wetter wieder heute, was? Also, *tschüss,* Hubi! Oh, ich hab ja ganz vergessen zu bestellen. Ach, ich komm einfach morgen noch mal wieder. Aber hätten Sie ein Glas Leitungswasser für mich?«

DER KUNDE AUS SICHT DES SERVICEPERSONALS

Der Mensch ist der natürliche Feind des Dienstleisters. Er ist ein Störfaktor. Anstatt fünf Minuten im Internet zu recherchieren und dann alle erforderlichen Informationen dabeizuhaben, bevor er mich belästigt – oder auch mal einfach nur sein bisschen Verstand zu benutzen –, platzt er hier einfach rein und fragt drauflos und reißt mich damit aus meiner Arbeit als Dienstleister. Ich meine, ich versuche diesen erniedrigenden Job hier so gut wie möglich zu machen! Aber wie soll das gehen, wenn ich jeden Tag von diesen Spinnern, Nervensägen und Flachpfeifen gestört werde, die hier als »Kunden« gelten. In den Arsch kriechen soll ich diesen Idioten auch noch? Nicht mit mir!

Eigentlich ist schon das Wort »Dienstleistung« eine Frechheit! Ich bin kein Diener! Und wieso soll ich etwas leisten, wenn die ganzen Deppen mir doch nur auf den Nerven rumtrampeln und sich wichtig nehmen? Wisst ihr, was ihr seid? Ihr seid nur ein Fliegenschiss auf der Bilanz meines Tages. Eine erbärmliche Fußnote!

Kunden neigen zu drastischen Fehleinschätzungen. Hier einige der verbreitetsten:

1. Sie halten sich für wichtig

Mein Job ist es *nicht*, Kunden zufriedenzustellen! Ich muss Vorgänge durchführen. Eine E-Mail beantworten, die Kasse bedienen, ein Regal einräumen oder Bescheinigungen ausstellen beziehungsweise einsammeln. Der Kunde mit seinem Gejammer und seiner Dämlichkeit ist an diesen Vorgängen leider manchmal beteiligt – aber nicht als wichtiger Faktor, sondern als Störung.

2. Sie glauben, ich kenne mich aus

Nur weil ich hier an der Käsetheke stehe, soll ich mich mit Käse auskennen? Ich glaub, es hackt! Ich meine, der Kunde steht da am Tresen. Macht ihn das zu einem Tresenexperten? Er hat einen Einkaufswagen. Macht ihn das zu einem Einkaufswagenspezialisten? Nein – Tresen und Einkaufswagen sind nur Mittel zum Zweck der Nahrungsbeschaffung.

Dasselbe gilt für mich: Ich mache diesen Job, um Geld zu verdienen und mir Essen kaufen zu können – und nicht aus Spaß.

3. Sie denken, ihr Anliegen würde mich interessieren

Interesse ist Luxus. Interessieren sich die Kunden etwa für mein lächerliches Gehalt? Oder für meine Segelschein-prüfung am Wochenende? Nein! Interessiert sich der Kunde, der mich vor zehn Minuten angeschnauzt hat, nur weil ich noch schnell mit Gaby fertigtelefonieren wollte, auch nur ein Fitzelchen dafür, dass Gaby jetzt wahrschein-lich sauer ist auf mich? Nein! Für Interesse bezahlt einen keiner.

WIE MAN KUNDEN AM BESTEN ENTNERVT

Man darf dem Kunden leider keine reinhauen. Erstens wird das unbegreiflicherweise missbilligt, und zweitens könnte er sich wehren. Aber man kann ihn trotzdem schlagen – mit den folgenden Waffen:

✓ Sei unfreundlich

Es gibt ein paar Dinge, die man sagen muss: »Hallo«, »Schö-nen Tag noch« und »Payback-Karte?« Aber niemand sagt, dass sie nett klingen müssen. Es geht auch alles in einem genervten Wort: »HALLOPAYBACKKARTE3EURO20SCHÖN-TAGNOCH« oder wie ein Luftballon, aus dem man die Luft entweichen lässt: »HALLO! Paybackkrt? 3,20tagnoc.«

✔ »Ich bin beschäftigt!«

Mach den Kunden klar, dass du wichtig bist – und sie nicht. Sag häufig Sätze wie »Ich hab furchtbar viel zu tun«, »Keine Zeit« und »Sie sehen doch, dass ich hier gerade was mache!«. Kommt super – insbesondere in Verbindung mit einem leeren Schreibtisch, auf dem nur die *Bild*-Zeitung rumliegt.

✔ Sei der Herr über die Zeit

Je nachdem, worum es geht, will der Kunde entweder, dass du dich beeilst, damit er nicht den halben Tag in deinem Flur verbringen muss – oder er will, dass du dir Zeit nimmst für sein komplexes Anliegen. Tu auf jeden Fall immer das Gegenteil. Wenn der Kunde nur schnell eine Zeitung kaufen und damit in den gerade einfahrenden Zug springen will – lass dich nicht hetzen. Sortier erst mal die Zigaretten neu.

✔ Weigere dich, Leitungswasser rauszurücken

Wenn ein Gast Leitungswasser verlangt, erfordert das eine Reaktion, als habe er bei der Beerdigung deiner Lieblingstante volltrunken eine *Polonäse Blankenese* gestartet. Was stellen diese Sparheimer und Geizpickel sich eigentlich vor? Die wollen was umsonst? Wissen die nicht, wie sauer dein Chef wird, wenn du Leitungswasser ausschenkst?

Du hast drei Möglichkeiten:

1. Den Wunsch rundweg abschlagen.
2. Das kleinste Gefäß befüllen, das du finden kannst (Eierbecher, Fingerhut o. Ä.), und mit deinem freundlichsten Lächeln servieren.
3. Ein Glas Leitungswasser servieren – und die Gäste das büßen lassen, indem du sie ab sofort wie Gastro-Terroristen behandelst, die deine Branche zerstören wollen.

Mitfahrgelegenheit &
Deutsche Bahn

Eines Morgens kam unsere Deutschlehrerin Claudia förmlich in die Klasse geschwebt.

»Was ist denn mit dir los? Du strahlst ja über alle Backen«, fragte ich sie.

Sie wurde ein bisschen rot. »Na ja, ich hab da so'n Typen kennengelernt. Gestern Abend in einer Bar.«

»Erzähl!«, sagte ich aufgeregt. Ich verwendete einen Großteil meiner Energie im Klassenzimmer darauf, Claudia möglichst lange von den unregelmäßigen Verben abzulenken. Hier waren locker zehn Minuten rauszuholen.

»Na ja …«, begann sie, »er ist schon … ziemlich perfekt. Gutaussehend, nett und witzig.«

»Da kommt jetzt ein *Aber*, oder?«

»Stimmt«, gab sie zu. »Er …«, sie stockte und senkte den Blick. »Er …«

»Nun komm, sag schon!«, ermunterte ich sie.

»Er … arbeitet bei der *Deutschen Bahn*!«, sagte sie in einem Ton, als handle es sich nicht um einen Angestellten des größten deutschen Verkehrsunternehmens, sondern um einen Lustmörder, einen Pyromanen oder gar um einen dieser Perversen, die bei voller Fahrt Bananenschalen aus dem Autofenster werfen.

»Und das ist ein Problem?«, fragte ich verwirrt.

»Na, allerdings! Ich hasse die Bahn!«

»Aber alles andere an ihm ist perfekt?«

»Ja, ist es. Aber... die *Deutsche Bahn*! Ich würd ja alles schlucken – aber nicht die Bahn!«

Ich wusste zwar, wie genervt viele Deutsche von der Bahn sind – aber ich hatte das Ausmaß des Hasses offenbar doch unterschätzt.

»Und? Werdet ihr euch wiedersehen?«, fragte ich.

»Ja«, sagte sie, und ihr Strahlen kehrte zurück. »Wir sind zum Essen verabredet. Ich versuche, sein... Problem irgendwie zu ignorieren.«

Da ich Claudias Sturheit kannte, wusste ich, dass *Mister DB* wirklich sein Bestes würde geben müssen. Vor allem hoffte ich für ihn, dass er nicht eine halbe Stunde zu spät kam – wegen »Laub auf der Strecke«. Dass er darauf verzichten würde, ihre Bahncard sehen zu wollen, ihr vier Euro für die Tischreservierung abzuknöpfen und jeden Gang im Voraus anzukündigen: »In wenigen Minuten erreichen wir den Hauptgang. Die Messer befinden sich in Fahrtrichtung rechts.« Und dass er beim Bezahlen nicht mit dem Kellner diskutierte, es müsse doch günstiger sein, weil um diese Zeit fast niemand essen gehe. Ich drückte ihm die Daumen, dem *Sänk-ju-for-dinnering-wis-ze-Deutsche-Bahn*-Mann.

Die Deutsche Bahn zu kritisieren, ist ein beliebter Zeitvertreib der Deutschen – und es ist ja auch leicht. Aber man muss auch ihre Verdienste sehen – und ihr manchmal sogar dankbar sein. Vor allem für eine Sache, nämlich die Mitfahrgelegenheit (MFG).

Seien wir doch mal ehrlich: Die meisten Leute ziehen es eigentlich vor, im Auto für sich zu sein. Wäre die Bahn also nicht so desorganisiert, nervig, schwerfällig und teuer, dann hätte die MFG sich niemals durchgesetzt. Zugegeben, das

Kompliment an die Bahn ist etwas vergiftet – aber, hey: Die Leute in der Komplimentabteilung der Bahn sollten nehmen und abheften, was sie kriegen können.

Die meisten Deutschen wissen gar nicht, dass die Mitfahrgelegenheit eine deutsche Erfolgsgeschichte ist. Nirgends sonst hat sich diese einfache, effektive und bezahlbare Reiseform landesweit durchgesetzt. Das hat sicherlich mit dem intensiven Hass der Deutschen auf ihre Bahn sowie mit der (von der Bahn erzwungenen) langjährigen Abwesenheit preiswerter Fernbusse zu tun.

In Deutschland vermittelt die Seite *Mitfahrzentrale.de* eine Million Fahrten pro Monat; sie hat über dreieinhalb Millionen Mitglieder. Allerdings wackelt das Geschäftsmodell, seit 2013 Fernbusse zugelassen wurden. Die machen nicht nur der Bahn Konkurrenz, sondern – da gut ausgestattet, bequem und billig – auch den Mitfahrzentralen. Viele regelmäßige Anbieter von Mitfahrplätzen berichteten mir von sinkender Auslastung. Deshalb beschloss ich, eine Woche lang jeden Tag per MFG in eine zufällig ausgewählte Stadt zu reisen, um dieser speziell deutschen Reiseform rechtzeitig ein Denkmal zu setzen und interessante Leute kennenzulernen. Ich ahnte ja nicht, wie merkwürdig, lustig, aber auch anstrengend dieses Experiment sein würde – und wie sehr sich meine Haltung zur guten alten Bahn verändern würde.

Tag 1: Ich erwachte aufgeregt und gespannt auf meine erste Tagestour. Nach dem Studium der häufig angebotenen Strecken entschied ich mich für Jena Paradies. Mindestens fünf Autos fuhren die Tour heute hin und zurück, so dass ich leicht einen Platz bekam. Ich war noch nie in Jena Paradies gewesen, aber schon öfter mit dem Zug durchgefahren. Ich hatte stets lahme Witze über den Ortsnamen gemacht. Ich meine, so ein Name ist schon eine Ansage. Dorthin sollte sich eine dreistündige Fahrt im Auto eines Wildfremden lohnen, oder?

Dieser erste Wildfremde meiner MFG-Woche hieß Robert und fuhr kein Auto, sondern ein Schiff: einen 15 Jahre alten Volvo Kombi. Während ich in die Ledersessel sank und feststellte, dass diese Kiste größer war als meine Wohnung (und zudem über bequemere Sitzgelegenheiten verfügte), hoffte ich, dass dieser Komfort ein gutes Omen für meine MFG-Woche sein würde.

Robert war ein alter Rocker mit schulterlangem blonden Haar und schwarzer Biker-Sonnenbrille. Er war total entspannt und hatte ein Talent für Sprüche. »Die letzten drei Monate hab ick in 'na WG jewohnt. Aba für die WG-Scheiße bin ick zu alt. Der Hauptmieter is neunundvierzich und anjeblich IT-Spezialist. Aba arbeitslos. Na, ick weeß nich – für mich war det eher 'n Wein-Spezialist.«

Robert war Automechaniker, aber bei dem Thema bekam er schlechte Laune. »Die Karren von heute stecken voller Elektronik. Die kann man nur beim Hersteller reparieren. Ick kann da nüscht mehr dran machen.«

»In welcher Firma arbeitest du?«

Er lachte. »Firma is jut. Ick hab zusammen mit'm türkischen Kumpel 'ne kleine Hinterhofklitsche.«

So langsam dämmerte mir, wieso er mich ein paar Stunden vor der Abfahrt angerufen hatte, um mir zu sagen, dass er die Fahrt jetzt auf der Website der Mitfahrzentrale canceln werde, sie aber trotzdem stattfinde. So sparte er die Provision von 1,10 Euro.

»Sagst du alle Fahrten vorher ab, um die Vermittlungsgebühr zu sparen?«

Er grinste mich frech an und entblößte dabei seine gelblichen Zähne. »Yep. Die ham mir schon paar Mal anjemailt deswegen. Ob ick irgendwelche Probleme hätte. Klar hab ick Probleme – aba nich, wat die denken.«

Wir erreichten Jena. Das Wetter war schon mal paradiesisch. Ich fragte im Fremdenverkehrsbüro und erfuhr, dass »*Paradies*« nur der Name der Bahnstation ist, benannt nach einem nahegelegenen Park. Der Rest ist einfach nur das langweilige alte Jena. Das war jetzt irgendwie blöd. Ich hatte drei Stunden Lebenszeit in dem Auto eines Fremden verplempert, um eine Information zu bekommen, deren Recherche mich via Wikipedia 30 Sekunden gekostet hätte.

Ich schaute mir den Paradies-Park trotzdem an. Sehr hübsch und malerisch. Aus Solidarität mit der Jenaer Anti-Gentrifizierungs-Bewegung pinkelte ich hinter einen Baum. Die Dame in der Tourist Information hatte mir zwei Attraktionen empfohlen: den Blick vom Dach des Intershop Tower und das Optische Museum. Der 28. Stock des runden Intershop Tower – von den Einheimischen liebevoll »Keksrolle« oder »Penis Jenensis« genannt – bot in der Tat einen bemerkenswerten Panoramablick auf die Stadt.

Ich war eifrig mit dem Genießen dieses Blicks und dem Notieren meiner Eindrücke beschäftigt, als ein älterer Herr mit etwas unsicherem Gang auf mich zuhumpelte und mich mit tiefer, dröhnender Stimme fragte: »Was notieren Sie da?«

»Äh … ein paar Stichworte, für ein Buch«, sagte ich und schaute von meinem Block auf.

»Ein Buch. Ich wollte auch immer ein Buch schreiben.[9] Bin nur nie dazu gekommen. Ich habe mal eine Liste gemacht mit all den Dingen, die ich im Leben tun wollte. Ich hab ausgerechnet, dass ich dafür 400 Jahre alt werden müsste.«

»Sie müssen ein ehrgeiziger Mann gewesen sein«, bemerkte ich.

»Oh ja, das war ich.« Er nickte. »Bin ich immer noch. Aber wofür bleibt am Ende Zeit? Heirat. Haus. Kinder. Enkel. Ich hab die Liste damals weggeschmissen. Was für eine Art Bücher schreiben Sie?«

»Ich schreibe über die Deutschen.«

Das weckte sein Interesse. »Ich glaube, ich bin ein typischer Deutscher«, verkündete er stolz.

»Da bin ich gar nicht mal sicher. Es ist nicht typisch deutsch, glatzköpfige Ausländer im obersten Stock eines Hochhauses anzuquatschen, das aussieht wie ein Pen... – eine Prinzenrolle.«

»Na ja, in meinem Alter, was hat man da schon zu verlieren?«

»O. k., das macht Sinn.«

Warnung: Ab hier glitt die Unterhaltung zügig in politisch unkorrekte Gefilde ab.

»Ich denke, das Problem ist, dass wir Deutschen immer zurückhaltend und schuldbewusst sein sollen, seit, Sie wissen schon: dem kleinen Adolf.«

Die schnoddrige Formulierung »kleiner Adolf« überrasch-

---

9 Diesen Satz hören Autoren auf der ganzen Welt mit einer Wahrscheinlichkeit von 80 Prozent, sobald sie erzählen, womit sie ihr Geld verdienen. Normalerweise gefolgt von der selbstbewussten Einschätzung »Ich glaube, in mir schlummert ein toller Roman« – oder einem Witz über Zauberschüler, Vampire oder Sadomasochismus.

te mich so, dass ich nach Luft schnappte. Er schien es nicht zu bemerken und fuhr fort:

»Alle wollen, dass wir uns schuldig fühlen. Ich bin Jahrgang 1954, wofür soll ich mich schuldig fühlen? Hab ich den Juden irgendwas getan? Nein. Wieso soll ich ihnen dann Geld bezahlen, mit dem sie Mauern quer durch Israel bauen und in Gaza Schulen bombardieren?«

»Glauben Sie, dass viele Deutsche so denken?«, fragte ich ihn.

»Würden sie niemals zugeben! Zu viel Angst. Aber ihr Briten seid doch auch nicht besser. Euer Empire existiert seit 100 Jahren nicht mehr, aber ihr habt's scheinbar noch nicht kapiert und stolziert immer noch durch Europa, als wärt ihr was Besseres. Können Sie ruhig alles in Ihr Buch schreiben!«, sagte er und wies mehrmals mit dem Zeigefinger auf mein Notizbuch.

»Okay. Aber es ist nicht diese Art von Buch.«

Ich versuchte, mich unter einem Vorwand zu entfernen, aber immer wenn ich ihm beinahe entkommen war, begann er mit einem neuen Thema oder einer gehässigen These, die mich zurück ins Gespräch zwang. Es war, als fahre man an einem spektakulären Verkehrsunfall vorbei und versuche, *nicht* zu gaffen. Am Ende behauptete ich, ganz dringend einen (nicht existenten) Bus erwischen zu müssen. Nicht dass mich die Unterhaltung mit ihm nicht interessiert hätte – aber ich war schlicht überfordert von seiner politisch unkorrekten Direktheit. Aus Berlin bin ich es gewohnt, dass alle, mit denen ich spreche, meine Ansichten zu teilen scheinen, dieselben Bücher wie ich lesen und dieselben Filme mögen. Der Jenaer erinnerte mich daran, dass wir in Berlin echt in einer Blase leben.

Als ich zum Treffpunkt meiner Rückfahrt-MFG eilte, spürte ich, dass ich Jena nähergekommen war. Es war sicherlich nicht das Paradies, aber es fühlte sich o. k. an. Mein Auto nach Berlin kam dreißig Minuten zu spät – ohne Erklärung oder Entschuldigung. Sturm, Polizeieinsatz, Personenunfall, Schnee, Eis, Signalstörung, Personalmangel und die unvermeidliche »Störung im Betriebsablauf« sind nur einige der Ausreden, die mir die Bahn im Lauf der Jahre angeboten hat. Ich registrierte mit einer gewissen Verstimmung, dass die Anbieter von Mitfahrgelegenheiten sich nicht um solche Kreativität bemühten.

Das Auto, das schließlich angetuckert kam, war ein kleiner Nissan Micra. Am Steuer saß Loreen, neben ihr ihr Freund Joon Suh, dessen Eltern 40 Jahre zuvor aus Südkorea nach Berlin gekommen waren. Meine beiden Reisebegleiter waren Medizinstudenten.

Als wir gerade ein paar Minuten auf der Autobahn gefahren waren, scherte ein überholendes Auto so knapp vor uns wieder ein, dass Loreen scharf bremsen musste, um es nicht zu rammen. »Typisch Thüringer! Voll im Selbstmordmodus!«, zischte sie und bombardierte ihn mit wütenden Lichthupen-Signalen. »Die fahren alle so hier. Wahrscheinlich weil Jena so schrecklich ist. Da will man nur noch weg und sterben.«

Später gelang es mir, sie zu erfreulicheren Themen zu lotsen. Loreen erzählte mir kichernd, wie sie und Joon Suh sich in der Uni kennengelernt hatten: Nachdem sie einen ganzen Tag lang gemeinsam eine Leiche seziert hatten, präsentierte er ihr stolz ein Herz, das er aus den im Laufe des Tages entfernten Hautlappen zusammengenäht hatte. »Das war sooo romantisch!«, sagte sie und warf ihm einen langen, zärtlichen Blick zu, der auch mein Herz stocken ließ –

schließlich fuhr sie gerade 160 und war umringt von Thüringern im Selbstmordmodus.

»Und ziemlich haarig«, fügte Joon Suh hinzu und lachte dann wie ein Bond-Schurke.

Ich schaffte es schließlich nach Hause – müde und mit Rückenschmerzen von sechs Stunden in verschiedenen Autos. Aber ich hatte deutlich spannendere Leute getroffen als erwartet und war hoch motiviert für die restliche MFG-Woche. Noch vier Tage.

Tag 2: Ich erwachte – und war total müde. Die ganze Sitzerei und Quatscherei des ersten Tages forderten jetzt ihren Tribut. Ich entschied mich deshalb, nur einen kurzen Trip zu machen. Zufällig hatte ich kürzlich jemanden aus Halle kennengelernt, der mir das dortige Beatles-Museum empfohlen hatte – wie immer es dorthin geraten sein mochte. Das schien mir einen Tagesausflug wert – zumal man von Berlin nach Halle weniger als zwei Stunden braucht.

Mitgenommen nach Halle wurde ich von Anne, einer 35-jährigen blonden Grafikdesignerin, die auf dem Weg zu einem Kunden war. Sobald ihr aufging, was ich der deutschen Sprache in jedem meiner Sätze antat, wechselte sie ins Englische. Sie hatte einen nahezu perfekten amerikanischen Akzent, weil sie als Teenager ein Jahr in den USA verbracht hatte.

»Den Akzent hab ich mir damals so schnell wie möglich zugelegt, weil das der einzige Weg war, die immer gleiche Konversation zu vermeiden: ›Where are you from? Germany? Awe-some! My grandfather Fritz is from Germany! Do you know him?‹ Es war aber ein okayes Jahr, würde ich sagen. Allerdings hat dieser penetrante Never-give-up-Optimismus, dieses ewige American-Dream-Gehabe mich irgendwann schon genervt.«

»Meinst du eigentlich, dass es so was wie den *German Dream* gibt?«

Sie überlegte lange und meinte dann: »Ich denke, der deutsche Traum besteht darin, nicht zu träumen. Denn wenn wir Deutschen anfangen, kollektiv zu träumen, wird es schnell depressiv. Hyperinflation, Krieg, Staatsverschuldung oder sonst eine soziale Katastrophe. Ich denke, der deutsche Traum besteht darin, möglichst in Ruhe gelassen zu werden, anonym zu bleiben und ausreichend Versicherungen zu haben, um sich unverwundbar zu fühlen.«

Wir brauchten nur eine Stunde und 40 Minuten bis Halle, und die unterhaltsame und angenehme Zeit mit Anne verging wie im Flug. Ich war fast ein bisschen traurig, als ich sie verlassen musste. Wir tauschten Visitenkarten und nahmen uns vor, in Berlin mal ein Bier trinken zu gehen. Ob wir das jemals machen werden? Vermutlich nicht. Aber der Gedanke, dass wir es tun könnten, gefällt mir gut. Der Gedanke, dass zwischen den täglich Tausenden von zufälligen Miteinander-Fahrern immer wieder lebenslange Freundschaften oder sogar Liebesbeziehungen entstehen können. Fremde, die davon ausgingen, dass die gemeinsame Zeit am verabredeten Ziel – in München, Münster oder Mönchengladbach – enden würde, stellen dann fest, dass sie plötzlich ganz andere Ziele miteinander teilen: gemeinsame Wohnung, Hochzeit, Kinder, Enkel …

Meine ersten Eindrücke von Halle waren recht positiv. Es war eine sentimentale Erinnerung an das nahe gelegene, etwas heruntergekommene Leipzig vor dem Boom, das ich bei meinem Umzug nach Deutschland kennen und lieben gelernt hatte. Das Beatles-Museum war auf jeden Fall deutlich unterhaltsamer als das Optische Museum in Jena.

Bis zur Rückfahrt musste ich noch ein paar Stunden Zeit totschlagen. Ich suchte ein Restaurant, fand aber nur Spielhallen und zog mich schließlich resigniert in die *Bahnhofslounge* am Hauptbahnhof zurück. Ich hatte mich noch nicht mal richtig auf dem Barhocker niedergelassen, als ich schon Gesellschaft bekam. Ein älterer, weißhaariger Herr in einem karierten Hemd rutschte herüber, auf den Hocker neben mir. Als wisse er, worum es mir bei meiner MFG-Woche ging, breitete er umgehend und praktisch unaufgefordert seine gesamte Lebensgeschichte vor mir aus. Unterbrochen wurde seine Erzählung nur dann, wenn er einen gierigen Schluck aus seinem Chardonnay-Glas nahm.

Seine Art zu sprechen erinnerte mich an die Wackelpferde mit Münzeinwurf, die manchmal vor Supermärkten stehen. Sobald ich ihm eine Frage stellte, erwachte er zum Leben und kam mir beim Erzählen so nahe, dass er fast in mich hineinkroch. Aber wenn die 50 Cent verbraucht waren, sank er wieder in sich zusammen und widmete sich seinem Weinglas.

»Menschenkenntnis. Schreibkenntnis. Redekenntnis. Letzten Endes sind es diese drei Dinge, die zählen«, sagte er. »Ich war Schriftsteller« – er ließ die Worte einen Moment wirken, damit sie ihr volles Gewicht entfalten konnten – »aber ein richtiger Schriftsteller. Ich habe nicht solchen Mist geschrieben, wie die Leute ihn heute kaufen. Sondern Literatur!«

Ich nickte vielsagend, so als ob ich ihn erstens verstünde, ihm zweitens zustimmte und mich drittens nicht beleidigt fühlte. »Ja, Literatur …«, bestätigte ich.

»Jetzt bin ich im Ruhestand. Aber ich habe mehr zu tun denn je. Mehr denn je!«, wiederholte er und unterstrich diese sensationelle Information mit seinem Zeigefinger. »Ich bin einer der begehrtesten Trauerredner in Halle. Ich beerdige praktisch die ganze Stadt. Jawohl.« Ich brauchte ein biss-chen, um zu kapieren, was er meinte, weil ich das Wort »Trauerredner« nicht kannte.

»Ich dachte, die Familie des Verstorbenen hält die Anspra-che«, sagte ich.

»Ha!« Verächtlich wischte er meine Vermutung vom Tisch. »Die Lebensgeschichte eines Menschen zu erzählen ist eine besondere Gabe. Wirklich zu erkennen, wer jemand gewesen ist. Manche können's und manche nicht.« Er machte eine Pause für den letzten Schluck Chardonnay und gab dem Bar-keeper das Zeichen für ein weiteres Glas.

»Ich habe die Gabe«, fuhr er fort und sah mir beim eifrigen Mitschreiben zu. »Ich hoffe, Sie auch, junger Mann.«

Hoffte ich auch. Aber nach einer Dreiviertelstunde, in der ich vielleicht 20 Wörter gesprochen hatte und er mindestens 1.000, musste ich vor allem hier weg. Auch um meine Heim-fahrt zu erwischen.

»Sie sind in Ihren besten Jahren – intellektuell und phy-sisch. Sie sind auf dem Höhepunkt Ihrer Möglichkeiten. Nutzen Sie sie!«, rief er mir nach, als ich die Kneipe verließ. Ich wusste nicht so recht, was ich mit diesem Gespräch an-fangen sollte. In vielerlei Hinsicht fand ich es befremdlicher als jenes mit dem Mann auf dem Intershop Tower in Jena.

Mein Fahrer zurück nach Berlin, Johan, antwortete so sparsam auf meine Fragen, als müsse er für jedes Wort, das seinen Mund verließ, eine Gebühr bezahlen. Aber das war mir nur recht. Mein Rücken tat weh. Meine Knie auch. Und ich war komplett erledigt von einem weiteren Tag, der nur aus Autofahren, Sightseeing und Gesprächen auf Deutsch bestanden hatte. Ich klappte die Lehne zurück und betrachtete den Abendhimmel. Ich ließ mich fallen in die Lichter und die rhythmischen Geräusche der Autobahn und versuchte mich wie der Protagonist eines Bruce-Springsteen-Songs zu fühlen, der in die Nacht hinausfährt, um seinem Schicksal zu entkommen.

Tag 3: Nachdem ich nun seit über sechs Jahren in Deutschland lebte, war es allmählich peinlich, dass ich noch nie an der Ostsee gewesen war. Also beschloss ich, einen Tagesausflug nach Warnemünde zu unternehmen. Drei Stunden nach Rostock, dem am nächsten an Warnemünde gelegenen MFG-Zielpunkt, und dann noch das Stück bis Warnemünde – insgesamt würde das die bisher längste und zermürbendste Tour sein. Ich stand früh auf und fand mich irgendwann unablässig gähnend auf einem Lidl-Parkplatz, wo mich schließlich Stefan mit seinem VW-Bus aufsammelte. Stefan war ein großer, magerer Typ mit Hipsterbrille, Schiebermütze und brauner Cordhose. Ich nahm auf einer der Rückbänke seines geräumigen Wagens Platz. Neben mir saß ein Ungar namens Georg. Georg war Anfang 60; sein grauer, leicht gegelter Haarschopf legte sich aber immer noch in üppigen Locken um sein breites, ausdrucksstarkes Gesicht mit buschigen Augenbrauen. Seine Nase war leicht verbogen, so als habe sie sich mal im unglücklichsten Moment am falschen Ende einer Faust befunden. Er war ein interessanter, gutaussehender Mann und ein charismatischer Erzähler.

»Ich bin 1978 nach Deutschland gekommen – in die gute alte DDR«, sagte er melancholisch.

»Hast du kein Heimweh nach Ungarn gehabt?«

»Nein, eigentlich nicht. Ich wurde dort polizeilich gesucht.

Ich war ein Spitzenverbrecher – das war schließlich das Einzige, was wir damals wirklich gut konnten. Der Umzug nach Deutschland war meine Chance, das alles hinter mir zu lassen. Ich studierte das erste Mal in meinem Leben. ›Maschinelle Rechentechnik‹, irgendwie so hieß Informatik damals.« Er schüttete sich aus vor Lachen. »Klingt lustig, oder? Informatik in der DDR! Viel gab's da ja nicht. Das Studium war eigentlich eine Farce – aber eine angenehme.« Er dachte einen Moment nach. »Das gilt eigentlich für die ganze DDR.«

»Bist du überrascht, wie schnell der Osten sich nach der Wiedervereinigung verändert hat?«, fragte ich.

»Ja. Ich bin sowieso überrascht, wie schnell sich alles verändert«, sagte er und lehnte sich in seinen Sitz zurück. Seinem Gesicht war anzusehen, dass er mit einer gewissen Wehmut in Erinnerungen schwelgte. Dann setzte er wieder an:

»Ich habe viele Projekte in Polen betreut und war oft vor Ort. Wie schnell sich dort alles verändert hat! Ich bin da zwischen 1997 und 2004 zweimal mit vorgehaltener Pistole ausgeraubt und ungefähr zehnmal zusammengeschlagen worden. Zweimal haben sie mich bewusstlos in meinem Blut auf der Straße liegen lassen. Mir sind ungefähr 15 Autos geklaut worden. Irgendwann bin ich nur noch mit uralten Karren hingefahren. Half nix – auch geklaut. Aber dieses Polen ist heute längst Geschichte. Der Wandel innerhalb von zehn Jahren ist atemberaubend.«

Die Fahrt nach Rostock verging dank Georgs abenteuerlichen Geschichten wie im Fluge. Ich war wirklich überrascht und begeistert, wie interessant die Leute waren, die ich auf meinen MFG-Touren kennenlernte. Wo sonst konnte man einen ungarischen Exkriminellen treffen, der in der DDR Informatik studiert hatte, dem in Polen 15 Autos geklaut worden waren – und der trotzdem unverdrossen immer wieder mit dem Wagen nach Polen gefahren war? Sicher nicht in den Kreuzberger Hipstercafés, in denen ich normalerweise rumhing. Wir verabschiedeten uns mit einem festen Händedruck.

Warnemünde war ein guter Ort, um einen netten Nachmittag zu verbringen. Es gab schöne weiße Sandstrände, die an diesem windigen Herbsttag weitgehend leer waren. In schwimmenden Restaurants, die entlang der Promenade festgemacht hatten, konnte man Fisch essen. In Warnemünde kann man sich prima einbilden, man sei gar nicht so richtig in Deutschland. Es sei nicht kalt. Man habe Urlaub. Man könne barfuß in der oktoberkalten Ostsee planschen (kann man nicht!). Ich verbrachte ein paar schöne Stunden in dieser eingebildeten nichtdeutschen Sommerfrische, lag am Strand rum, döste ein bisschen und versuchte zu verdrängen, dass es noch eine lange, unbequeme Rückfahrt geben würde, mit weiteren Staus, weiteren Baustellen, mehr Popmusik von weiteren Hitradio-Sendern und mehr Rückenschmerzen.

Meine Träumereien wurden dann recht unsanft durch einen schwersttätowierten und mit Piercings behängten Australier namens Tony beendet. Er fuhr 50 Minuten nach dem verabredeten Zeitpunkt in seinem rostigen schwarzen Van mit abgedunkelten Scheiben am Treffpunkt vor und verzichtete großzügig auf jedes Wort der Erklärung oder gar Entschuldigung für die Verspätung.

»Schafft diese Mühle es bis Berlin?«, fragte ich mit misstrauischem Blick.

»Meine *Daisy*?« Er klopfte liebevoll mit der Hand gegen die geöffnete Tür. »Die hat mich schon über 90.000 Kilometer weit getragen – praktisch ohne Pannen und Ärger.«

Drinnen entdeckte ich dort, wo ich die Rückbank erwartet hatte, lediglich eine alte Matratze, die mit Spanngummis gesichert war und auf der etwas lag, das sich auf den zweiten Blick als schlafende, einäugige Katze entpuppte.

»Und wo sind die Sitze?«, fragte ich.

»Hab ich rausgenommen, Kumpel. Aber da ist so ein Holzkasten. Kannste dich draufsetzen. Hab ich selbst gebaut, jawohl. Ist nicht das Hilton, aber es müsste gehen.«

Ich zögerte. Wäre ich eine Frau gewesen, hätten mich keine zehn Pferde in diesen Van gekriegt. Aber andererseits – ich bin ein kahlköpfiger Mann. Und dies war heute die letzte angebotene MFG nach Berlin. Außerdem war dieser Typ zwar extrem suspekt und frei von Umgangsformen, aber er war immerhin ein Tierfreund. Er konnte also kein ganz schlechter Mensch sein. Natürlich wirkte das Katzenvieh nicht gerade gepflegt und umsorgt – aber hey: Es lebte![10]

»Ist das deine Katze?«, fragte ich, nachdem ich resigniert eingestiegen war.

»Veronica? Nee, die gehört meinem Nachbarn. Ist reingehüpft, als ich losgefahren bin. Ich denke, sie hatte einfach Lust auf einen Ausflug. Keine Angst, die tut nichts.«

Veronica griff seine Bemerkung umgehend auf und sprang mir auf den Schoß.

»Ich vermute, Gurte gibt's nicht, oder?«

---

10 Auf den Gedanken, es könne sich bei der Katze um seinen Lockvogel handeln, mit dem er arglose Mordopfer in seinen Van lockte, wobei er auf den primitiven Denkfehler »Er hat eine Katze, er kann kein ganz übler Typ sein« setzte, kam ich erst später, auf der Autobahn, als es ohnehin zu spät gewesen wäre, abzuhauen. Ich habe seither ein paarmal »Australier Mörder Deutschland Van Katze« gegoogelt, aber bisher: nichts. Das heißt, er ist entweder kein Serienmörder oder ein sehr raffinierter.

»Stimmt.«

»Super!«

In Rostock stieg das Mädchen zu, dem der Beifahrersitz versprochen worden war. Ganz klar positive Diskriminierung. Außerdem kam noch ein junger Inder dazu, der im Begriff war, einen MBA-Studiengang in Berlin anzutreten. Ich registrierte, dass beide ebenfalls zögerten, bevor sie einstiegen – der Inder mehr als das Mädchen, das ja immerhin einen richtigen Sitz hatte und möglicherweise, wer weiß, auch einen Sicherheitsgurt. Der Inder hingegen hatte mich, eine dreckige Matratze, eine einäugige Katze und die Hälfte eines selbstgebauten Bretts, das zugegeben »nicht das Hilton« war.

Aber da er einen wichtigen Termin in Berlin hatte, blieb ihm keine andere Wahl, als einzusteigen. Ich weiß von diesem wichtigen Termin, weil er den Australier während der ersten Stunde etwa zwölfmal daran erinnerte, dass er es eilig habe. Danach verzichtete er auf diese Hinweise, weil klar war, dass er ihn ohnehin verpassen würde.

»Jaaaa, entspann dich, Mann!«, sagte der Australier. »Daisy fährt so schnell, wie sie nun mal fährt.«

Nach ungefähr einer Stunde fand Daisy, dass sie jetzt genug gefahren sei, und streikte. »Das alte Mädchen ist mal wieder überhitzt, schätze ich«, sagte Tony, während er einen Parkplatz ansteuerte und den Hebel der Motorhaube betätigte. Als die aufschwang, wurde er von Dampfschwaden eingehüllt. Robert wäre hier voll in seinem Element gewesen – aber er und sein türkischer Hinterhofkumpel waren leider nicht da, wenn man sie mal wirklich brauchte. Der Inder und ich nutzten die Unterbrechung für ausgiebige Dehnübungen, um unsere Knochen wieder geradezubekommen.

»Solche Marotten hat sie manchmal. Hat jemand Wasser dabei?«, fragte der Australier und starrte dabei den Inder an, der gerade an seiner Wasserflasche nuckelte und sich vor Schreck verschluckte. In diesem Moment entschloss sich die Katze Veronica, aus dem Auto zu springen und im Gebüsch zu verschwinden. Der Australier wollte sie mit einem Hechtsprung wieder einfangen, verfehlte sie aber und knallte voll auf den Boden, während er hervorstieß: »Komm zurück, du Scheißvieh!« Die Szene hatte unbestritten komisches Potential. Ein Tierfreund war er definitiv nicht. Am Ende jagten wir alle vier die Katze und versuchten, sie wieder in den Van zu locken. Dafür, dass sie nur ein Auge hatte, war sie erstaunlich gut unterwegs.

Nachdem sie eine Viertelstunde abgekühlt war und der Inder all sein Wasser für sie geopfert hatte, sprang Daisy gnädigerweise wieder an. Widerwillig stieg ich ein und klemmte mir die schließlich eingefangene Veronica dabei fest unter den Arm. Im Stillen verfluchte ich Tony. Ich bin sicher, wir alle taten das. Selbst Veronica.

Die Zeit bis zur nächsten Panne verstrich nur langsam. Der Inder und ich machten Smalltalk oder spielten mit unseren Smartphones. Nach drei Stunden waren wir beide der Agonie nahe – nicht aber Berlin. Auf einem harten Holzbrett zu sitzen und permanent durchgeschüttelt zu werden oder sich als Alternative auf dem dreckigen Fußboden »auszuruhen« war keine schöne Situation. Die Matratze mieden wir sorgfältig, da sie nicht mal ein Laken hatte, das die vielen Flecken unklarer Herkunft verbarg. Mein Rücken schrie mich längst wütend an, ich solle ihm sofort Geld für eine Bahnfahrkarte geben. Ich fühlte mich wie ein Achtzigjähriger. Beziehungsweise hoffe ich eigentlich, dass Achtzigjährige sich weitaus besser fühlen, weil ich sonst gerne auf das Erreichen dieses Alters verzichten würde.

Wir waren geradezu erleichtert, als Daisy sich ihre nächste Überhitzungspause nahm und wir uns wieder strecken und recken konnten. Diesmal hatte Veronica keine Chance auf Hafturlaub, und ich war an der Reihe, mein Trinkwasser zu opfern.

Als wir zurück auf die Autobahn zuckelten – wir waren mittlerweile vier Stunden unterwegs –, versuchte ich mich wieder in den Bruce-Springsteen-Roadtrip-Modus zu träumen. Aber leider gibt es keinen Bruce-Springsteen-Song über eine Fahrt mit einem Australier in einem Van namens Daisy und einer einäugigen Katze – deshalb funktionierte der Trick diesmal nicht. Also dachte ich über all die schönen ICEs nach, in denen ich jetzt sitzen könnte. Mit ausgestreckten Beinen, einer Steckdose für den Laptop, einer leicht erreichbaren Toilette, einem Gang zum Beine-Vertreten. Ich sah mich dort sitzen, mit der Rückenlehne nach hinten, einen schönen Film schauend und ab und zu in die Landschaft blickend, die mit 200 Stundenkilometern vorbeirast. Jena hin oder her – so musste das Paradies aussehen.

Na klar, die Preise im Bordbistro würden absurd hoch sein – wenn die technischen Geräte dort überhaupt funktionierten und sie nicht vergessen hatten, Getränke an Bord zu nehmen. Natürlich würde ich wieder vergessen haben, dass sich meine jedes Jahr teurer werdende Bahncard immer automatisch verlängerte. Und selbstverständlich würde der ICE genau dann total verspätet sein, wenn er mich pünktlich zu einem wichtigen Termin bringen sollte. Aber dafür würde vermutlich kein Bahnangestellter von mir erwarten, dass ich mir eine Holzplanke mit einer sehbehinderten Katze teilte und mein Wasser mit einer überhitzten Daisy.

»Isses o. k., wenn ich euch hier rauslasse?«, fragte der Australier und holte mich so unsanft aus meinem Wachtraum. Wir hatten gerade das Ortsschild »Berlin« passiert. Laut *Mitfahrzentrale.de* sollte Tony uns am Hauptbahnhof rauslassen. Hier sah es definitiv nicht nach Hauptbahnhof aus. Um uns war es stockfinster. Wir waren meilenweit vom Zentrum entfernt.

»Wo sind wir hier?«, fragte ich.

»Gute Frage. Ich penn in einer WG hier in der Nähe, glaub ich. Ich bin ziemlich sicher, dass es zu Fuß so fünf Minuten bis zur S-Bahn sind. Da lang, glaube ich.«

Es waren 20. Vermutlich wären der Inder und ich noch viel wütender gewesen, wenn wir nicht gleichzeitig so erleichtert gewesen wären, unserer rollenden Gefängniszelle zu entkommen. Wir hatten über fünf Stunden gebraucht. Von Rostock nach Berlin! Zwei Stunden mehr als für die Hinfahrt. Und jetzt brauchte ich noch mal eine Stunde, bis ich tatsächlich zu Hause war.

Nach diesen drei Tagen war ich kaputt. Zum ersten Mal in meinem Leben schlief ich in der S-Bahn ein, so tief, dass ich meine Station verpasste. Als ich nach Mitternacht durch meine Wohnungstür und direkt ins Bett taumelte, war ich 18 Stunden unterwegs gewesen. Kurzerhand strich ich die beiden letzten MFG-Tage und erklärte das Experiment für beendet. Tony, Daisy und Veronica hatten mir den Rest gegeben. Ich hatte mehr Rückenschmerzen und mehr Anekdoten beieinander, als ich verkraften konnte.

Was ich daraus gelernt habe? Nun, MFG ist eine feine Sache und eine imposante Erfolgsgeschichte. Und man lernt interessante Leute kennen. Aber ich bin aus dem Alter raus. Ich bin jetzt zu spießig für so was. Egal was Claudia dazu sagt – ich führe ab jetzt eine monogame Langzeitbeziehung mit den Leuten, die bei der Deutschen Bahn arbeiten. Und ich bin glücklich damit.

Pauschalurlaub auf Mallorca

Nach all den harten Monaten der Integrationsversuche war es Zeit für einen Urlaub.

»Wenn du das Deutscheste kennenlernen willst, das es außerhalb Deutschlands gibt«, sagte mein Freund Christoph, »musst du nach Mallorca.«

»Und wieso?«

»Wegen des Ballermanns.«

»Was ist Ballermann?«

»Das ist ein Strand. Eine Art Disneyland ab 18 für dauerbesoffene Deutsche. Wenn in deinem Buch nicht vorkommt, wie du besoffen zu Schlagermusik im *Oberbayern* oder im *Megapark* tanzt und Sangria aus einem Eimer säufst, nimmt niemand in Deutschland deine Integrationsbemühungen ernst.«

Die Deutschen hegen eine lange und innige Liebesbeziehung mit Mallorca. Sie funktioniert in etwa so aufrichtig wie die zwischen einem alten Playboy und einer hübschen jungen Blondine: Trunken vor Liebe, Sangria und Schlagermusik macht er ihr unbeholfene Komplimente für ihren knackigen Teint und ist auf einen Sommerflirt aus. Sie zeigt ihm ihr sonnigstes Lächeln und freut sich über seine Kreditkarte.

Die Affäre dauert bereits Jahrzehnte – und auch wenn die Inselverwaltung sich neuerdings bemüht, die gut dokumentierten Ballermann-Exzesse der Vergangenheit hinter sich zu lassen und einige zivilisatorische Mindeststandards wieder einzuführen, ist dieser Strandabschnitt weiterhin ein ungeheuer populäres Reiseziel der Deutschen. Mehr als 3,4 Millionen von ihnen besuchen die Insel jedes Jahr, womit sie unangefochtenes Reiseziel Nummer eins der Bundesbürger ist. Dank der Plattform *holidaycheck.de* wissen wir mehr über den durchschnittlichen deutschen Touristen, als wir möglicherweise jemals wissen wollten. 40,1 Prozent fahren jedes Jahr an denselben Ort. Dort geben sie zwischen 2.000 und 3.000 Euro aus. Sie buchen im Schnitt 74 Tage im Voraus, nach bis zu 18 Stunden Internetrecherche. Die beliebteste Urlaubsform ist der All-inclusive-Aufenthalt im Dreisternehotel.

Ich entschloss mich also, exakt 74 Tage vor dem geplanten Abflug in die Recherche einzusteigen. Nachdem ich »German hotel Mallorca« in die Suchmaske eingegeben hatte, fand ich schnell die perfekte Unterkunft. Ich lief zu Annett, um ihr die frohe Botschaft zu überbringen: Am 2. Mai geht's ab nach Mallorca!

»Du hast schon gebucht? Das ging ja schnell.«

»Na ja, ich dachte, ob nun das eine Hotel mit Pool oder eins der 1.000 anderen Hotels mit Pool, ist egal. Stimmt's?«

»Stimmt nicht!«, sagte Annett und schüttelte heftig den Kopf. »Ist es wenigstens ein schickes Hotel?«

»Äh, na ja – drei Sterne eben.«

»Hat es ein Spa?«

»Nö.«

»Warum hast du's dann genommen?«

»Es ist nahe am Ballermann, und in den Kommentaren steht, dass es voll mit besoffenen Deutschen ist.«

»Und das hast du gebucht?!?«

»Wir machen keinen Erholungsurlaub!«, begehrte ich auf.

»Wir sind auf Rechercherreise, um die deutschen Urlaubssitten zu studieren.«

»Das hätte ich auch vom Spa aus machen können.«

Ich kann mir gut vorstellen, dass ein Pauschalurlaub für Menschen mit einem stressigen Leben, zum Beispiel mit einem echten Job oder kleinen Kindern, der Inbegriff der Erholung ist. Alles ist organisiert und vorbereitet, und die schwierigsten Entscheidungen, die man treffen muss, sind die zwischen Piña Colada und Mojito oder zwischen der Liege im Schatten und der am Pool. Eine oder zwei Wochen im Jahr einfach tun, was man will, anstatt tun zu müssen, was der Chef sagt, muss Entspannung pur für diese Menschen bedeuten. Aber wir leben nicht so. Wir bevorzugen normalerweise stressige Urlaube, weil wir keinen stressigen Alltag haben.

74 Tage später standen Annett und ich vor der Abflugtafel des Flughafens Berlin-Tegel und suchten vergeblich nach der Destination »Ballermann«. Schließlich entdeckten wir, etwas enttäuscht, »Palma de Mallorca«. In der Schlange vorm Check-in wurden wir Zeuge eines Familienkrachs, der sich in dem kleinen Selbstbedienungscafé direkt daneben abspielte. Teilnehmer waren ein Vater, eine Mutter und eine pubertierende Tochter – wobei der Beitrag der Tochter darin bestand, nicht ein einziges Mal von ihrem Handy hochzuschauen.

Die Mutter hatte strohiges blondes Haar mit einem roten Farbtupfer über der Stirn, der nicht sehr subtil aufgebracht worden war. Bei oberflächlichem Hinschauen sah sie aus, als habe sie eine frische Kopfverletzung.

Der Vater kreuzte genervt die Arme, als die Mutter mit einem Tablett voll Sandwiches und Getränken zurück an den Tisch kam.

»Na toll! Und wat hat dit wieda jekostet jetze?«

»Schatz, reg da nich uff! Wir hatten Hunga!«, wehrte sich die Frau, während sie sich neben ihre Tochter setzte und eins der Sandwiches auspackte.

»Wat hast du jekooft?!? Wassa?!?« Er starrte ungläubig auf das Tablett.

»Ja, Wassa, stell da vor. Wat is'n dia üba die Leba jeloofen? Mensch, wir ham Urlaub! Sei ma friedlich!«

»Wassa hätt'n wa ooch zu Hause jehabt!«

Er guckte sie an, als habe er sie mit der letzten Kuh der Familie zum Viehmarkt geschickt und sie sei mit ein paar bunten Bonbons wiedergekommen. Ich fürchtete, er würde ihr gleich eine reale Kopfverletzung zufügen, aber sie beendete die Konfrontation, indem sie sich ihrer Tochter zuwandte, von der sie sich offenbar Solidarität erhoffte – aber nicht bekam. So saßen sie alle drei schweigend und mampfend da.

Irgendwie konnte ich ihn aber auch verstehen. Eine kleine Flasche Wasser kostete hier 2,60 Euro. Aber andererseits: Urlaub. Scheiß drauf, Junge!

Annett seufzte. »Irgendwie bin ich froh, dass du das miterlebt hast. Eine typische Szene aus dem deutschen Familienurlaub. Die Väter sind gestresst, weil es keine Parkplätze geben würde, und die Mütter jammern, wie teuer alles ist. Erinnert mich auch an die Ferienzeit in der DDR: Die Kinder auf dem Rücksitz der Trabis kotzten alle Viertelstunde, und jeder war insgeheim froh, wenn alle wieder zu Hause waren, weil es jetzt ein Jahr dauerte, bis man wieder losmusste.«

Als wir etwa eine Stunde später unsere Plätze im Flieger einnahmen, bekamen wir schnell Gesellschaft, die uns optimal auf den anstehenden Forschungsaufenthalt vorbereitete: Eine lärmende Gruppe von sechs Deutschen – drei Frauen und drei Männern, alle um die vierzig – nahm die Reihe genau hinter uns ein. Dass sie durch den Mittelgang voneinander getrennt waren, beeinflusste ihre lebhafte Kommunikation während des gesamten Fluges nur insofern, als sie nur noch etwas lauter brüllen mussten als ohnehin schon. Hinter mir, auf dem Fenstersitz, saß Uli. Er trug eine Jeansweste und eine Gürteltasche und meinte das offenbar nicht ironisch, sondern ernst.

»Na, Hasi! Wie geht's dir da drüben?«, rief Uli rüber zum anderen Fenstersitz.

»Hier ist alles gut. Und selber?«

»Auch gut. Schöne Grüße von der anderen Fensterseite!«

»Was siehst du?«, rief die Frau giggelnd.

»Ich sehe einen Flughafen. Und du?« Uli platzte fast vor Lachen über seine originelle Antwort.

»Lustigerweise auch einen Flughafen!«

Meine Versuche, ihre Unterhaltung »unauffällig« zu belauschen, waren eigentlich unübersehbar: Ich hing absurd verdreht in meinem Sitz, damit mein rechtes Ohr ihnen zugewandt war und ich ihre Dialoge gleichzeitig in das Notizbuch auf meinem Schoß kritzeln konnte. Vielleicht dachten sie, ich probierte ein neuartiges »Flugzeug-Yoga« aus – hier die Übung *Der gekrümmte Hund, der sich nach seinem Herrchen umschaut.* Jedenfalls bekamen sie den ganzen zweistündigen Flug lang nicht mit, dass sie mich prächtig unterhielten und als sprudelnde Quelle für mein nächstes Buch *Deutsche im Flieger* dienten.

»Scheiß drauf …«, begannen die sechs plötzlich im Chor zu singen, »Malle ist nur einmal im Jahr!« Ich hatte den Song noch nie gehört. Annett auch nicht. Am Ende des Urlaubs hatte sich das geändert, und wir werden ihn sicher nie wieder vergessen können. Es handelt sich um eine Art offizielle Hymne der deutschen Mallorca-Urlauber – zumindest in der Gegend um El Arenal, wo auch unser Hotel lag.

Die erste Runde Bier wurde zügig weggezischt, man wünschte einander »Schönen Urlaub!«, stieß »Auf Malle!« an und vergaß auch nicht das unvermeidliche »Prost«. Damit wirklich jeder mit jedem anstieß, waren gymnastische Höchstleistungen über den Mittelgang hinweg erforderlich. Opfer dieses Rituals waren Uli und Hasi (ausgerenkte Arme) sowie unbeteiligte Passagiere auf dem Weg zur Toilette (Sturz über Hände mit Bierflaschen). Aber ich bewunderte das hingebungsvolle Zuprosten, das auch unter schwierigsten Umständen durchgezogen wurde. Wahrscheinlich hatten die sechs schon genug Pech im Leben gehabt und wollten nicht auch noch sieben Jahre schlechten Sex riskieren (was nach Ansicht führender Prostologen die unvermeidliche Strafe für nachlässiges Zuprostverhalten ist).

Dann wechselten sie zu einem neuen Song, von dem ich lediglich die Wörter »Michelle« und »vergessen« aufschnappte. Ich hoffte für sie, dass es kein autobiographisches Klagelied war und sie ihre Freundin tatsächlich am Flughafen vergessen hatten.

Annett lehnte sich zu mir und flüsterte, damit die fröhliche Reisegruppe sie nicht hörte (unnötig, die hatten noch nicht mal mitbekommen, dass wir überhaupt da waren): »Selbst wenn ich mir den typischen deutschen Pauschaltourist hätte backen können – was Besseres als diese Truppe hätte ich nicht hingekriegt. Sie bestätigen einfach jedes Klischee über Deutsche auf Mallorca.«

Wir landeten. Im Bus zum Hotel nutzte ich die Zeit, um den Satz »Können wir bitte ein Zimmer mit Meeresblick haben?« zu üben. Nicht weil er grammatisch besonders kompliziert gewesen wäre – aber ich wollte möglichst selbstbewusst klingen, wenn ich ihn anwendete. Verbindlich, aber entschlossen. So, als ob ich solche Anliegen regelmäßig vortrug. Was ich nicht im Entferntesten tue. Annett hörte sich verschiedene Versionen an und bestätigte dann eine als brauchbar.

Warum ich diesen Satz brauchte? Nun, als Engländer bin ich dazu erzogen worden, allenfalls dann einen Wunsch oder ein Bedürfnis zu äußern, wenn mein Leben davon abhängt – und auch dann sollte ich es nicht als Anliegen vortragen, sondern als rein hypothetisch gemeintes In-den-Raum-Stellen einer theoretischen Möglichkeit. Denn mein Wunsch könnte jemand anderen möglicherweise in Verlegenheit bringen oder ihm gar lästig sein. Deshalb: Lieber gar nichts sagen und das Beste aus dem machen, was kommt. Normalerweise hätte ich also beim Einchecken genommen, was man mir zuteilt – und mir das Zimmer dann schöngeredet, egal wie beschissen es auch wäre. Das ist eine merkwürdige, aber sehr nützliche Superkraft von uns Engländern: die Fähigkeit, sich einzureden, dass genau der Mist, der dir da gerade wieder passiert ist, dich voranbringen wird. Ich bin wirklich gut darin – das läuft bei mir ganz automatisch ab. »Oh Gott, in unserem Hotelzimmer sind Kakerlaken!« [*Superkraft wird aktiviert.*] »Wie aufregend, oder, Schatz?! Die werden uns sicher prächtig unterhalten. Was auch deshalb gut ist, weil der Fernseher kaputt ist.«

Unvorstellbar, dass die Bewohner meiner deutschen Wahlheimat sich so schicksalsergeben verhalten würden – schon gar nicht im Urlaub! Meine Erfahrung mit ihnen sagt mir, dass sie beim Einchecken frank und frei ihre Wünsche äußern. Diese werden ihnen zwar nicht immer erfüllt, und sie werden das Hotelpersonal deshalb den ganzen Urlaub lang böse anstarren, aber: Sie haben ihren Wunsch immerhin geäußert.

Wir kamen im Hotel an. Der Mann am Empfang hieß laut seinem Namensschildchen Ivan, und ich hatte keinen Grund, daran zu zweifeln. Er begrüßte uns auf Deutsch und reichte uns als Erstes ein Glas Sekt, was mir ein wenig den Wind aus den Segeln nahm. Dann bat er um unsere Pässe und vertiefte sich in sein Gästeverwaltungsprogramm. Als ich das Gefühl hatte, ihm müssten jetzt alle Informationen vorliegen, um in uns brave, steuerzahlende Bürger zu erkennen, die regelmäßig ihre Mutter anrufen, kramte ich meinen Satz hervor: »Können wir bitte ein Zimmer mit Meeresblick haben?«

Er nahm diese überraschende Attacke erstaunlich gelassen. Er schaute kurz von seinem PC hoch, sagte »Sí, señor« und vertiefte sich wieder in sein Spielzeug.

Ich war ein bisschen sprachlos. *So leicht bekam man, was man wollte?* Warum hatte mir das nie jemand gesagt? Ich hatte dreißig Jahre meines Lebens investiert, um mich mit dem abzufinden, was man mir zuteilte.

»Der war ja nett. Und so entgegenkommend«, sagte ich zu Annett, während wir in einer sausenden Metallkiste an Schnüren (ich habe keine Ahnung, wie Fahrstühle funktionieren) unserem Zimmer mit Meeresblick entgegenschwebten.

»Das mit dem Sekt war ein netter Zug«, räumte sie ein.

Ich hatte meine englischen Gene besiegt! Ich hatte riskiert, jemanden zu verstimmen, und möglicherweise erzwungen, dass er uns ein anderes Zimmer gab als geplant! Ich war Superman!

Ich schloss auf und bat Annett mit feierlicher Geste hinein: »Gnä' Frau: Ihr Seeblick!« Hätte ich nicht Rücken gehabt und wäre es ein Film gewesen: Ich hätte sie glatt über die Schwelle getragen, so stolz war ich auf meinen Sieg. Nach einem schnellen Blick in den Raum – er wurde doppelt genutzt: als Hotelzimmer und als Museum für Teakholzmöbel aus den 70ern – inspizierten wir den Balkon.

»Ich will ja deine Euphorie nicht killen«, sagte Annett, während sie über die Brüstung blickte, »aber mir scheint, dass alle Zimmer Meeresblick haben.«

Ich checkte alle Zimmer zu unserer Linken. Ich sah übers Geländer nach unten. Ich prüfte die Zimmer zur Rechten. Dann beugte ich mich weit vor, um die Etage direkt unter uns zu überprüfen. Ich ging sehr methodisch vor, um sicherzustellen, dass ich im Recht war, wenn ich zornig wurde. War ich.

Das Hotel war in der Mitte schmal und dehnte sich dann in zwei schräg verlaufenden Flügeln fächerförmig nach links und rechts aus. Jedes Zimmer hatte Meeresblick! Jedes!

»Dieser Wichser!«, sagte ich.

»Na ja, er hat einfach nur gesagt: ›Sí, señor‹.«

»Willst du ihn noch in Schutz nehmen? Ich würd am liebsten runtergehen und ihm so richtig die Meinung sagen. Nicht so mit Worten oder so, sondern mit Blicken, wenn ich an der Rezeption vorbeigehe.«

»Das wird ihm eine Lehre sein«, sagte Annett.

Wir gingen runter zum Pool und kamen an Ivan vorbei, dem Empfangsmann und Euphoriekiller.

»Alles in Ordnung mit Ihrem Zimmer, señor?«, fragte er.

Ich hätte gerne gesagt: »Ich wusste nicht, dass man eine solche Ansammlung von Teakmöbeln erleben kann, ohne mit einer Zeitmaschine zu reisen«, aber meine englischen Gene lähmten mich, so dass ich einfach nur antwortete: »Ja, alles wunderbar. Danke.«

Aber meine Augen sagten etwas ganz anderes! Gemeine und unwiederholbare Dinge. Dinge wie »Nicht wirklich!«, »Grrr!« und »Ich bin ein wenig irritiert«.

Aber was soll's, der Poolbereich wartete. Wir hatten All-inclusive-Armbänder und zwei Lebern, die zum Abbau exzessiver Alkoholmengen bereitstanden. Die Stimmung am Pool war anders als erwartet – so wie auch das Durchschnittsalter der anwesenden Urlauber. Immerhin, mindestens 85 Prozent waren Deutsche – mit dieser Prognose hatte das Internet richtig gelegen. Aber dass sie so alt waren!? Wenn man uns zwei jungen Hüpfer mitrechnete, lag der Durchschnitt bei etwa 50. Und niemand sang »Malle ist nur einmal im Jahr«. Aber vielleicht war es auch einfach noch zu früh.

Die Bar war in einer kleinen Hütte neben dem Pool untergebracht – und schenkte aus, als stünde der Weltuntergang unmittelbar bevor. Oder zumindest die Rückkehr der Prohibition. Wir hatten erwartet, dass Bier und Wein inklusive sein würden – aber Cocktails? Diese Leute wollten es offenbar wissen! Ich haute mir zügig ein Bier und den ersten Cocktail rein – vollkommen fasziniert von der Tatsache, dass ich sie nicht bezahlen musste. *Weil ich sie schon bezahlt hatte!* All-inclusive ist die reinste Magie. Du bestellst dir einfach, so viel du willst, sie geben es dir – und dann kommt der Moment, in dem man normalerweise die Geldbörse zückt. Und du gehst einfach weg, mit den Drinks in der Hand – weil sie gratis sind. *Weil du schon bezahlt hast.* Da das Monate her ist und der Gedanke jetzt nur stört, verdrängst du ihn und sagst dir: *Alles gratis! Magie!*

Ich ließ mir von Annett meine Vermutung bestätigen, dass der typische deutsche Tourist seinen Tag so plante, dass er so viel essen und trinken konnte wie nur irgend möglich, um mit dem All-inclusive einen möglichst guten Schnitt zu machen. Man nannte das offenbar »gewinnbringend« urlauben. Ich bin kein Buchhalter, und dies war mein erster Pauschalurlaub, weshalb ich den logischen Haken dieser Rechnung nicht weiter problematisieren wollte. Auf jeden Fall würde ich den ganzen Urlaub lang nur Cocktails trinken und mich beim Mittag- und Abendessen auf die Fleischplatten konzentrieren.

Die Cocktailgläser waren ziemlich klein, so dass ich mir – unter dem genuschelten Vorwand »Für meine Freundin« – gleich zwei geholt und auch ausgetrunken hatte. Nach einer Stunde im Liegestuhl war ich angenehm beduselt, und bevor ich einschlief, beschlossen wir, uns ein bisschen was von El Arenal anzuschauen.

Unser Hotel war recht nahe am Ballermann. Die ganze Gegend wirkte wie ein Mini-Deutschland mitten auf Mallorca. Über die hier angesprochene Zielgruppe konnte schon wegen des Schilderwalds keinerlei Zweifel bestehen:

Deutscher Arzt – Heute Schlagerparty! – Wurstkönig – Erotik Show – Deutscher Zahnarzt – Currywurst combo.

Sogar die Straßenhändler, die gefälschte Ray-Ban-Sonnenbrillen, Sonnenhüte und Gag-Feuerzeuge aus Rucksäcken und IKEA-Einkaufstaschen kramten, sprachen einen auf Deutsch an: »Alles klar?«, »Hey Leute!« oder »Guckt mal!«. Nicht immer hatte man ihnen allerdings die besten Verkaufssprüche beigebracht. Einer wies mich mit eifrig fuchtelnden Händen auf seine Ray-Bans hin und meinte dazu: »Look look, Adolf Hitler, alles klar?« Ich war nicht

140

ganz sicher, ob diese originelle Eröffnung des Verkaufsgesprächs seine Umsätze mit chinesischem Billigschrott wirklich steigerte.

Durch die Straßen von El Arenal zu flanieren ist eher anstrengend. Nicht nur wegen der grellen Schilder und Leuchtreklamen, Straßenhändler, Hütchenspieler, Taschendiebe und Zopfflechter, sondern wegen der Promoter, die einen in die Etablissements locken wollten. Wie die beiden, die sich uns vor dem *Oberbayern* in den Weg stellten, einem der am aggressivsten beworbenen und berüchtigten Läden am Ballermann.

»Das ist Uwe«, sagte der Erste. »Er ist seit 15 Jahren hier. Jeder kennt Uwe!«

»Hi, Uwe«, sagten wir im Chor.

»Hallo ihr. Wir haben heute eine tolle Party mit *Oli P.*«

»Wer ist Oli P?«, fragte ich.

»Oli P, Mann. Jeder kennt *Oli P*!«

»Ich dachte, jeder kennt Uwe?«, sagte ich.

»Ja«, sagte der Typ, »beides. Oli P ist sehr bekannt. Deutscher Fernsehstar. Eintritt nur fünf Euro mit diesen superspeziellen Party-Tickets.« Und er wedelte mit den Tickets vor unseren Gesichtern herum wie die Moderatoren dieser Late-Night-Spielshows mit den Tausendern. Ich rechnete jeden Moment damit, am Glücksrad drehen zu müssen oder nach der Hauptstadt von Togo gefragt zu werden. (Lomé, falls es jemanden interessiert. Hab ich jetzt was gewonnen?)

»Aber ihr müsst euch jetzt entscheiden. Später gibt es die nicht mehr.«

»Später gibt's die nicht mehr?«, fragte Annett in einem Ton, der ihre Vermutung durchblicken ließ, dass eher das Gegenteil der Fall war.

»Genau. Später kostet der Eintritt 100 Euro«, sagte er, zog zwei Tickets aus seinem Stapel und drückte sie mir in die Hand. »So ... nehmt ihr zwei?«

»Nein, Uwe«, sagte ich. »Aber schönen Gruß an Oli P.«

Wie in *Und täglich grüßt das Murmeltier* wiederholte sich exakt dieselbe Situation noch ungefähr zwölfmal im Laufe unseres Ballermann-Spaziergangs: Leute lungern vor Läden herum; Leute erklären dir, warum du in den Laden reingehen solltest; Leute erklären dir, dass du *sofort* in den Laden reingehen musst, weil es das Supersonderspezialangebot »später nicht mehr gibt«.

Es ist wie eine Mischung aus Groupon und QVC, nur live – und die einzigen angebotenen Produkte sind Alkohol und abgetakelte Schlagerstars, deren Karrieren bereits seit den späten 80ern beendet wären, wenn es nicht diesen kilometerlangen, aus der Zeit gefallenen deutschen Partystrand gäbe, dieses Mekka der Proll-Kultur.

Nach der Abwehr diverser weiterer einmaliger Spezialangebote fanden wir uns schließlich vor dem *Megapark* wieder. Da landete man schon deshalb zwangsläufig irgendwann, weil das Ding so gigantisch ist. Christoph hatte uns gewarnt, aber trotzdem blieb Annett, als wir durchs Fenster linsten, der Mund offen stehen (was selten geschieht). Sie sah aus wie jemand, der erwartet hatte, durch den verzauberten Kleiderschrank nach *Narnia* zu kommen, und sich plötzlich in der Hölle eines XXXL-Disneylands für besoffene Deutsche wiederfand. Der *Megapark* ist im Prinzip RTL 2 in einem stadiongroßen nachgebauten Hofbräuhaus – ein Zuhause für deprimierende, alkoholgeschwängerte Dummheit.

Wir setzten uns vor einen der großen runden Tische, auf denen bezahlte Tänzerinnen standen – bekleidet nur mit BH, Slip und Strumpfbändern, in die die Partydeppen vor ihnen bereits diverse Geldscheine gestopft hatten. Die mutigsten Gäste begnügten sich allerdings nicht damit, von unten zuzuschauen, sondern erklommen den Tisch und tanzten mit. Vielleicht muss ich erklären, dass weder Annett noch ich jemals auf dem Oktoberfest waren, und wir sind auch keine großen Partytiere und Clubgänger. Deshalb war der Kulturschock für uns sicherlich besonders groß. Ich tanze genau einmal im Jahr und plane das in der Regel akribisch voraus. Es hat für mich eher den Charakter eines ärztlichen Durchcheckens, das ich hinter mich bringen muss, als den eines Vergnügens. Ich will mir einmal im Jahr beweisen, dass ich noch jung und fit bin – damit ich die anderen 364 Tage früh ins Bett gehen und kuscheln kann.[11]

Allerdings nicht im *Megapark* – obwohl sie alles versuchten, um uns zu animieren. Bekanntlich gibt es in den Kasinos von Las Vegas weder Fenster noch Uhren – sie würden die Gäste nur an die Wirklichkeit erinnern. Sich der Zeit bewusst zu sein, bedeutet, im realen Leben unterwegs zu sein – man wird daran erinnert, dass man essen, schlafen oder auch mal arbeiten sollte. Das zieht einen aus dem Glücksspielkoma raus, in dem man die Zeit vergisst und nicht an so nervige Sachen wie die Ratenzahlungen fürs Häuschen denkt, an die kaputte Waschmaschine oder daran, dass man mit dem Hund rausmuss.

---

11 Nachdem ich die letzten Sätze noch mal gelesen habe, fiel mir auf, dass niemand, der tatsächlich jung und fit ist, jemals solche Sätze niederschreiben würde. Ich werde ab sofort zweimal im Jahr tanzen gehen.

Der *Megapark* arbeitet nach einem ganz ähnlichen Prinzip, aber auf Schlager-Basis. Die Musik hört nie auf. Keine Pausen, keine Tempowechsel, nicht mal ein Ausblenden zwischen den Songs. Nur dieser gnadenlose, hämmernde Dauer-Beat. So als ahnten sie, dass die Partystimmung ständig am seidenen Faden hängt. Dass eine Unterbrechung der Dauerbeschallung für auch nur eine Sekunde bewirken könnte, dass der Faden reißt und der Bann gebrochen wird. Und die Leute dann ihren extralangen Spezialstrohhalm aus dem riesigen Sangria-Eimer nehmen und erkennen könnten, wo sie hier hingeraten sind.

Annett und ich ertrugen es eine Stunde lang und gingen dann reichlich verstört zurück ins Hotel.

Am nächsten Tag erforschten wir die nahe gelegene Inselhauptstadt Palma. Palma hat eine atemberaubende Kathedrale, die wir nicht besichtigten. Wir sahen sie uns aber kurz von außen an, während wir ein Eis schleckten. Sie sah fantastisch aus. Wir versuchten unser schlechtes Gewissen wegen unseres Banausentums zu beruhigen, indem wir uns gegenseitig viele Male versicherten, wie grandios die Kathedrale sei. Habe ich schon erwähnt, dass die Kathedrale großartig war?

Am Abend des dritten Tages stellten wir fest, dass wir bisher zwar regelmäßig maßvoll getrunken hatten, aber noch keinen Absturz hingelegt hatten, sprich: Wir waren bisher nie nach elf schlafen gegangen. Das musste sich ändern, und zwar sofort! Christoph hatte mir für solche Gelegenheiten das *Oberbayern* empfohlen. Aber wenn wir richtig Party machen wollten, mussten wir ein paar junge Leute finden, die uns dafür an die Hand nahmen.

Ich hatte Glück und entdeckte auf der Hotelterrasse zwei neu angereiste junge Typen, die gerade rauchten. Ich setzte mich »zufällig« an den Tisch daneben und schaltete mich irgendwann in ihr Gespräch ein. So lernten wir Ingmar (17) und seinen Bruder Henrik (19) aus Hannover kennen, die zum ersten Mal ohne ihre Eltern im Urlaub waren. Obwohl wir ungefähr doppelt so alt waren wie sie, verstanden wir uns auf Anhieb. Sie waren wirklich nette Jungs und sehr erwachsen. Ich konnte kaum glauben, wie toll sie miteinander umgingen. Natürlich neckten sie sich ununterbrochen, aber man spürte jeden Moment, dass dem eine unbedingte und warme brüderliche Liebe zugrunde lag. Meine Beziehung zu meinem jüngeren Bruder hatte ihren Höhepunkt erreicht, als wir ungefähr acht und fünf waren und im Baum in unserem Garten rumgeklettert waren. Ab da ging es stetig bergab (nicht mit dem Baum – der steht vermutlich weiterhin unerschütterlich und senkrecht an derselben Stelle wie damals).

Nach ein paar Runden kostenloser Drinks (ihr erinnert euch? Wir hatten sie schon bezahlt! *Magie!*) war es Mitternacht, und wir zogen los, ins berühmte *Oberbayern*. Leider hatten heute weder Uwe am Eingang noch Oli P. auf der Bühne Dienst. Das tolle *Oberbayern* entpuppte sich als x-beliebige Disko, nur im Bayern-Stil. Wenig überraschend war, dass das Personal Lederhose beziehungsweise Dirndl trug. In buchstäblich jedem Raum liefen Schlager – zur Freude des Publikums, das überwiegend etwa dreimal so alt wie Ingmar war. Viele große Gruppen markierten ihre Zusammengehörigkeit durch einheitliche T-Shirts. Eigentlich war es wie im *Megapark*, nur ohne die Tabledancerinnen und ohne verwirrte Touristen, die wie Motten durch das (Rot-)Licht der Sünde angezogen wurden. Wir tanzten (mein

145

zweites Mal in dem Jahr, ich bin also erst 2015 wieder dran) – und wir sangen. Ich kenne nicht viele Schlagertexte, aber zum Glück sind es Schlager. Der Text eines Lieds lautete allen Ernstes »Ich will Pommes mit Ketchup, ich will Pommes mit Mayo«, so dass nach einem kurzen, in einer stillen Ecke absolvierten Studium der Melodie und einem kleinen Vokabeltest sogar ich in der Lage war, mitzusingen: *Ich will Pommes mit Ketchup, ich will Pommes mit Mayo! Scheiß drauf! Malle ist nur einmal im Jahr.*

Der nächste Tag – in den wir zwar leicht verkatert, aber mental und körperlich intakt starteten – war unser letzter kompletter auf Mallorca, und wir gingen tatsächlich das erste Mal an den Strand. Ich hatte es eigentlich bereits aufgegeben, Annett dazu zu überreden. Vielleicht habt ihr euch schon gewundert, dass mein Bericht von unserem Strandurlaub so wenig Strand enthält. Das liegt an Annett. Sie mag keine Strände. Ich schwöre, dass das folgende Zitat wahr ist – ich habe es Wort für Wort aufgeschrieben, zumal ich es oft gehört habe: »Ich hasse Sand. Der ist so unpraktisch.«

Deshalb also gehen wir kaum je an den Strand. Ich weiß nicht, ob die Empfindung, Sand sei »unpraktisch«, auch für andere Deutsche gilt. Um ihrer strandliebenden Partner willen hoffe ich es nicht. Ihr kennt vielleicht diese Hitlisten der absurdesten Urlaubsbeschwerden: »Das Meer war zu kalt« oder »Die Sonne war zu heiß. Gar nicht so wie die Sonne bei uns zu Hause«. Es gibt diese Leute tatsächlich. Ich weiß das, weil ich mit einer davon zusammen bin.

Nicht dass Annett eine prinzipielle Sandgegnerin wäre. Aber sie lässt sich nur dann mit Sand ein, wenn er verspricht, sich zu benehmen und an Ort und Stelle zu bleiben, anstatt uns wie ein Hündchen ins Hotelzimmer und in unser Bett zu folgen. Unter diesen Umständen ist sie sogar zu frivolen Spielchen mit ihm bereit – wie etwa dem Bau einer Sandburg. Wenn sie allerdings das Sandburgförmchen hochnimmt und feststellen muss, dass das Werk nicht perfekt ist, sondern an einer Ecke bröckelt, wird sie sehr zornig und versucht, dem Sand und der Burg durch kräftige Schläge mit ihrem Plastikschäufelchen Benehmen beizubringen. Das war's dann endgültig mit dem Strand für diesen Urlaub.

Kurioserweise schlief ich in der Nacht nach dem Strandtag schlecht. Ich hatte Sand im Bett. War an Annetts These etwa doch was dran? Ich erzählte ihr lieber nichts davon – sonst hätte ich mich wohl lebenslang vom Strandleben verabschieden müssen.

Am nächsten Tag, auf dem Weg zum Flughafen, zogen wir Bilanz.

»Ich verstehe, warum Mallorca ein so beliebtes Urlaubsziel für die Deutschen ist«, begann ich. »Es gibt natürlich ein paar grauenhafte Orte hier, wie der Ballermann bei Nacht, aber die kann man leicht meiden. Der Rest der Insel – beziehungsweise das Wenige, was wir überhaupt gesehen haben – ist doch wunderschön.«

»Wir haben in fünf Tagen gerade mal 132 Euro ausgegeben. Und unser Einsatz an der Bar hat sich ausgezahlt. So viel, wie wir gesoffen haben, bin ich sicher, dass wir Plus gemacht haben.«

»Und wie kommen wir an dieses Plus ran?«, fragte ich. »Überweisen sie uns das aufs Konto? Oder schicken einen Scheck?«

»Hinterfragst du schon wieder die Logik der deutschen All-inclusive-Rechnung?«

»Würde ich mich nie trauen!«, beteuerte ich.

»O. k. Und außerdem: Außerhalb deines rückständigen Herkunftslands verwendet niemand mehr Schecks. Wir haben schließlich das »Lastschriftverfahren[12].«

»Würdest du noch mal nach Mallorca fahren?«

»Na ja, wir sind 15 Jahre zu alt für Partyurlaub und 40 Jahre zu jung für Rentnerurlaub. Ich glaube, es hätte nur Sinn, wenn wir Kinder hätten; als Familienurlaub«, sagte sie.

»Aber du willst keine Kinder, oder?«

»Auf gar keinen Fall!«

»Verstehe ich«, sagte ich, »schließlich sind Kinder noch unpraktischer als Sand.«

---

12 Das Lastschriftverfahren ist eine extrem bescheuerte Zahlungsmethode, die darin besteht, jemandem deine Bankverbindung zu geben und ihn aufzufordern, sich munter zu bedienen. Ich habe das auf die harte Tour kennengelernt, als jemand seine Bankverbindung falsch angab und daraufhin seine Handyrechnungen von meinem Konto abgebucht wurden. Es kostete mich viele, viele Minuten in einer Ein-Euro-pro-Minute-Hotline, um klarzustellen, dass ich nicht der war, der da wie blöd gesurft war und mit Australien telefoniert hatte.

Die sechs goldenen Regeln
für deutsche Urlauber

I. Folge deinem Animateur

Der Urlaub im Ausland ist nicht geeignet für Unternehmungen auf eigene Faust. Weil im Ausland alles anders ist als zu Hause. Fremd eben. Irgendwie ausländisch. Man kann nicht einfach in einen Bus steigen und sich irgendwohin fahren lassen. Denn woher willst du wissen, wann du bei diesem Irgendwohin angekommen bist? Sieht alles so komisch aus hier. Und wie willst du jemals wieder in die Sicherheit deines deutschsprachigen Hotels zurückkommen? Du könntest irgendwo im Wald bei einem Lebkuchenhaus landen, und eine Hexe will dich in ihren Ofen stecken. Alles schon vorgekommen – stand neulich erst bei *Spiegel Online*. Deshalb: Lieber auf Nummer sicher gehen! Folge deinem Animateur. Nicht umsonst formieren sich alle deutschen Pauschaltouristen in allen Hotels der Welt jeden Abend nach dem Essen und jeden Morgen nach dem Frühstück zu großen, aufgeregten Gruppen, um zu erfahren, wohin der nächste Gruppenausflug führt.

»O. k. – und um wie viel Uhr findet die Toilettenexkursion statt?«, fragt der Mutigste aus der Reisegruppe aus Ennepetal, weil die Frauen mit den schrecklichen Frisuren ihn vorgeschickt haben.

»Äh – *welche* Exkursion?«, fragt der Animateur verwirrt.

»Die geführte Tour zur Toilette!«

»So was gibt's nicht, tut mir leid.«

»Meine Frau soll also alleine zur Toilette finden?! Wir werden uns beschweren! Freuen Sie sich schon auf den Eintrag auf *holidaycheck.de*!«

2. Tu so, als seist du gar kein Deutscher

Nach Jahren des Reisens mit Annett weiß ich, wie sehr Deutsche es hassen, im Ausland auf Landsleute zu treffen. Wenn sie aufbrechen, wollen sie das Gefühl haben, die ersten und einzigen Wagemutigen zu sein, die die Grenze überschreiten und sich ins gefährliche Unbekannte aufmachen. Diese Illusion wird zerstört, wenn man sich auf dem Weg zum Nationalpark mit den Nachbarn im Minibus unterhält und erfährt, dass es sich um Stefan und Sara aus Wolfsburg handelt. Und die tragen auch noch die gleichen Jack-Wolfskin-Jacken und -Rucksäcke wie wir! Annetts strikteste Urlaubsregel lautet mithin, dass wir niemals Deutsch miteinander sprechen, wenn andere Deutsche in der Nähe sind. Sie will so lange wie möglich den Eindruck erwecken, einer kleinen, exotischen Nation anzugehören. Als wenn ihre Herkunft nicht von Anfang an sonnenklar wäre – wegen ihrer Klamotten, ihres Aussehens, ihrer Spezialausrüstung und ganz allgemein ihrer wohlorganisierten Rechtschaffenheit. Einmal waren wir in Argentinien auf Gletschertour und lernten ein nettes Pärchen aus Frankfurt kennen – sie Assistenzärztin, er Börsenmakler. Annett unterhielt sich lange und intensiv mit ihnen – auf Englisch. Dabei war für jeden der drei von der ersten Minute an klar, dass sie alle drei Deutsche waren. Irgendwann reichte es mir, und ich beendete die Schmierenkomödie mit dem Satz: »Ihr könnt auch einfach Deutsch miteinander sprechen!« Das hatte allerdings nicht den gewünschten Effekt. Anstatt sich entspannt in ihrer Muttersprache weiterzuunterhalten, endete das Gespräch recht abrupt, und jeder ging seiner Wege, um jemand anderen zum Englischsprechen zu finden.

Ich glaube, urlaubende Deutsche würden auf die Frage nach ihrer Herkunft am liebsten »Mitteleuropa« antworten. Auf die Bitte um eine genauere Angabe dann: »Irgendwo zwischen

Polen, Tschechien, Österreich, der Schweiz, Frankreich, Luxemburg, Belgien, den Niederlanden und Dänemark, *you know?*«

3. Sag ja zur Gürteltasche!

Der Mallorcatrip hat mich gelehrt, wie viele deutsche Männer unverdrossen mit einer Gürteltasche herumlaufen – zumindest im Urlaub. Für jemanden, auf den die Beschreibung »Deutscher im Urlaub« nicht zutrifft, gibt es nur zwei sozial akzeptable Gründe, eine Gürteltasche zu tragen: Du bist zu einer 90er-Jahre-Bad-Taste-Party eingeladen oder du lebst in der Platte in Marzahn. Auch die Kombination ist denkbar: Du veranstaltest eine 90er-Party in Marzahn. Sonst fällt mir keine denkbare Rechtfertigung ein.

Aber das ist falsch!

Denn die Gürteltasche ist schließlich ein geniales, großartiges Wunderwerk. Und so praktisch! Jeder weiß das doch. Dass wir meinen, Gürteltaschen nicht mehr tragen zu können, ohne uns lächerlich zu machen, liegt an einer vollkommen willkürlichen modischen Umdeutung. Man sollte das mal untersuchen: Wie konnte es geschehen, dass Gürteltaschenträger plötzlich belustigte Blicke auf sich zogen? Es sollte einen »Tag der Gürteltasche« geben, der wieder positive Aufmerksamkeit auf dieses nützliche Accessoire lenkt. Ihr Deutschen habt so recht damit, das Diktat der Mode zu ignorieren! Bleibt stark und haltet durch – auch wenn ihr ganz allein steht!

4. Trink Bier zum Frühstück

Das Lieblingsspiel urlaubender Deutscher kann man sehr schön während des Hotelfrühstücks beobachten – es heißt »Bier zum Frühstück«. Wie der Name des Spiels möglicherweise schon erahnen lässt, geht es um Menschen (fast ausschließlich Männer), die sich beim Frühstück ein Bier bestellen, um zu zeigen, wie wenig ihnen die Feierei der vergangenen Nacht ausgemacht hat, und um das Urlaubsgefühl maximal auszuleben. Die Regeln des Spiels sind einfach, und es gibt keinen Sieger; auch wenn die beteiligten Männer sich gerne als solche fühlen. Eröffnet wird das Spiel meist durch jüngere Männer; die älteren schließen sich dann an. Normalerweise trinken die Teilnehmer zunächst das, was sie zum Frühstück tatsächlich bevorzugen – Kaffee, Tee, O-Saft, Grapefruitsaft, Multivitaminsaft. Aber dann kündigt irgendein Idiot an einem der Tische lautstark an, er werde sich jetzt erst mal ein Bierchen genehmigen. Alle anderen lachen kurz auf und winken mit überlegenem Gesichtsausdruck ab. Aber sie stecken jetzt alle in der Klemme – die Herausforderung steht unausgesprochen im Raum. Keiner hat Lust auf ein Bier, aber wenn der Typ da drüben das jetzt durchzieht … Bevor sie als Weichei dastehen, bestellen sie sich lieber auch eins. So stehen bald auf allen Tischen frischgezapfte Bierchen, die mit Todesverachtung und zusammengebissenen Zähnen mit dem Müsli runtergewürgt werden.

5. Fotografiere wie ein Weltmeister

Für Deutsche drückt das Wort »halbherzig« maximale Verachtung aus. Ein Deutscher tut Dinge »entweder ganz oder gar nicht«. Das gilt auch für das Fotografieren im Urlaub. Den meisten Menschen genügt ein Schnappschuss mit der Handykamera oder einer kleinen Digitalkamera, oder sie schleppen ihr Tablet herum, um Fotos zu machen. Aber all das ist natürlich nicht profimäßig. Sondern wie die Bilder, die dabei rauskommen: wischiwaschi. Um als professioneller deutscher Urlauber respektiert zu werden, braucht man eine *Nikon*. Und zwar eine fette. Sie sollte aussehen wie eine Kreuzung aus Leuchtturm und Weltraumteleskop. Deine Aufgabe – und es ist eine ernsthafte Aufgabe! – ist es, diese Ausrüstung zu nutzen, um möglichst jede Ferienminute zu dokumentieren. Als Paparazzo deiner selbst musst du alles, was passiert, für die Nachwelt festhalten. Das dauert natürlich – zumal die 4.000 professionellen Bilder, die du am Busbahnhof gemacht hast, ja auch noch sortiert und verwaltet werden müssen. Dafür sind die Abende da. Profis setzen sich in die Hotelbar, damit jeder mitkriegt, wie akribisch sie arbeiten. Ab und zu drehen sie die Kamera zu ihrer Partnerin, um ihr eine besonders gelungene Aufnahme der leicht beschädigten Leitplanke gegenüber der Bushaltestelle zu zeigen, was diese mit gespieltem Interesse zur Kenntnis nimmt. Nach ein paar Stunden ist der Fotoverwaltungsprozess abgeschlossen, und die 3.932 Fotos, die es in die engere Auswahl geschafft haben, liegen in einem eigenen Ordner (»Bushaltestelle 19–08–2014«). Wieder ein Element von »Malle 2014: Manni's Urlaubsfotoabend« fertig. Die Familie bereitet bereits die Ausreden vor, um nicht daran teilnehmen zu müssen.

6. Beschwer dich!

Deutsche wollen immer Spitzenreiter sein – im Guten wie im Schlechten. So sind die Deutschen auch überzeugt davon, dass sie sich mehr beschweren als alle anderen. Diese Behauptung habe ich so oft gehört, dass es mich wirklich Energie kostete, das als typisch deutsche Übertreibung der eigenen schlechten Eigenschaften einzuordnen. Schließlich ist Jammern und Nörgeln eine allgemein menschliche Angewohnheit – und solange man dabei nicht allzu ungehobelt rüberkommt, wird fast jeder dieser Neigung nachgeben.

Aber dann machte ich Pauschalurlaub auf Mallorca. Mit lauter Deutschen.

Möglicherweise ist mein Deutsch mittlerweile so gut, dass ich einfach mehr vom Inhalt der Gespräche am Nebentisch oder an der Rezeption mitbekomme. Auf jeden Fall hörte ich eigentlich ununterbrochen Klagen und Reklamationen: übers Essen (das ich völlig o.k. fand). Übers Wetter (das definitiv völlig o.k. war). Über das Personal (das abgesehen von Ivan absolut klasse war). Über die Essenszeiten: »Der erste Durchgang beginnt erst um 18.30 Uhr? Viel zu spät! Und der zweite um 20.15 Uhr? 20.15 Uhr??? Absolut unmöglich!«

Ich sah tatsächlich Gäste, die ständig die *Frankfurter Tabelle* bei sich hatten – eine Liste möglicher Reklamationsgründe für Pauschalurlauber, inklusive des prozentualen Rückforderungsanteils vom Reisepreis. Offenbar druckt die *Bild* diese Liste jedes Jahr ab – zum Ausschneiden und Mitnehmen. Es gibt Webseiten wie *Urlaubsreklamation.de,* auf denen es nur darum geht, unter welchen Vorwänden man möglichst viel vom Reisepreis zurückverlangen kann. Unter anderem enthalten sie schwarze Listen in eigenwilliger Groß- und Kleinschreibung: »Diese Hotels und Reiseveranstalter sollten Sie MEIDEN!« O.k., liebe Deutsche: Ihr habt gewonnen! Ihr beschwert euch wirklich sehr viel. Seid ihr jetzt zufrieden? Nein, seid ihr nicht – darum geht's ja …

Nordic Walking

Nordic Walking ist sehr wichtig für die Deutschen. Mindestens drei Prozent der Bevölkerung machen das regelmäßig – also mehr als zwei Millionen Menschen. Wer es nicht kennen sollte: Es ist Langlauf ohne Schnee. Beziehungsweise Spazierengehen mit überflüssigem Handicap. Mein Problem damit ist übrigens nicht, dass man dabei bescheuert aussieht. Ich habe schon Golf und Ultimate Frisbee gespielt – verglichen damit sieht man beim Nordic Walking regelrecht gesittet aus. Mein Problem ist der Name. Warum heißt es »Nordic Walking« statt »German Walking«?

Das wäre nicht nur angemessen, weil es so viele Deutsche tun – sondern auch, weil es aus meiner Sicht alles typisch Deutsche verkörpert. Mir ist egal, ob es von einem pfiffigen Schweden oder einem genialen Dänen erfunden wurde (worauf das *Nordic* hinweisen könnte). Denn erst in Deutschland fiel diese Erfindung erstmals auf wirklich fruchtbaren Boden – bei Millionen von Menschen ab 40, die sich warm machten, sich zusammenrotteten und den Sport unter Gefuchtel und Geklapper bis in den letzten Winkel dieses wunderbaren, wundersamen Landes trugen. Wo auch immer die Wurzeln des Nordic Walking liegen mögen – seine Seele wohnt in Deutschland.

Warum, fragt ihr? Niemand hat es so drauf wie die Deutschen, einen seit Jahrmillionen existierenden Prozess wie das Gehen zu *optimieren*. Alle anderen nehmen einfach hin, dass Gehen schlicht Gehen ist. Nicht so die Deutschen. Sie treten einen Schritt zurück, betrachten und analysieren den Vorgang und halten dann ihr Plädoyer: »Ich will nicht undankbar klingen, gehen ist an sich völlig o. k. Ich mag es. Einige meiner besten Freunde gehen regelmäßig. Es ist unbestritten eine effektive Methode, um von A nach B zu kommen. Aber ich frage mich, wie man die Sache etwas zielgerichteter und produktiver machen könnte. Es gibt da doch diese Methode, mit der skandinavische Langläufer im Sommer trainieren.«

Nordic Walking bietet den idealen Dreiklang deutscher Leidenschaften: zum einen Wandern, zum zweiten das Optimieren eines Prozesses und zum dritten: Spezialausrüstung. Mein Interesse am Nordic Walking geht auf meine ersten Tage in Deutschland zurück. Ich hatte mich verlaufen und irrte durch den Clara-Zetkin-Park in Leipzig, als mich eine Gruppe von etwa zehn Senioren mit fliegenden Stöcken überholte. Ich kannte Nordic Walking damals überhaupt noch nicht. Zuerst dachte ich, die Herrschaften hätten sich auf dem Weg zum nächsten Berg verlaufen. Oder sie seien auf einen falschen Wetterbericht reingefallen, der Schnee prophezeit hatte statt des strahlenden Sonnenscheins.

Seit damals habe ich in Leipzig und Berlin so viele Nordic Walker gesehen, dass sie mich nicht mehr befremden. Peinlicherweise vergesse ich inzwischen manchmal sogar, mich über sie lustig zu machen. Um der Integration willen habe ich mir überlegt, dass ich dieses Fitnessprogramm von Millionen Deutschen selbst mal ausprobieren sollte.

Wie das Schicksal manchmal spielt: Kaum hatte ich dieses Vorhaben gefasst, ergab sich auch schon die perfekte Gelegenheit. Es geschah während unseres Mallorca-Urlaubs. Ich stand an der Rezeption und blätterte in der Mappe mit den Aktivitäten, die man als Hotelgast buchen konnte. Währenddessen plauderte ich mit dem diensthabenden Empfangschef (nicht Ivan!) darüber, welche Gäste am meisten nervten. Ich tippte auf die Engländer.

»Nein, die Holländer, señor. Die sind so furchtbar laut und ständig betrunken. Die Deutschen beschweren sich zwar wegen allem, aber eigentlich sind sie o.k. Und Engländer kommen hier kaum her – ihnen ist es zu ... wie sagt man? *Tranquilo?*«

Ich war überhaupt nicht mehr *tranquilo*, als ich die nächste Seite in der Aktivitätenmappe aufschlug – und eine ganze Doppelseite mit Nordic-Walking-Kursen entdeckte. »Hier steht, dass es jeden Montag früh um sieben Nordic Walking am Strand gibt. Stimmt das?«

»Das steht da? Wo?«

»Hier!« Ich hielt ihm die Seite hin. »Fünf Euro. Eine Stunde. Montags um sieben.«

»Na ja, wenn das da steht ...«, sagte er mit resignierendem Achselzucken und wandte sich wieder seinem Computer zu, um weiter durch Facebook zu scrollen.

Blöderweise war es schon 22 Uhr, am Sonntagabend – und die angegebene Telefonnummer funktionierte laut Prospekt nur bis neun. Ich probierte es trotzdem.

»Hola«, sagte eine tiefe männliche Stimme.

»Hallo. Entschuldigen Sie, dass ich so spät noch anrufe. Ach so, äh, sprechen Sie überhaupt Englisch?«

»Yes. English. Kein Problem.« Er klang plötzlich nicht mehr ganz so Spanisch.

»Ich habe gerade von meinem Hotel erfahren, dass Sie montags um sieben Uhr Nordic Walking anbieten?«

»*Nordic Walking*?«

»Nordic Walking«, bestätigte ich.

»Nordic Walking? Hmm …« Dann rief er jemandem zu: »Da fragt jemand nach Nordic Walking.«

»*Was*?«, antwortete eine Frauenstimme auf Deutsch.

»Nordic Walking!«, wiederholte er.

»*Nordic Walking*?« Sie klang nicht, als sei ihr der Begriff sonderlich geläufig. Offenbar wurde das nicht sehr oft gebucht – zumindest nicht sonntagabends um zehn.

Jetzt kam sie selbst ans Telefon. »Hallo. Sie interessieren sich für Nordic Walking?«

»Ja«, sagte ich. »So sagt man. In der Mappe hier im Hotel steht, dass morgen früh um sieben Nordic Walking angeboten wird.«

»Um sieben? Morgens?!« Es klang, als hörte sie zum ersten Mal in ihrem Leben von der Existenz dieser Uhrzeit.

»Ja. Steht hier so.« Geduldig las ich ihr den vollständigen Eintrag vor.

»Na ja, wenn das da steht …«

Meine Überzeugung, dass a) sie selbst diesen Eintrag verfasst hatte und ich b) überhaupt die richtige Nummer gewählt hatte, war jetzt bei null.

»Findet das nun morgen früh statt? Ich würde gerne teilnehmen.«

»Alles klar. Wie viele sind Sie?«, fragte sie.

»Ich bin allein.« Das klang ein bisschen wehleidig. »Also – nur ich«, korrigierte ich mich. Ich konnte förmlich hören, wie sie die Sache im Kopf durchrechnete – und zum Ergebnis kam, dass ein Umsatz von fünf Euro das frühe Aufstehen nicht lohnte.

»Ich liebe Nordic Walking! Es ist – wie sagen Sie – *my big hobby*. Ich freu mich drauf! Aber wenn Sie wirklich nur eine Person sind – können wir es dann etwas später machen?«

»Ja, klar. Find ich auch viel besser. Sagen wir um zehn?«

»Ja. Zehn Uhr ist gut.«

»Und es kostet wirklich nur fünf Euro?« Es kam mir extrem günstig vor. »Lohnt sich das denn für Sie? Eine Stunde für fünf Euro?«

»Na ja, zum Glück ist das nicht meine Haupteinnahmequelle. Wie gesagt: Ich liebe Nordic Walking und halte mich täglich damit fit. Wenn Sie also mitkommen wollen, ist das o. k. für mich.«

»Wenn es erst um zehn Uhr ist, kommt meine Freundin sicher auch gerne mit. Also sind es sogar zehn Euro für Sie.«

»Hurra – ich bin reich! Also dann morgen um zehn am Empfang.« Na bitte. War doch ganz einfach.

Am nächsten Morgen um zehn begrüßten uns eine aufgekratzte Österreicherin namens Nora und ihr deutscher Freund Wilfried. Er trug ein Barça-Trikot, hatte seine Basecap im 90er-Stil verkehrt rum aufgesetzt und trug eine abgedrehte Kampffliegerbrille, die mit einem Gummi an seinem Kopf befestigt war. Er wirkte wie ein 15-Jähriger, der in den Körper eines Mittfünfzigers geraten war und vergeblich versuchte, das Beste draus zu machen.

Unsere Lehrerin Nora war etwa genauso alt, hatte dicke, schwarze Zöpfe und war von Kopf bis Fuß in elastische Sportklamotten gekleidet – unter anderem eine Art Korsett, das den Rücken straffte und den Bauch reindrückte, der, wie sie uns offenherzig wissen ließ, etwas zugelegt hatte, seit sie eine Kochschule aufgemacht hatte. Obwohl wir ihr angeboten hatten, ausschließlich Deutsch zu sprechen, wandte sie sich an mich stets in einer kurios-enthusiastischen Mischung aus Englisch und Deutsch – je nachdem, ob sie ein Wort auf Englisch kannte oder nicht. Manchmal vergaß sie auch einfach, einen Satz auf Englisch fortzusetzen, obwohl sie ihn so begonnen hatte. Es war recht anstrengend, ihr zuzuhören.

»So here we have the poles«, sagte sie und gab uns unsere Stöcke. »Not the people. Ha! *The walking poles.* Now most people they are making the Nordic walking very *falsch.* The poles should be facing *rückwärts.*« Hierzu machte sie mit ihrem Stock eine total übertriebene Bewegung nach hinten, die die Bedeutung von rückwärts ausreichend deutlich machte. Wenn jemals Zweifel aufkommen sollten: Ich kann jetzt definitiv bestätigen, dass »rückwärts« tatsächlich das Gegenteil von »vorwärts« ist.

»Yes, *rückwärts*«, sagte sie und bestätigte uns, dass wir die richtige Bewegung mit unseren Stöcken machten. »Then they come before your body just a little, *20 Zentimeter maximal.* Now the most important motion, no that's the wrong word in English, sorry, movement, movement, not motion.«

»*Motion* wäre auch richtig gewesen«, informierte ich sie.

»*Oh?* Is it? The most important movement is the *Überkreuz.* The legs must *überkreuzen.*« Sie demonstrierte es uns, indem sie auf der Stelle tretend *überkreuzte*, wobei sie die Stöcke wie Gewehre beim Präsentieren hielt.

»Annett, what is *überkreuz* auf Englisch?«, fragte sie eifrig.

»Cross over.«

»Yes, cross over. So we take the legs and we *überkreuz*. So, poles facing *rückwärts, legs überkreuz* and we go. It is *kompliziert,* yes? Normally you see the old people, they are doing it wrong. They put the sticks just in front and they *tap, tap,*

tap.« Jetzt machte sie einen Buckel und ahmte eine humpelnde und tapsende Seniorin nach. »This is okay, but it is no body conditioning.«

»Ich dachte immer, Nordic Walking sei einfach Spazierengehen mit Stöcken«, sagte ich.

»Das denkt jeder. Ist aber falsch«, sagte sie und schüttelte heftig den Kopf. Alles, was sie tat, war auf diese absurd theatralische Weise übertrieben.

»It is not! *Nein*. It is a different *Art* to walking. It is more like skiing. You have the same motions like skiing. No, not motion, movement.«

»*Motion* ginge auch«, sagte ich.

»*Oh?* Yes, you have the same movements, yes? You see. Arms back, legs *überkreuz* and you glide. See? *Glide*«, sagte sie, während sie loszischte und dabei glitt und überkreuzte, als hinge ihr Leben davon ab. Vielleicht war es ja so? Vielleicht war sie in Wirklichkeit schon 97 und sah nur wegen dem ganzen *body conditioning* und dem *überkreuzing* aus wie 50?

»See? Glide ... Now you try.«

Dieses Gleiten war gar nicht so einfach. Schon weil wir direkt vor dem Hotel standen und all die Leute, denen wir in den letzten Tagen unser distinguiertestes Gesicht gezeigt hatten, uns aus dem Frühstücksraum beobachten konnten. Zudem saßen mindestens fünf ältere Hotelgäste gerade zum Rauchen draußen und schauten uns mit ausgesprochen missbilligendem Gesichtsausdruck zu. Ich sah aus dem Augenwinkel, wie einer von ihnen den Kopf schüttelte, als Annett versuchte, zu unserer Lehrerin zu gleiten. Wahrscheinlich gehörten die Herrschaften auch zur Tapp-tapp-tapp-Fraktion und fühlten sich von uns jungen Hüpfern und unserer exzentrischen Trainerin herausgefordert, die uns total übertriebene, swingende und *überkreuzing* Moves beibrachte.

»Yes. Good. But be more like a bird«, sagte sie, nachdem ich mein erstes Gleiten auf sie zu probiert hatte. »The poles are your, how do you say, Annett? *Flügel*?«

»Wings.«

»Yes, *Flügel*. The *Flügel* are behind you. Okay now we go.« Und los ging's.

Als ich begonnen hatte, über Nordic Walking nachzudenken, hätte ich nicht gedacht, dass meine ersten (Gleit-)Schritte ausgerechnet auf dem Fußweg vorm *Ballermann 6* stattfinden würden. Wir mussten uns zwischen heimkehrendem Partyvolk mit unsicherem Gang durchschlängeln, hingen hinter anderen Gruppen fest, die gerade erst zur Party aufbrachen, und mussten den Hütchenspielern ausweichen. Die kannten wir inzwischen schon und wussten, welches die Lockvögel waren und welches die armen Teufel, die auf den Schwindel reinfielen und in Sekunden um 50 Euro erleichtert wurden. Außerdem war der Fußweg bevölkert mit Stadtführern und ihren Gruppen, mit den Promotern vor den Etablissements und mit älteren Leuten beim Spaziergang. Und dazwischen – zunehmend würdelos – Nora, Annett und ich.

Viele Leute hielten an oder sprangen panisch zur Seite und starrten uns entgeistert an. Einige riefen uns auch Dinge hinterher. Mit Grausen dachte ich daran, wie es uns erst ergangen wäre, wenn wir uns abends um sechs oder gar nachts um elf hierhergewagt hätten. Ich verstand jetzt, warum diese Kurse üblicherweise morgens um sieben, unter Ausschluss der Öffentlichkeit, angeboten wurden.

»Adam, mehr wie ein Vogel!« Noras Ermahnung riss mich für einen Moment aus meinem verunsicherten Gegrübel.

»Schwebe dahin! Die Stöcke weiter hinten! Hier, guck, so! Und die Füße richtig hochheben bei jedem Schritt. Siehst du, so: Schritt. Und hoch. Schritt. Und hoch. *Flügel. Flügel. Glide.*«

Ich versuchte es. Ganz ernsthaft. Leider bin ich aber nicht mit besonders viel Rhythmusgefühl gesegnet. Dafür habe ich beim Thema linkische Befangenheit gleich zweimal »hier« geschrien, wie ich in diesem Moment schmerzhaft spürte.

»Annett«, Nora wandte sich von mir ab und blickte mit dem wohlwollenden Blick einer Mentorin auf ihre junge, aber vielversprechende Schülerin. »Sehr schön. Exzellente Technik.«

Nervigerweise entpuppte Annett sich als Naturtalent. Ich überlegte, einen Spruch über ihre genetische Veranlagung zu machen, entschied mich dann aber lieber dafür, ihr – hinter Noras Rücken – mit meinen Stöcken ein Bein zu stellen, um sie aus dem Takt zu bringen.

»Adam. You are doing the backwards with the poles quite *schön*. But it's two separate motions. *Verdammt*! Movements.«

»*Motions* is also …«

Sie unterbrach mich: »Nach hinten, lockerlassen, dann die Stöcke nach vorne, zwanzig Zentimeter, dann fest zufassen und kräftig abdrücken. Zufassen. Drücken. Dann die Füße schön hoch. Vogel. Loslassen. Vorne. Zufassen. Drücken. Füße hoch.« Sie sprach mit der mühsamen Geduld und dem Lächeln einer leicht genervten Grundschullehrerin, die dem Klassentrottel versucht, eins plus eins beizubringen. »Ist ganz leicht! Siehst du? Schau mir einfach zu.«

Ich schaute. Aber ich sah nichts.

»Du machst viele Dinge«, sagte ich, »aber nichts davon sieht für mich leicht aus.«

Nora und ich gingen weitere 50 Meter nebeneinander her. Ich versuchte, ihr alles möglichst gut nachzumachen, und brabbelte dabei ununterbrochen vor mich hin: »bird«, »push down«, »pump«, »grip« und »easy«. Letzteres war definitiv gelogen. Aber ich muss überzeugend gewesen sein, denn sie betrachtete mich jetzt offenbar als reif für die nächste Stufe der Ausbildung.

»Du greifst nicht fest genug zu, wenn die Stöcke vorne sind. Hau richtig rein. Es ist wie beim Melken. Stell dir einfach vor, die Griffe wären Euter. Annett, how you say *Euter* in English?«

»Teet.«

»Yes, the *Euter*. Du willst Milch, also drück kräftig zu.«

Ich fand das ein ziemlich überhebliches, Österreich-zentriertes Bild.

»Ich hab noch nie eine Kuh gemolken!«, protestierte ich.

»Du hast noch nie eine Kuh gemolken?« Das musste sie erst mal sacken lassen. »Oh.«

Immerhin hatte ich schon mal die Tür eines Kühlschranks geöffnet, den Verschluss einer Milchpackung gepackt und gezogen. Ob das auch galt?

»Okay, Adam, du gehst jetzt vor, und ich schaue es mir ganz genau an.«

Ich versuchte ganz doll, ein Vogel zu sein. Ich war mal in Neuseeland. Dort gibt es vollkommen sinnlose und lebensuntüchtige Vögel, die weder fliegen noch sich verteidigen können. Hübsche Darwinsche Atavismen. Ich dachte ganz fest an sie. Noras Gesichtsausdruck legte die Vermutung nahe, dass ich mir die falschen Vögel als Vorbild genommen hatte. Ich vermute, dass es dieser Moment war, in dem sie mich endgültig abschrieb und sich nur noch auf ihre Meisterschülerin Annett konzentrierte.

»Ja! Sehr gut, Annett!« Sie lächelte. »Pumpen, pumpen! Melk das Ding! Ja! Super!« Jemand rief Annett vom Rand aus zu: »Schöne Technik!« Sie leuchtete förmlich vor Freude über all das Lob und wirkte kein bisschen befangen. Ich vermute allerdings, dass Annett ihre strahlenden Erfolge letzten Endes auch meiner totalen Unfähigkeit verdankte: Erst im Vergleich mit mir wurden ihre emsigen Bemühungen zu bestaunten Leistungen eines Wunderkinds.

Übrigens hatten wir bis jetzt noch niemand anderen entdeckt, der Nordic Walking machte – aber dafür viele, viele Menschen, die schon am Trinken waren. Ob das auch als Sport galt? *German Drinking? Nordic Drinking?* Ich war zu sehr mit meiner eigenen Peinlichkeit beschäftigt, um danach zu fragen.

Wir liefen weiter nordisch. Die Leute gafften weiter entgeistert. Ich lief jetzt meistens ganz normal und trug die Stöcke nur noch spazieren. Nur wenn Nora guckte, setzte ich meine Kranker-Vogel-Nummer fort.

Unsere Einführungsstunde war jetzt fast vorbei, und wir walkten wieder Richtung Hotel. Ich hatte überraschenderweise ein bisschen Muskelkater von all der Vögelei. Wilfried wartete schon auf uns. Wir gaben die Ausrüstung zurück, beteuerten mit übertriebenem Enthusiasmus, wie viel Spaß es gemacht habe, bekamen eine Visitenkarte und versprachen, bei unserem nächsten Mallorca-Urlaub erneut zu buchen. Dass das noch ungefähr 30 Jahre hin war – dann wären wir genau im richtigen Alter, und Nora wäre etwa 80 –, musste ich ihr ja nicht sagen. Obwohl: Ich bin fast sicher, dass sie

auch mit 80 noch in tadelloser Haltung über den Baller-
mann-Fußweg fegen wird, unter ständigem »*Pump!*«, »*Überkreuz*«, »*Melken*« und »*glide*«.

»See, it's easy! Do the motions, I mean, movements.«

Würde ich Nordic Walking noch mal machen? Nein! Nicht
mal, wenn man mich dafür bezahlen würde – selbst für mehr
als fünf Euro nicht. Aber ich habe jetzt deutlich mehr Respekt für die, die das machen – und können. Es ist definitiv
mehr als Spazierengehen mit Stöcken. Man braucht viel
Koordination – jedenfalls wenn man es richtig machen will.
Nach der denkwürdigen Stunde mit Nora werde ich mich
jedenfalls nicht mehr lustig machen über Nordic Walker beziehungsweise *German Walker*. Immerhin kann ich sie jetzt
aber anhalten und wegen unsauberer Technik ermahnen:
»Das nennen Sie *überkreuz*? Lächerlich! Haben Sie noch nie
eine Kuh gemolken? *Nach hinten! Nach hinten!* Sie machen
immer nur tapp, tapp, tapp, das ist Ihr Problem!«

Schlager

»Schreibst du in deinem Buch eigentlich auch was über Schlager?«, fragte mein Freund Colin eines Tages. Er hat früher bei Sony gearbeitet.

»*Schlager*? Dieses Kitschgedudel für Greise? No way!«, sagte ich.

Er schüttelte den Kopf. »Ja, so denken leider viele. Es ist so leicht, Schlager zu unterschätzen.«

»Ich dachte, das sei nur ein musikalischer Schrottplatz für übertrieben sentimentale Popsongs.«

»Quatsch. Schlagermusik ist viel facettenreicher, als die Leute so glauben. Und supererfolgreich! Wir haben uns bei Sony immer heimlich über das kleine Schlagerlabel *Ariola* lustig gemacht – bis zum ersten Mal Verkaufszahlen kamen. Ariola hatte alle anderen locker in die Tasche gesteckt. Danach hat niemand mehr gelacht.«

»Ich hab das Gefühl, wenn man fünf Schlager gehört hat, kennt man alle. Es gibt immer was zum Mitklatschen und Mitsingen – und dann kommt wieder die Stelle mit ›Liebe‹ und ›Sehnsucht‹.«

»Du tust dieser Musik echt unrecht! Komm, wir wetten! Ich wette, du kannst keinen Schlager komponieren.«

»Du willst wetten? Sind wir zwölf, oder was? Soll ich *HASHTAG YOLO* schreien, bevor ich loslege?«

»Du kannst schreien, was du willst – solange du dich traust und es machst.«

»Klar kann ich das. Alles, was man braucht, ist eine grobe Ahnung vom Prinzip Reim, einen Drumcomputer und die Vokabeln Liebe, Sonne, Mond und Himmel.«

»Jaja, große Worte. Worte sind billig, mein Freund, zeig mal, was du draufhast!«

»Hey, erzähl das bloß nicht meinem Verlag, das ist meine Lebensgrundlage.«

Ich grübelte. Für ein paar Sekunden sagte niemand etwas. »Es reizt mich schon. Das Problem ist, dass ich noch nie einen Song geschrieben habe und dass ich weder singen noch irgendein Instrument spielen kann.«

»Genau«, sagte er und schüttelte sich aus vor Lachen. »Das wird super! Ein garantierter Totalschaden. Aber hey: Wettschulden sind Ehrenschulden. Du musst! *HASHTAG YOLO.*«

Ich bekam noch eine Nacht, um drüber zu schlafen.

Die Vorstellung, öffentlich zu singen, war natürlich der Horror. Andererseits musste ich den Song ja nur aufnehmen und damit nicht auf Tour gehen. Außerdem hatte ich schon immer das Gefühl, unter der Oberfläche meines Selbst brodle ein unentdeckter mächtiger Vulkan der Musikalität. Aus dieser Überzeugung heraus habe ich mir über die Jahre ein teures Musikinstrument nach dem anderen zugelegt. Anfangs nehme ich es mir motiviert vor und haue, klimpere oder puste drauflos. Da mir in der Regel missfällt, was ich höre, betrachte ich das Instrument als fehlerhaft oder defekt und packe es weit hinten auf den Schrank, wo es liegen bleibt, bis es sich jemand ausborgt und niemals zurückgibt. Ich vermute, ich habe auf diese Weise schon ganze Bands ausgestattet. Bisher gehörten mir bereits – jeweils eine Zeitlang – zwei Gitarren, eine Klarinette, eine Ukulele und eine Ziehharmonika. Im Übrigen habe ich niemals einem dieser Instrumente einen

Akkord entlockt oder auch nur eine Note gelernt. Aber die Herausforderung meiner Wette mit Colin würde mein Wunderkindpotential endlich freilegen! Oder – wahrscheinlicher – dafür sorgen, dass ich endlich aufhörte, weitere stumme Staubfänger für meinen Kleiderschrank anzuschaffen.

Ich rief Colin an, um ihm die frohe Botschaft zu überbringen: Ich würde es machen. *HASHTAG YOLO*. Er schlug vor, dass ich mir zur Einstimmung auf YouTube ein Stündchen *Musikantenstadl* anschaute. Dort könne ich alles über Schlager lernen, was ich wissen müsse.

Jesus! Was für eine Lehrstunde!

Ich hatte mir vorgestellt, dass man als unschuldiger Zuschauer einen sanften Einstieg in das Schlagergenre finden könne. Aber Schlagersendungen kennen keine sanften Einstiege. Von der ersten Sekunde an geht es voll auf die Zwölf: Man wird von einem wilden, lauten, grellbunten Irrsinn aus Kreischen, Klatschen, Schunkeln, Prosten und Grimassieren bombardiert. *Musikantenstadl* ist eine rasende folkloristische Freakshow in einer gefakten Skihüttenkulisse. Es ist aber vor allem ein fortwährender Anschlag auf alle Sinne. Man fühlt sich, als werfe einem jemand ununterbrochen mit voller Kraft bunte Bonbons ins Gesicht, während ein blinkender Neonregenbogen einen zum Epileptiker macht. Dazu ein unentwegt dröhnender Bassrhythmus, der jede Flucht in die Ohnmacht aussichtslos macht.

Es fühlte sich an, als sei ich in die *Kirche der Brüder der Simplen Texte* geraten, mit Andy Borg als leidenschaftlich singendem Prediger. Statt Messwein wurde hier unschuldiges Bier missbraucht, und alle glaubten an die gottgefälligen Zeiten, da Männer noch Männer waren und Frauen dazu da, sie zu bedienen. Immer wieder mal schwenkte die Kamera mitten in einem Lied auf entfesselte Gläubige in Lederhose und Dirndl, die in Ekstase mitklatschten und sich wiegten und via Kamera der weltweiten Gemeinde mit ihren Bierhumpen segnend zuprosteten. Der Gottesdienst der Schlagergemeinde bot statt der üblichen Psalmlesungen, Predigten und Bekenntnisse eher Attraktionen wie ironiefreies Jodeln und eine Coverversion von *Who the fuck is Alice?* mit einem auf bayerisches Bier umgemünzten Text.

Ich gab mir alle Mühe, es zu hassen. Ich wollte entsetzt sein. Und ich bin ziemlich sicher, dass es entsetzlich war. Vor allem aber war ich fasziniert von der unbarmherzigen Konsequenz dieser Veranstaltung.

Was die Texte betrifft, war ich schnell davon überzeugt, so was auch hinzubekommen. Das Problem war die Musik – zumal mir, wie erwähnt, jegliches Arbeitsgerät dafür abhandengekommen war. Natürlich konnte ich versuchen, alle verliehenen Instrumente zurückzuverlangen, und sie vor mir auslegen, in der Hoffnung, dass sie sich unter dem Eindruck meiner verborgenen Musikalität irgendwie zu einem Song zusammenfügen würden. War aber eine eher unwahrscheinliche Variante. Widerstrebend begann ich mich mit dem Gedanken zu befassen, dass ich Hilfe brauchte. Ich fragte in unserem Freundeskreis rum, wer sich mit Musik auskannte. Alle gaben mir denselben Tipp: Fred. Ich kannte ihn vom Sehen und erinnerte mich, dass er wie ein exzentrisches Genie auf mich gewirkt hatte, aber ich hatte ja keine Ahnung, dass er ein exzentrisches *Musikgenie* war.

Fred ist die Art Typ, von dem blasse, glatzköpfige Männer wie ich sich zugleich angezogen und verunsichert fühlen: tiefenentspannt, gutaussehend, lustig, unangestrengt. Eigentlich müsste ich ihn hassen. Aber schon nach wenigen Minuten in seinem »Bedio« in Neukölln (einem Raum, in dem sowohl sein Bett als auch die gesamte Studioausrüstung eines professionellen Musikers standen) war klar, dass ich meine genetisch bedingte Unsicherheit ihm gegenüber würde ablegen müssen. Die Energie, mit der er sich in die Aufgabe stürzte und mit der er sich bereits zur Vorbereitung unseres Treffens mit dem Schlagergenre befasst hatte, zeigte: Er war der Richtige für dieses Vorhaben! Während er eifrig zwischen seinen Instrumenten hin und her wuselte, um mir anhand einzelner *Lines* zu demonstrieren, woraus sich die von ihm entschlüsselte Zauberformel des Schlagers zusammensetzte, machte sich in mir die wohlige Überzeugung breit, dass er mir meinen Schlager schreiben würde. Und ich würde dann den Ruhm abschöpfen.

»Ich glaube, dass Schlager vor allem deshalb so gut funktionieren, weil es die einzige Popmusik ist, die die Deutschen nicht auf Englisch hören«, eröffnete er mir seine These. »Schlager hören heißt zuerst mal: deutsche Lieder hören. Außerdem konkurriert die Musik auch nicht direkt mit der der englischsprachigen Popsongs, weil sie nach ganz eigenen Regeln aufgebaut ist.«

»O. k. Und was ist das Besondere an der Musik?«, fragte ich und griff mir beiläufig eine Gitarre, die vor mir auf dem Boden lag. Ich zog sie auf meinen Schoß und hielt sie entspannt in der Grundstellung. Fred schaute mich erwartungsvoll an. Offenbar dachte er, ich würde jetzt was spielen und vielleicht sogar eine *Jam-Session* eröffnen. Seine Erwartung war plausibel, aber mir fiel wieder ein, dass ich ja gar nicht spielen konnte. Nervös zupfte ich ein-, zweimal an einer Saite.

»Ich leg die mal wieder hin«, sagte ich und lief rot an.

»Worüber haben wir gerade gesprochen?«, fragte Fred etwas

verwirrt. »Genau: warum Schlager so erfolgreich sind! Also: Es geht um Gefühle und um Heimat. Heimat ist das, wo die Welt noch in Ordnung ist und nicht chaotisch und bedrohlich. Das funktioniert natürlich am besten in deiner Muttersprache. Ach so: Und es muss natürlich ein Vierviertentakt sein.«

»Was ist denn das?«

»Na, vier Schläge immer. Es gibt doch verschiedene Taktarten – Walzer ist zum Beispiel immer ein Dreivierteltakt. Schlager haben immer vier Schläge pro Zeiteinheit. Das ist dieses Wummern im Hintergrund, hörst du? Normalerweise macht das eine Trommel.«

Fred begann mir den Takt vorzuklatschen, mit einem breiten künstlichen Grinsen. Vielleicht klatschte er aber auch einfach nur wahnsinnig gerne. »1-2-3-4 – 1-2-3-4 – und wir klat-schen – und wir freu'n uns – und du weißt jetzt – wie der Takt geht – und jetzt nochmal: 1-2-3-4 – 1-2-3-4 – und jetzt du mal!«

Und er hatte recht: Man wusste ganz genau, wann man klatschen musste. Und zwar tatsächlich »musste«: Ich versuchte, absichtlich gegen den Takt zu klatschen. Ging nicht. Man konnte sich vielleicht mal ganz kurz ein Stückchen entfernen, aber der nächste Schlag holte einen sofort wieder rein. Da saßen wir nun, zwei erwachsene Männer in einem Bedio, und klatschten den Takt meines noch nicht existierenden Schlagers.

»Ich wet-te mal – 1-2-3-4 –, du fin-dest kei- – 1-2-3-4 – -nen Schla-ger-text – 1-2-3-4 –, der nicht so ist – 1-2-3-4 – im Vie-rer-takt«, sagte Fred.

»Ich wet-te nicht!«, sagte ich, ebenfalls weiterklatschend. »Mach ich nie mehr! – 1-2-3-4 – So fing's ja an – 1-2-3-4 – hör'n wir jetzt auf?«

»Ja«, sagte er und legte die Hände in den Schoß.

»Was meinst du: Ist es realistisch, dass wir beide einen überzeugenden Schlager hinkriegen?«

»Kannst du denn singen?,« fragte er.

»Haha!«, lachte ich bitter. »Können Schweine fliegen?«

»Ähm – was …?«

»Das ist eine englische … ach, vergiss es. Nein. Ich kann nicht singen.«

»Hmmm. Das könnte ein Problem sein. Aber darum kümmern wir uns später«, sagte er und wandte sich seinem Computerbildschirm zu, wo er verschiedene Textfenster geöffnet hatte. Ich schaute ihm über die Schulter und sah, dass es Schlagertexte waren.

»Ich hab eine Art Schlager-Blaupause entwickelt. Dazu hab ich die Texte des weltbesten Schlagersängers ausgewertet.«

»Helene Fischer«, tippte ich.

»Nein!« Er lachte verächtlich. »Die dürfte dem nicht mal die Füße küssen.«

»Heino?«

»Nächster Versuch.«

»Puh, das war's. Mehr Schlagersänger kenn ich nicht.«

»DJ Ötzi!«, sagte er und verdrehte die Augen.

»Wer, verdammt, ist DJ Ötzi?«, fragte ich.

»*Ooooh*, das klingt ja schon wie ein DJ-Ötzi-Song«, jubelte Fred und fing an, zur Melodie von *Who the X is Alice* zu singen: »Ötzi … Ötzi … Wer ver-dammt ist – DJ Ötzi? La, la, la, la – D-J-Ö-T-Z-EEEE-Y.«

»Er ist ein Gott«, erklärte mir Fred, »ein Schlager-Gott. Niemand sonst hat so unermüdlich daran gearbeitet, zu zeigen, wie simpel es ist, Schlager zu schreiben und zu produzieren, wie diese Hitmaschine aus Österreich.«

Fred klickt einen Song an – und ich flog fast vom Stuhl. Spätestens jetzt wusste ich, was er mit dem wummernden Vierterteltakt gemeint hatte. Dazu hörte man eine Art Gesang – überwiegend »Ooohs«, »Aaaahs« und »Babys«. Es war DJ Ötzis folgenreiches Meisterwerk *Hey Baby*. Jeder kennt es – und jeder, der älter als acht ist, hasst es. Vor allem wegen seines Ohrwurm-Charakters – es brennt sich dir förmlich ins Hirn.

Wir begannen jetzt mit dem Sezieren der drei DJ-Ötzi-Hits, deren Texte Fred nebeneinander auf dem Bildschirm angeordnet hatte.

»Entdeckst du Gemeinsamkeiten?«, fragte er.

»Ich sehe viele »Ooohs« und »Aaaahs« und nicht viele – also: richtige Wörter.«

»Genau! Denn Wörter kann jeder.«

»Warum sagen das immer alle? Ich verdiene mein Geld mit …«

Fred unterbrach mich: »Es geht ums Mitgrölen. Die Leute sagen: ›Primitiver geht's doch wirklich nicht.‹ Aber genau darum geht es DJ Ötzi ja: Jeder Depp kann das mitgrölen.«

»Ich glaube, deshalb ermüden mich Schlager so schnell. Sie bestehen nur aus Zuckerguss. Zuckerguss satt für alle. Simpel und süß. Keine sehr ausgewogene musikalische Ernährung.«

»Ja, nur schnelle Kalorien ohne echten Nährwert. Du bist ganz schnell so satt, dass dir schlecht wird, aber nach einer Stunde hast du wieder Hunger.«

»Und worum soll es in unserem Schlager gehen?«, fragte ich.

»Na ja, du schreibst doch so nette Sachen über uns Deutsche, oder?«

»Jepp.«

»Die Deutschen warten sehnsüchtig darauf, wieder patriotische Lieder singen zu können. Ein schönes *Deutsch-land, Deutsch-land*-Lied zum Mitschmettern. Aber sie dürfen nicht.«

Mir ging ein Licht auf. »Ich bin Ausländer. Ich darf das!« Und ich begann, Ideen aufzuschreiben. Liedzeilen, die aus wenigen echten Wörtern bestanden, wie man sie in Wörterbüchern findet, aber dafür aus vielen Geräuschen zum Mitsingen. Ich war schon zum DJ-Ötzi-Jünger geworden.

Als Erstes schrieb ich: *Oh-Ah-Apfelschorle.* Ja, ich weiß! Sorry. Aber wenn ihr das schon schlimm findet, schnallt euch an: Ab hier geht's nur noch abwärts. »*Oh-Ah-Apfelschorle*«, sang Fred. »Super! Das nehmen wir!« Er öffnete ein viertes Dokument, für unser eigenes Werk.

»Wie wär's mit *Deutschland, Land des Pfands*?«, bot ich an.

»Perfekt.«

Wusst ich's doch: Ich war ein Naturtalent!

»Ich hab noch 'ne bessere Idee als *Oh-Ah-Apfelschorle*«, sagte Fred, »wie wär's mit *Oooh-Aaah-F-K-K*?«

»Genial!«, sagte ich.

Wir waren im Flow. Wie Lennon & McCartney. Simon & Garfunkel. Winehouse & Wodka.

»Los, mehr davon!«, sagte Fred, und ich kritzelte wie entfesselt Ideen in mein Notizbuch.

Es war berauschend, sich richtig in die Schlagerwelt reinzustürzen – aber sobald ich innehielt und durchlas, was ich da aufschrieb, war es vor allem erschreckend. Nachdem wir ein paar Ideen zusammengetragen hatten, begann Fred, sich mit der musikalischen Gestaltung zu befassen. Ich hielt die

Klappe, um ihn nicht in seinem tranceähnlichen Zustand zu stören. Er setzte sich ans Keyboard, klimperte ein bisschen herum, sang einen Refrain, schüttelte den Kopf, sprang rüber zum Akkordeon, spielte ein paar Töne, nickte, kehrte an den Rechner zurück, pfiff eine Melodie, tat etwas mit einem Kompositionsprogramm – und dann alles wieder von vorn.

Nach ungefähr einer Stunde hatte er alle musikalischen Bestandteile unseres Songs beisammen. Er tauchte wieder aus seinem Tunnel auf und verpasste mir ein Headset: »Es geht los.«

»Echt? Vocals einsingen? Geil!«, sagte ich.

»Ganz ruhig, Kanye.«

Sobald wir begannen, wurde überdeutlich, dass ich wirklich nicht singen kann.

»Nein. Bei *Apfelschor-la* musst du am Ende hochgehen«, unterbrach Fred mich. »La-la-la-la-la-la und dann -la! Der Ton ist höher als die anderen.«

»Okay. La, la, la – und la. Hochgehen am Ende«, wiederholte ich artig. Es gab hohe und tiefe Töne? Die Musik war eine faszinierende neue Welt für mich.

Fred blieb erstaunlich geduldig, wenn man bedenkt, dass ich jeden Aufnahmeversuch verhunzte. Die Ankündigung »Wir legen jetzt den Gesang drüber« klingt nach viel Spaß – aber in Wirklichkeit ist es unfassbar öde. Jede einzelne Liedzeile bedeutete eine quälende Prozedur: Zuerst lasen wir sie uns gegenseitig so oft vor, bis die Unterschiede zwischen der deutschen und der englischen Aussprache einigermaßen ausgebügelt waren, dann sangen wir, spielten die Aufnahme ab, sangen noch mal, dann noch mal. Und noch mal. Und noch mal. Dann zur Sicherheit noch mal. Und noch mal, weil das noch besser ging. Und dann ein letztes Mal. Aber weil wir gerade so schön drin waren, sangen wir sie dann noch ein allerletztes Mal. Und dann kam die nächste Zeile. Ich habe mal gelesen, dass Simon & Garfunkel ganze Tage damit verbracht haben, sich im Studiokeller gegenseitig anzusingen, bis sie endlich perfekt harmonierten. Dasselbe taten wir – allerdings in der Dilettantenversion. Und in einem Bedio im fünften Stock.

Schließlich, nach ein paar Stunden, fügte Fred alles zu einer Rohversion zusammen. »Rohversion« klang echt professionell. Das war jetzt meine neue Lieblingsvokabel.

»Bereit?«, fragte Fred mit dem Mauszeiger auf dem Play-Button.

»Bereit.«

Der Vierviertelbass dröhnte los, das gefakte Publikum begann zu kreischen und zu jaulen, das Intro erklang – und dann, nach etwa 30 Sekunden Anlauf, hörten wir uns selbst singen. Wir zuckten beide zusammen. Es klang, als würde ein Schwan zu Tode getreten. Ganz offensichtlich sangen hier keine ausgebildeten Profis.

»Das klingt ja total bariton, Fred«, sagte ich fachkundig.

Er runzelte die Stirn. »Kann es sein, dass du ›monoton‹ meinst?«

»Ja, das auch.«

Als der Song verklungen war, sah er mich nervös an. Ich sah zur Decke und tat so, als begutachte ich die Risse im Putz.

»Also, was meinst du?«, fragte er, als die Stille nicht mehr aushielt.

Ich sprang auf und umarmte ihn. »Fred, du großes, gutaussehendes Genie! Es ist fantastisch. Es ist ein Schlager –

und weist gleichzeitig darüber hinaus. Du hast noch eine Prise Ska hinzugefügt und damit ein neues Genre geschaffen. *Fredlager* oder so. Es ist jedenfalls viel besser, als ich jemals erwartet habe.«

Auf die Musik traf das tatsächlich zu. Sie war gut. Wahrscheinlich sogar zu gut. Denn so wurde der Kontrast zum Gesang noch deutlicher. Es klang einfach grauenhaft – ein unmusikalischer Engländer und sein exzentrischer deutscher Freund. Fred begann, unseren (das heißt vor allem meinen) Gesang zu tunen, wofür er die entsprechende Software bis über ihre Grenzen hinaus ausreizen musste, so dass sein Computer schließlich abstürzte. Wir mussten für heute Schluss machen.

Vor unserer nächsten Aufnahmesession spielte ich jedem, der nicht bei drei auf dem Baum war, unsere Rohversion vor. Die meisten waren begeistert. Schon während des Intros begannen sie mitzuwippen, zu schnipsen oder den Rhythmus mit den Füßen zu begleiten. Die Instrumentierung war offenbar pefekt. Dann, nach 30 Sekunden, setzten unsere Stimmen ein – und die Gesichter der Zuhörer gefroren zu schmerzverzerrten Grimassen, als sei ihnen etwas auf den Fuß gefallen.

Das Problem war offensichtlich. Sein Name war Adam. Fred und ich mussten noch mal von vorn anfangen.

»Es stimmt einfach noch nicht«, sagte Fred, während er durch sein Bedio tigerte und sich am Kopf kratzte.

»Was stimmt nicht?«

»Alles. Ich hatte eine Erleuchtung. Was wir letztes Mal gemacht haben, ist Schrott. Der Text ist zu anspruchsvoll. Zu viele Wörter. Zu viele Strophen. Es wirkt wie eine schlechte Schlagerparodie.«

»Du hast recht, wir haben viele Wörter. Aber die sind doch lustig. Können wir nicht einfach nur ein bisschen Text raus-kürzen und es dann noch mal probieren?«, fragte ich flehentlich.

»Nee, das reicht nicht. Wir sollten einen Schlager machen. So lautet der Auftrag. Einen schönen, sauberen, trashigen Mitsing-Schlager. Unserer ist zu lahm. Er ist scheiße.«

»Und jetzt?«

»Nochmal zurück auf Los. Wir müssen uns mit unserem inneren DJ Ötzi verbinden. Was würde ER tun?«

»70 Prozent der Wörter rausschmeißen und durch *Oohs* and *Aahs* ersetzen?«

»Genau!« Fred nickte. »Wir müssen unserem Meister ver-trauen und seinem Weg folgen.«

»Aber ist das nicht ein bisschen billig, einfach seinen Stil zu kopieren?«

»Nein. Und zwar, weil wir von Schlager reden. Da geht es ja gerade nicht um Originalität und persönlichen Stil. Das war unser Problem. Wir haben versucht, eigenständige Musik zu machen anstatt Schlager.«

Jetzt nahm Fred die Sache allein in die Hand. Möglicher-weise inspirierte ich ihn mit meiner immer noch verborge-nen musikalischen Gabe, aber einen direkten Anteil an der Arbeit kann ich mir beim besten Willen nicht zuschreiben. Fred arbeitete den alten Songtext total um, indem er ihn radikal vereinfachte. Wir verzichteten jetzt endgültig auf jeden Sinn. Unser Denglisch würde jeden Sprachschützer in den Selbstmord treiben. Außerdem verlangsamten wir den Song, verkürzten die Strophen und fügten eine extrem kit-schige Mitsing-Passage hinzu, die unter anderem die Zeile »The Stars looked like a Pretzel« enthielt. Ich hatte den Eindruck, dass wir einen neuen Tiefpunkt erreichten. Fred hingegen war geradezu high. Als wir fertig waren, wusste ich nicht mehr, ob ich noch meinen Namen daruntersetzen wollte. Aber Fred war begeistert.

Nun ging es wieder ans Singen – oder, in meinem Fall einen entfernten Verwandten dieser Tätigkeit.

»Dein Problem«, sagte Fred, als er mir das Mikro in die Hand drückte, »ist zu viel Selbstkontrolle. Deshalb singst du so schlecht. Zu gepresst. Und aus Angst vor falschen Tönen singst du keinen einzigen Ton richtig. Du musst dich gehen lassen. Mach dich locker! Trau dich einfach mal!«

»Wie macht man das?«, fragte ich.

»Schau mal«, sagte er und startete ein YouTube-Video, das einen Schlagersänger aus den 70ern zeigte. »Hörst du, was er mit seiner Stimme macht? Diese *Ooohs* und *Aaahs?* Und die total übertriebene Betonung der letzt-an Sil-bah bei jedem Wort?«

»Ja, er macht Liebe mit den Wörtern.«

»Genau!« Fred nickte eifrig. »Liebkose die Wörter, Adam. Stell dir vor, du stehst auf der Bühne. Spiel mit der Menge. Biete ihnen was an. Mach sie an. Wenn du das Gefühl hast, total zu übertreiben, ist es wahrscheinlich immer noch zu wenig.« Er wies mit dem Arm auf mein fiktives, mir ergebenes Publikum.

Beim folgenden Test sang ich so laut und mit so wenig Hemmungen, wie es ein gehemmter Knochen wie ich überhaupt nur fertigbringen kann. »Ich will die Leut-an etwas geb-an! Das glaubt Annett mir nie in Leb-an! Ist das da Gunnar, hint-an rechts? Der schaut so komisch. Mir wird schlecht. YEEEEAAAHHH.«

»Genau so!«, sagte Fred und applaudierte. »Okay, wir können.«

Beim letzten Mal hatten wir im Sitzen gesungen. Wir hatten schön ordentlich Zeile für Zeile aufgenommen – singen, anhören, üben, noch mal singen. Diesmal standen wir beide, um Bewegungsfreiheit zu haben und unser Zwerchfell zu öffnen. Wir sangen den ganzen Song von Anfang bis Ende durch, hörten ihn uns an und sangen dann alles zusammen noch mal. Wir waren ein echtes Duo – wir tanzten und schauten uns in die Augen. Das fiktive Publikum erlebte das Konzert seines Lebens und rastete entsprechend aus. Und ich trug sogar etwas zur Instrumentation bei, indem ich Luftgitarre spielte. Endlich ein Instrument, das ich auf Anhieb beherrschte!

Eine Stunde und viele Wiederholungen später ließen wir uns erschöpft auf die Couch fallen. Wir waren heiser, und Freds Nachbarn taten mir wegen der vielen falsch intonierten *Oohhs* and *Aaahs* leid (aus denen der Songtext jetzt zu mehr als der Hälfte bestand).

Dann spielte Fred den neuen Song erstmals ab. Die Musik war weitgehend dieselbe geblieben; nur etwas entschlackt.

»Toller Riff«, sagte ich anerkennend und wiegte meinen Kopf im Takt.

»Danke«, sagte Fred. »Aber das ist kein Riff.«

»Oh.«

In der neuen Version verstand man den Text ohne Probleme. Dem Gesang hörte man unser breitbeiniges Selbstbewusstsein und den Spaß an, den wir gehabt hatten. Es war genau auf die richtige Art trashig. Ich sah die Betrunkenen im *Oberbayern* förmlich vor mir, wie sie mitsangen. Den Text musste man dafür nicht kennen – man sang instinktiv das

Richtige mit. Zumal es ja kaum Wörter gab. Der Song wusste, was er war. Er trug seine Uniform mit Stolz. Es war die Uniform von DJ Ötzi. Es war die Schlageruniform.

Ich musste zugeben, dass dieser Schlager jetzt um Längen besser war als vorher.

Unten stehen beide Textversionen – links vor Freds Erleuchtung, rechts danach. Ihr könnt euch beide Versionen anhören und für euren Favoriten abstimmen:

http://makemegerman.net/schlager.

»Deutschland, du bist wunderbar« (vor der Ötzi-Erleuchtung)	»Deutschland, du bist wunderbar« (nach der Ötzi-Erleuchtung)
I still remember the first day When I got up I was listening to Schlager With an Apfelschorle	Deutschland ist so supergeil Wurst und Käse find ich steil Ja, und das Bier Das Bier gehört zu mir
I still remember the next day When I fell in loooooove You said »what about Weisswurst« I said »Alles klar!«	Maultaschen und Leberkäs' Die Berge und die hübschen Mädels Hier will ich sein Hier bin ich daheim
I went out to go wandern With my Hausschuhe an Then I went on to get My first Ausbildungsschein	When I first came to Deutschland There was Schlager in my head The stars looked like a Pretzel I was happy and I said ...

I found a letter from you
I thought that we would be
friends
But it said »Abmahnung«
And it was covered in stamps

But I was not alone
Because I joined a Verein
It was really praktisch
And I paid no fine

I learnt to be perfect
And also prepare
Got my Versicherung
And my outdoor wear

At a public viewing
We grilled in the park
And we took our Pfand
To the Supermarkt

Then we got home for *Tatort*
GEMA schon bezahlt

Ja, ja, ist doch klar
Deutschland, du bist wunderbar
Ja, ja, ist doch klar
Du bist unser Superstar

You're so smart
You're so wise

Heeeeeeeeeeeeeeeeey Deutsch-
land
Uuuuuuuuh, aaaaaaaaaah
You need to knoooooooooow
That ich liebe dich!
1, 2, 3, 4, 5, 6, 7, 8

Heeeeeeeeeeeeeeeeey Deutsch-
land
Uuuuuuuuh, aaaaaaaaaah
You need to knoooooooooow
That ich liebe dich!

Deutschland ist so wunderbar
Deutschland ist mein Super-
star
Das ist doch klar
Du bist so wunderbar

Klugscheißen ist Repertoire
Und wandern geh'n im Super-
markt
Scheiß auf die GEMA
Und ab zum EDEKA

When I first came to Deutsch-
land
There was Schlager in my head
The stars looked like a Pretzel
I was happy and I said …

183

You're the reason
I klugscheiss
I love how you say »Wideo«
And other vords
Like »oberaffengeil«
Baby, you stole my Herz.
I say Eichhörnchen

I say Squirrel
»Eichhörnchen!«
»Skvrrl!«
Ja, ja, ist doch klar
Deutschland du bist wunderbar
Ja, ja, ist doch klar
Du bist unser Superstar

Uh Ah
FKK
Lange Schlange bei
EDEKA

Ja, ja, ist doch klar
Deutschland du bist wunderbar
Ja, ja, ist doch klar
Du bist unser Superstar

Heeeeeeeeeeeeeeeeey Deutschland
Uuuuuuuuh, aaaaaaaaaah
You need to knoooooooooow
That ich liebe dich!
1, 2, 3, 4, 5, 6, 7, 8

Heeeeeeeeeeeeeeeeey Deutschland
FKK
You need to knoooooooooow
That ich liebe dich!

Hier will ich sein
Hier bin ich daheim

Blieb noch mein Triumph über Colin. Ich musste ihm den Schlager vorspielen und meine »Ätsch-hab's-dir-doch-gesagt-HASHTAG-YOLO«-Punkte kassieren. Ich lud ihn zusammen mit ein paar Freunden zur offiziellen Songpremiere ein. Natürlich füllte ich sie vorher mit Alkohol ab. Schlagermusik ist schließlich der Sound der Bierzelte, sie funktioniert am besten in Kombination mit einigen Promille. Erst als alle Augen ausreichend glasig waren, versammelte ich die Zuhörer vor den Boxen meiner Anlage.

»So, jetzt kommt der Moment, auf den ihr alle gewartet habt – oder besser: auf den ich gewartet habe. Fred und ich haben unseren Schlager fertig, und ihr seid die Ersten, die ihn zu hören bekommen. Colin, du kannst schon mal die Möbel wegrücken, damit du mir gleich den roten Teppich ausrollen kannst.«

Ich drückte auf Play. Als der Vierviertel-Rhythmus einsetzte und Freds Instrumental-Intro begann, schauten alle erwartungsvoll. Als der Gesang einsetzte – also an der Stelle, als die Zuhörer der ersten Version sich panisch nach Fluchtwegen umgeschaut hatten –, registrierte ich ein paar wippende Füße und wiegende Köpfe. Und überraschte Blicke. Als wir den Refrain und das »Hey Deutschland« erreichten, wurde anerkennend genickt. Auch wenn sie nicht wussten, dass der Song eine Hommage an den Schlagergott *DJ Ötzi* war, kam die Musik den meisten offenbar irgendwie vertraut vor. Die letzte Strophe sangen dann schon einige mit, andere klatschten oder schunkelten auf der Couch. Die meisten taten das natürlich »ironisch«, aber das entspricht ja der Haltung, mit der sehr viele Menschen Schlager hören.

Colin versuchte vergeblich zu verbergen, dass er beeindruckt war. »Und was genau war dein Part dabei?«, fragte er, als der Song verklungen war.

»Na ja, einige Textstellen sind von mir«, murmelte ich.

»Wie viele genau?«

»Hmm, bei der eben gehörten Version ... vielleicht 20 Prozent?«

»Und die Musik? Hast du beim Komponieren mitgemacht?«

»Ich hab Luftgitarre gespielt. Ich hab auch ein paar Mal mitgepfiffen, aber ich glaube, das hat er rausgeschnitten. Der Rest ist von Fred. Es hat sich rausgestellt, dass ich nicht sooo musikalisch bin.«

»Luftgitarre zählt nicht«, entschied Colin unbarmherzig. »Dein Beitrag bestand also im Wesentlichen darin, anwesend zu sein und die Aufnahme beinahe zu ruinieren, mit einem Gesang, der wie zersplitterndes Schaufenster klingt.«

»Komm, so schwarzweiß muss man das nicht sehen, Colin. Wir waren ein Team, Fred und ich. Aber ich gebe zu, dass er eher der John Lennon war und ich ...«

»... Ringo?«

»Nein. Yoko.«

»Das klingt eher nach der Wahrheit. Also: Denkst du weiterhin, jeder könne Schlager machen?«

Ich dachte einen Moment nach, wie ich die Wette noch gewinnen konnte. »Na ja, jeder, der einen Fred hat.«

»Stimmt«, sagte er und schob um des dramatischen Effekts willen eine Pause ein, »aber das ist Betrug. Du kriegst eine Eins für dein Engagement. Das Ergebnis ist ein gekonnt gemachter Schlagersong. Nur hat ihn eben Fred gemacht. Für alles zusammen gebe ich dir eine Vier minus. Weil du geschummelt hast. Und du hast *nicht* bewiesen, dass jeder Schlager kann.«

»Echt? Eine Vier minus? Das ist besser als die meisten meiner Schulnoten! Hab ich also doch musikalische Begabung? Los, holt mal meine Luftgitarre vom Schrank!«

Freds streng wissenschaftliches und genaues Klassifikationssystem für Schlager

Eines vorweg: Schlager ist streng genommen kein Genre. Ein Schlager ist auch nicht dasselbe wie ein Hit. Schlager ist auch nicht einfach nur »Grölen nach Zahlen«. Schlager ist ein Konzept. Eine Idee. Ein bestimmter Spirit.

Schlager bedeutet, die beste Musik so zu verdichten, zu vereinfachen und zu konzentrieren, dass dabei eine mitsing- und schunkeltaugliche, tanzbare Musikversorgung für die amüsierwütigen Massen rauskommt. Dabei ist der Schlager genreneutral. Der Ursprung kann Folk sein, es kann Pop sein oder auch Techno. Es muss nur möglich sein, sich dazu zu bewegen. Ein Schlager muss Menschen, die betrunken in einem Bierzelt sitzen und nicht mehr wissen, wer und wo sie sind, zu einer emotionalen Einheit verschmelzen können.

Wer einen Schlager-Hit schreiben will, muss sich zwingend auf eine der vier Phasen einer Schlagerparty besinnen, die Fred in jahrelanger Forschung herausgearbeitet hat: »Heimat«, »Schunkel«, »Tanz« und »Liebe«.

I. Heimatschlager
Heimatschlager werden gerne zu Beginn gespielt. Sie fördern das Gefühl eines großen Ereignisses und der Zusammengehörigkeit unter den Gästen. Die Texte von *Heimatschlagern* müssen jeden

Zuhörer auf einer persönlichen Sehnsuchtsebene ansprechen, aber zugleich gemeinschaftsstiftend sein – egal wer man ist und woher man kommt. Sie müssen also funktionieren wie ein Horoskop.

Heimatschlager verwenden kein Liebes-Vokabular, sondern behandeln Naturthemen. Natur gibt es überall. Sogar in Bielefeld. Die Texte sollten den blauen Himmel besingen, blühende Blumen, verschneite Gipfel und muntere Bächlein. Deshalb gibt es die größte Konzentration von *Heimatschlagern* in den Gegenden, die solche Landschaften haben, wie Bayern, Österreich oder die Schweizer Alpen.

Charakteristisch für den *Heimatschlager* sind zudem Hörner und Flöten sowie Terzen und Sexten. (Für Musiknerds: Das sind Intervalle, sagt Fred.) Ach so, und natürlich Jodeln. Viel Jodeln.

Bekannte Beispiele sind »Heidi, Heidi« *(Gitti & Erika)*, »Blau blüht der Enzian« *(Heino)* und »Ich lieb' die Berge meiner Heimat« *(Zillertaler Schürzenjäger)*.

2. Schunkelschlager

Schunkelschlager sind das in regelmäßigen Abständen eingesetzte Gleitmittel für Schlagerpartys und Volksfeste. Sie bereiten die späteren Phasen *Tanz* und *Liebe* vor. *Schunkelschlager* sollen für Körperkontakt unter den Gästen sorgen und sie aus der Reserve locken, damit sie sich mit ihren Nachbarn bekannt machen und womöglich sogar mit ihnen sprechen. Klappt in Deutschland am besten mit diesem legomäßigen Sitztanz.

Hoppla, was kommt jetzt? War das eben eine erotische Andeutung in dem Liedtext? Fühle ich eine leicht beschwipste Lust aufs Flirten? Ich fühl mich abenteuerlustig. Mein Nachbar sieht eigentlich ganz schnuckelig aus. »Ich bin die Gaby!« Schnapp dir seinen Arm. Hak dich unter. 'ne Runde Schunkeln – und dann: Prost!

Charakteristisch für *Schunkelschlager:* Das Schlagzeug ist hörbar, aber noch zurückgenommen. Die Andeutung eines Mitklatsch-Rhythmus ist vorhanden, aber der Takt zielt eher auf den Körper als auf die Hände. Im Bass keine Quinten (sagt Fred).

Bekannte Beispiele sind: »In München steht ein Hofbräuhaus« *(Franzl Lang)*, »Polonäse Blankenese« *(Gottlieb Wendehals)*, »Griechischer Wein« *(Udo Jürgens)*.

3. Tanzschlager

Wie bin ich nochmal hierhergekommen? Wo bin ich überhaupt? Und hab ich wirklich all diese Gläser leergetrunken? Die zunehmend unkoordinierten Schunkelbewegungen werden allmählich abgelöst durch entfesseltes Gehopse auf Tischen und Bänken sowie wildes Gedrehe und Geschwanke. Keinen schert es mehr, wohin sich die Hände verirren – Brüste und Oberschenkel eingeschlossen. Jegliches Gegrabsche wird jetzt akzeptiert, alle sind selig. »Ich geb einen aus. Eine Runde Korn für den ganzen Tisch!«

Tanzschlager werden der Tatsache gerecht, dass das zunehmend betrunkene Publikum komplexeren Texten nicht mehr folgen kann. Deshalb steigt der Anteil der *Uuuhs* and *Aaaahs* auf annähernd 100 Prozent. Denn auch ein Volltrunkener kriegt es noch hin, »Heeeeeeey Baby!« zu ~~singen~~ lallen.

Charakteristisch für *Tanzschlager:* Jetzt gibt's die volle Vierviertel-Dröhnung der Drums. Intro? Nö. Wer braucht das schon. Strophen? Phhh! Refrain zum Mitsingen? Jawoll! Viel davon! Das wollen die Leute! Mit mindestens zehn Wiederholungen. Abschluss? Nein. Einfach aufhören und den nächsten Bumsschlager rein!

Bekannte Beispiele sind: »Wahnsinn« *(Wolfgang Petry)*, »Das geht ab« *(Die Atzen)*, »Geh mal Bier hol'n« *(Mickie Krause)*.

4. Liebesschlager

Liebesschlager sind die Rausschmeißer – das letzte Lied für heute Nacht, die letzte Runde, die letzte Chance, nicht allein nach Hause zu gehen. Dabei geht es nicht um Sex und romantische Liebe, sondern um Freundschaft und Gemeinschaft. Um die Liebe unter allen Menschen.

Ich bin hier! Ich lebe! Ich habe diskret in eine Ecke gekotzt. Mir geht's gut. Dieser magische Moment wird nie wiederkommen. Den will ich mir dir erleben. Oder mit dir? Wieheissunochmal? Wie – du gehst schon? Is doch noch so früh! Weissu noch meine Adresse?

Charakteristisch für *Liebesschlager*: Langsam. Gefühlig. Synthesizer, Streicher, Orchester. Viele lange, cremige Akkorde und darüber die Stimme des einsamen Wolfs, der das ewige Lied der Sehnsucht jault.

Bekannte Beispiele sind: »Weus'd a Herz hast wie a Bergwerk« *(Rainhard Fendrich)*, »Gute Freunde kann niemand trennen« *(Franz Beckenbauer)*, »Verdammt, ich lieb' dich!« *(Matthias Reim)*.

Der Teil, den man üblicherweise Schluss nennt

Beim Konzipieren dieses Buchs habe ich mich gefragt, wie ich auf das Buch eines Ausländers reagieren würde, das *Make Me English* hieße und den Versuch des Autors schilderte, ein Teil der kuriosen Nation zu werden, aus der ich stamme. Ich wäre skeptisch. Sehr skeptisch. Und bevor ich es überhaupt gelesen hätte, würde mein Urteil darüber vermutlich feststehen. Etwa so:

A) Uninteressant für mich – ich betrachte mich nicht als »typisch englisch«.

B) Man kann nicht Engländer »werden«. Man ist es oder man ist es nicht.

C) Was der Autor offenbar für »typisch englisch« hält, ist weit entfernt von dem, was ich dafür halte.

Wie kann ein x-beliebiger gutaussehender, glatzköpfiger, ausländischer Comedy-Autor behaupten, er verstehe aufgrund seiner Handvoll Erfahrungen, was »nationale Identität« sei? Wie kann er sich anmaßen, mir so etwas Komplexes und Vielschichtiges auf ein paar Seiten erklären zu wollen?

Nachdem ich all die Aufgaben hinter mich gebracht habe, die ich mir für dieses Buch gestellt hatte, würde ich euch gerne sagen, dass ich mit dem Ergebnis ganz zufrieden bin. Dass ich mich zurücklehnen und euch entspannt ein rauschendes Finale zum Mitklatschen und Mitsingen präsentieren kann, so dass wir alle zusammen das Buch zuklappen können mit dem Gefühl, unsere Zeit nicht vergeudet zu haben.

Trotzdem war mir bis vor einigen Tagen nicht ganz wohl beim Gedanken an eine solch frohgemute Bilanz. Denn »Integration« ist ja kein Projekt, das man jemals abschließen könnte. In diesem Buch sind viele Integrationsschritte beschrieben, und ich habe noch ein paar andere Minischritte gemacht. Ich kenne jetzt den Text der deutschen Nationalhymne. Ich weiß die Namen der 16 Bundesländer. Ich habe deutsche Museen besucht. Ich habe mehr deutsches Fernsehen geguckt, als mir guttut. Ich habe einen Schlager geschrieben (na ja, es veranlasst ...). Ich bin in einem zu kleinen Jackett und mit einem viel zu kleinen Hut in einer Parade mitmarschiert. Ich habe mit großem Selbstbewusstsein splitternackt einen kleinen Raum betreten, in dem mehrere wildfremde Menschen saßen (das heißt, ich war in einer Sauna). Ich habe nackt in einem See gebadet. Ich habe das Land per Mitfahrgelegenheit bereist. Ich weiß jetzt, wie man grillt – und wer Helmut Kohl, Sophie Scholl, Claus von Stauffenberg, Rudi Dutschke, Willy Brandt, Mickie Krause, Hans-Christian Ströbele, Günther Jauch, Jan Böhmermann und *Bernd das Brot* sind.

Aber jedes Mal, wenn ich etwas gelernt oder zum ersten Mal bewältigt hatte, wurde mir nur umso bewusster, wie viel ich noch nicht wusste. Jede Antwort erzeugte zehn neue Fragen. Ich fühlte mich immer wieder aufs Neue wie ein blutiger Anfänger. Das würde sich vermutlich auch nicht ändern, wenn ich noch fünf solcher Bücher schriebe und mir dafür die entsprechenden Aufgaben vornähme. Ich hätte immer noch das Gefühl, dass ich meine vollkommene Ahnungslosigkeit in Sachen Deutschland demonstriere, sobald ich den Mund aufmache, um eine Meinung über das Leben hierzulande zu äußern – sei es beim Abendessen mit Annett oder in einer Talkshow vor Hunderttausenden von Zuschauern. Eine nationale Identität ist zu komplex und vielschichtig, um sie vollständig »lernen« zu können. Insofern werde ich mich niemals richtig wohlfühlen mit der Rolle als (gelegentlicher) »Deutschland-Experte«.

Aber vor der Abgabe des Manuskripts habe ich mich noch einer letzten Herausforderung gestellt: Um herauszufinden, was die deutschen Behörden als wichtiges Integrationswissen betrachten, habe ich mich für den insgesamt sechzigstündigen »Orientierungskurs« angemeldet. Diese Kurse werden vom *Bundesamt für Migration und Flüchtlinge (BAMF)* angeboten – und fast nie freiwillig besucht. Das Arbeitsamt schickt manchmal ausländische Langzeitarbeitslose dahin, um so deren Chancen zu verbessern. Außerdem müssen Einbürgerungskandidaten den Besuch eines solchen Kurses nachweisen. Es war schwieriger als erwartet, mich dafür anzumelden. Ich wurde auf eine regelrechte Odyssee durch verschiedene Abteilungen diverser Volkshochschulen geschickt.[13]

---

13 Ich konnte die Verwirrung über mein Anliegen irgendwie verstehen. Ich habe einen EU-Pass, muss also, auch wenn ich deutsch(er) werden will, nicht eingebürgert werden. Obwohl ich mich nach Ansicht von Annett so kleide, bin ich weder arbeits- noch obdachlos, sondern Autor. Und als solcher muss ich meine Chancen auf dem Arbeitsmarkt nicht mehr erhöhen als Schriftsteller im Allgemeinen. (Wobei es natürlich Gründe hat, dass wir Autoren geworden sind; so richtig arbeitsmarkttauglich sind wir wohl alle nicht.)

»Guten Tag. Fletcher mein Name. Ich würde mich gerne für einen Orientierungskurs anmelden. Das scheint online nicht möglich zu sein?«

»Stimmt. Hat das *BAMF* Sie hergeschickt?«

»Nein.«

»Und wieso wollen Sie dann den Kurs machen?«

»Ich bin an besserer Orientierung interessiert«, sagte ich.

»Normalerweise zahlt das *BAMF* dafür. Haben Sie mit denen gesprochen?«

»Nein. Ich brauche den Kurs nicht für irgendwas. Ich will ihn aus persönlichem Interesse machen.«

»Aus persönlichem Interesse?« Davon hatte sie noch nie gehört.

»Ja. Ich möchte gerne herausfinden, was ich nach Meinung der Regierung wissen sollte.«

»Hmm. Ach so. Tja. Sie müssten möglicherweise mit Frau Huber sprechen.«

Leider war Frau Huber nie zu erreichen. Trotzdem bekam ich es tatsächlich hin, mich für den Kurs anzumelden. Nicht dass ich mich besonders darauf gefreut hätte. Meine Erfahrungen mit Volkshochschulkursen waren ja so lala. In meinen drei Deutschkursen dort war ich immer der schlechteste Schüler gewesen. Ich hatte stets nur dagesessen, die Minuten gezählt und gehofft, dass ich nach Hause konnte, bevor der Lehrer mir eine weitere Frage stellte, auf die ich keine Antwort hatte. Immer hatte ich nach wenigen Tagen schreckliche Kopfschmerzen bekommen und musste den Kurs aus rein medizinischen Gründen aufgeben. Insofern rechnete ich fest damit, auch im Orientierungskurs nach kürzester Zeit der Klassendepp zu sein.

Zu meiner großen Verblüffung lief es diesmal jedoch ganz

anders. In meinem Kurs saßen außer mir 18 »Menschen mit unterschiedlicher Herkunft«.[14] Jeder Tag war eine Art unbürokratische UN-Generalversammlung. Und egal worum es ging – Alltag, Fernsehen, Film, Vereine, Politik, Steuern, Recht: Ich wusste Bescheid! Weil ich das meiste schon mal gemacht hatte – vieles davon extra für dieses Buch. Ich wusste, wie eine Wahl in Deutschland abläuft. Wie man einem Verein beitritt. Wie man eine Firma gründet und wieder abmeldet. Wie man eine Wohnung mietet. Sogar wie ein Lohnsteuerjahresausgleich aussieht. Ich kannte mich mit deutscher Musik aus. Ich hatte die populärsten deutschen Filme der letzten Jahre gesehen. Auch mein Deutsch war weit besser und fließender als das der anderen Teilnehmer. Ich vermutete zuerst, das liege schlicht daran, dass ich schon jahrelang hier lebte. Aber dann stellte sich heraus, dass die beiden Frauen an meinem Tisch (die eine aus Chile, die andere aus Armenien) auch schon vier Jahre hier waren – und sie brachten kaum einen deutschen Satz zustande. Zum ersten Mal hatte ich das Gefühl, meine Jahre in Deutschland doch nicht komplett verplempert zu haben.

Ich fürchtete mich nicht mehr vor Fragen des Dozenten – ich war der Streber, der gefragt wurde, wenn niemand sonst die Antwort wusste. Ich wurde zum wandelnden Wörter-

---

14 Als eines der ersten Dinge brachte man uns bei, dass es politisch nicht korrekt sei, solche wie uns »Ausländer« oder »Menschen mit Migrationshintergrund« zu nennen. Wir würden damit diskriminiert, erfuhren wir staunend. Wir mussten lernen, »Menschen mit unterschiedlicher Herkunft« zu sagen. Aber wahrscheinlich ist das beim Erscheinen dieses Buchs schon wieder überholt und ebenfalls als menschenverachtende Diskriminierung entlarvt. Stattdessen gilt dann vielleicht gerade: »Hochwillkommene Weltbürger mit zeitweiligem oder dauerhaftem Aufenthaltsstatus in Deutschland«.

buch des Kurses – Kursteilnehmer baten mich, Wörter vom Englischen ins Deutsche zu übersetzen, der Dozent erbat das Umgekehrte. Die Leute schrieben heimlich meine Antworten mit. In den Pausen fragten sie mich, warum ich in diesem Kurs sitze, obwohl ich perfekt Deutsch könne und schon alles über Deutschland wisse.

Je länger der Kurs dauerte, desto schwerer fiel es mir, diese Frage zu beantworten. So ahnungslos und ignorant ich mich auch oft fühlen mag – ich bin ganz offensichtlich integriert. Verglichen mit den anderen Kursteilnehmern war ich ein regelrechter Deutschland-Experte. Das Leben hat mich bereits viel stärker geprägt und verändert, als ich es je für möglich gehalten habe.

Je länger ich mich beobachtete, desto mehr untrügliche Integrationssymptome bemerkte ich. Ich träumte manchmal auf Deutsch. Ich benutzte Wörter wie »Verlängerungsbestätigung«, ohne einen Lachanfall zu bekommen. Ich begann, automatisch auf den Tisch zu klopfen, wenn ich die Kneipe betrat oder verließ. Ich ertappte mich dabei, intensiv über die Notwendigkeit eines Tageslichtbads zu diskutieren. Und dabei, dass ich mir angewöhnt hatte, einen Schal zu tragen, wenn ich ein Kratzen im Hals spürte. Ich stöhnte genervt, wenn jemand in einer politischen Diskussion nach drei Sätzen beim ersten Nazivergleich war. Ich nahm brav eine Einkaufstasche und die Pfandflaschen mit zum Supermarkt. Ich war (scheinheilig) genervt, wenn ein Ausländer, der seit Jahren hier lebte, kein Deutsch sprach. Ich freute mich, wenn die Spargelsaison begann. Ich fuhr mit dem Rad zum Schrebergarten eines Freundes, sah ein Plakat (nachdem ich Plakate jahrelang komplett ignoriert hatte) und wusste, wer der darauf angekündigte Jan Delay war, weil ich ihn während meiner Fernsehsession ein paarmal in Talkshows gesehen hatte.

Die Aufgaben, die ich mir für dieses Buch gestellt hatte, waren nicht extrem. Es sind nicht die Außenseiter und die Verrückten, die man studieren muss, um zu verstehen, wie die große Masse tickt. Schließlich hat es einen Grund, dass sie Außenseiter sind. Es geht also nicht um die Highlights oder Extreme wie das Oktoberfest oder Karneval. Schließlich beurteilt man die Qualität einer Beziehung auch nicht anhand des entspannten, harmonischen zweiwöchigen Jahresurlaubs auf den Malediven, sondern man betrachtet die Hunderte von stinknormalen, muffligen gemeinsamen Mahlzeiten oder das planlose Rumhängen auf der Couch, während *Deutschland sucht den Superstar* läuft, mit dem man viele, viele Abende des gemeinsamen Lebens verplempert. Auch die Kultur eines Landes studiert man am besten, wenn es banal zugeht und niemand damit rechnet, gerade von einem Forscher beobachtet zu werden.

Bin ich jetzt ein perfekter Deutscher? Sicher nicht!

Ich habe noch immer viel von einem englischen Romantiker in mir. Ich bin immer noch viel zu höflich und habe viel zu viel Angst, anderen Menschen lästig zu fallen, wenn ich meine eigenen Bedürfnisse artikuliere. Ich bin zu gehemmt. Ich bin zu oft ironisch. Ich sage oft nicht direkt, was ich meine. Ich mache über alles Scherze. Ich habe keinen Respekt vor Obrigkeiten. All das wird sich vermutlich nie gänzlich geben. Aber was ich alles dazugewonnen habe: Ich habe gelernt, zu sparen und mein Geld einzuteilen. Ich beherrsche eine zweite Sprache – und habe dadurch auch sehr viel über meine Muttersprache gelernt (würde aber immer noch jeden

Buchstabierwettbewerb verlieren). Ich schreibe (auch wenn mir Kommasetzung immer noch ein Rätsel ist). Ich bin viel produktiver und effizienter als früher. Ich habe meinen Beruf und meine Berufung gefunden. Man kann sich manchmal auf mich verlassen. Ich bekomme ein schlechtes Gewissen, wenn ich einen Sommertag im Park verbringe, statt zu arbeiten – so sehr stehe ich inzwischen auf Effizienz. Ich ziehe nicht mehr jedes Jahr um, sondern habe ein Zuhause gefunden. Ich habe mich so viel mit Deutschland beschäftigt, dass ich schon drei Bücher darüber geschrieben habe, die sich darüber lustig machen.

Haben meine Jahre in Deutschland mich zu einem besseren, respektvolleren, zivilisierteren Zeitgenossen gemacht? Ja!

Was hätte ich mir Besseres wünschen können!

Wie deutsch bin ich wirklich?

Der große Test

Nachdem ihr mich auf meinen Abenteuern des Alltags begleitet habt, wollt ihr vielleicht wissen, wie es um euer eigenes Deutschsein steht. Seid ihr typisch deutsch? Oder habe ich euch mit meiner deutschen Spießigkeit längst rechts überholt? Um das rauszufinden, kreuzt bei den nachfolgenden Fragen je eine Antwort an, addiert die Punkte und lest dann die Auswertung am Ende des Tests.

1. Geil, es ist Sonntag! Was machst du?

A: Das Auto waschen. *Ich scheiß auf Regeln!* (1 Punkt)

B: Wandern. (3 Punkte)

C: Mich mit Freunden zum Brunch treffen und so viel futtern, dass man mich nach Hause rollen muss. (2 Punkte)

D: Alle Viertelstunde auf die Uhr schauen, wann der *Tatort* nun endlich anfängt. (4 Punkte)

2. Du sitzt in einem Zimmer und spürst einen leichten Luftzug. Was tust du?

A: Ich renne panisch aus dem Zimmer und schreie: »Oh Gott! Zug! Ich spür's schon! Ich hab mich erkältet!« (1 Punkt)

B: Ich sage mit fester Stimme: »Zieht es hier? Das geht nicht! Ich habe Halskratzen.« (3 Punkte)

C: Ich lege mir sofort einen Schal um – auch bekannt als *The German Magic Schal of Instant Wellness.* (2 Punkte)

D: Alles zusammen. (4 Punkte)

3. Welche Wortverbindung mit »Haus-« ist dir die wichtigste?

A: Hausschuhe (4 Punkte)

B: Hausaufgabe (2 Punkte)

C: Hausarbeit (3 Punkte

D: Freudenhaus (1 Punkt)

4. Als guter Deutscher weißt du immer …

A: … wann man Hände schüttelt. (3 Punkte)

B: … wogegen man sich versichern muss. (4 Punkte)

C: … was verboten ist. (2 Punkte)

D: … was man darf. (1 Punkt)

5. Welchen Kosenamen verwendest du am ehesten?

A: Schatz/Schatzilein/Schätzchen (4 Punkte)

B: Lebensabschnittsgefährte (1 Punkt)

C: Mein/e Mann/Frau (3 Punkte)

D: Schnuckibärchen (2 Punkte)

6. Auf dem Bürgersteig stößt du versehentlich mit jemandem zusammen. Was sagst du?

A: »Achtung!« (2 Punkte)

B: »Vorsicht!« (3 Punkte)

C: Nichts. Mein Gesichtsausdruck wird diesem Idioten Lehre genug sein. (4 Punkte)

D: »Entschuldigung.« (1 Punkt)

7. **Du willst dich irgendwo einbringen. Welcher Verein gewinnt dich als Mitglied?**

A: Kleingartenverein (4 Punkte)

B: Chor (3 Punkte)

C: Anti-Verein-Verein (1 Punkt)

D: Mieterschutzverein (2 Punkte)

8. **Deine Kollegin hat eine misslungene neue Frisur – sie sieht jetzt aus wie der Junge aus *Lassie*. Was machst du, wenn sie dich nach deiner Meinung fragt?**

A: Ich lüge und sage, dass sie gut aussieht. (1 Punkt)

B: Ich schaue an die Decke und warte, dass sie das Thema wechselt. (2 Punkte)

C: Ich sage ihr die Wahrheit, aber auf (für deutsche Verhältnisse) nette Art: »Du siehst aus wie ein kleiner Junge aus den 50ern. War das Absicht? Tragen die jungen Leute das jetzt?« (3 Punkte)

D: Man soll immer ehrlich sein. Ich sage ihr schonungslos, dass sie scheiße aussieht. (4 Punkte)

9. **Du nimmst deinen wohlverdienten, lange zusammengesparten sechswöchigen Urlaub. Was machst du?**

A: ***-Hotel mit All-inclusive auf Malle (4 Punkte)

B: Eine Wandertour in einer richtig schön öden Gegend in Skandinavien (2 Punkte)

C: Eine Woche an der Nordsee (3 Punkte)

D: Mit dem Rucksack nach Asien (1 Punkt)

MALLORCA

10. **Wonach sehnst du dich am meisten, wenn du im Ausland bist?**

A: Deutsches Vollkornbrot (3 Punkte)

B: Deutsches Bier (2 Punkte)

C: Deutsche Pünktlichkeit (1 Punkt)

D: Deutsche Effizienz (4 Punkte)

11. **Du bist bei mir eingeladen und sehr durstig. Ich stelle dir ein Getränk hin. Du begutachtest es genau und stellst fest, dass es offenbar nicht sprudelt. Was tust du?**

A: Trinken. Warum sollte ein Getränk sprudeln müssen? (1 Punkt)

B: Ich sage: »Sorry, aber mit meiner Schorle ist was nicht in Ordnung.« (3 Punkte)

C: Ich trinke brav, entschließe mich aber, die Freundschaft nach diesem Abend einschlafen zu lassen. (2 Punkte)

D: Ich reagiere wie ein Roboter, dem die Frage gestellt wurde, was Liebe ist: Kurzschluss (4 Punkte)

12. **Du hattest acht Jahre Englisch in der Schule, warst ein Jahr in den USA, 97 Prozent deiner Lieblingssongs haben englische Texte, und du betrachtest Stephen Fry quasi als Familienmitglied. Ein Tourist fragt dich: »Excuse me, do you speak English?« Was antwortest du?**

A: »Nein.« (1 Punkt)

B: »Yes, a little bit.« (4 Punkte)

C: »Wie bitte?« (2 Punkte)

D: »Dies ist Deutschland hier. Bitte sprechen Sie Deutsch.« (3 Punkte)

13. Wie lautet dein Name auf Facebook?

A: Facebook?! Spinnst du? Meinst du, das mit der NSA war nur ein Witz? Wach endlich auf, du Dummerchen! (1 Punkt)

B: Mein Vorname, aber auf chinesische Art in zwei Wörter geteilt, wie An Tje oder Clau Dia (4 Punkte)

C: Ein Pseudonym (3 Punkte)

D: Mein Vor- und Nachname (2 Punkte)

14. Welche der folgenden Einstellungen ist deine, wenn es um Pünktlichkeit geht?

A: Lieber 'ne halbe Stunde zu früh da sein, als mich abhetzen müssen. (4 Punkte)

B: Pünktlichkeit ist mir wichtig. (3 Punkte)

C: Man sollte schon einigermaßen pünktlich sein. Akademisches Viertel nehm ich aber immer mit. (2 Punkte)

D: »Der Film hat schon angefangen? War heute keine Werbung vorher? Ich dusch noch schnell, dann komm ich.« (1 Punkt)

15. Kein Auto weit und breit, aber das Ampelmännchen leuchtet rot. Was tust du?

A: Ich warte – vertrauensvoll und ohne dass es mir peinlich ist. Ordnung muss sein. (4 Punkte)

B: Ich warte, aber nicht ganz entspannt. Kann nicht ein Auto kommen oder ein Kind, das ein Vorbild braucht? Dann komme ich mir nicht mehr ganz so blöd dabei vor, dass mir eine Leuchtdiode verbietet, eine total leere Straße zu überqueren. (3 Punkte)

C: Ich geh rüber. Wenn einer »Halt« ruft, stelle ich mich taub oder gebe mich als amerikanischer Tourist aus. (2 Punkte)

D: Kann nicht passieren. Ich verlasse doch nie meine Wohnung. (1 Punkt)

16. Du unterhältst dich mit Freunden über den Film *Slumdog Millionär,* **und dein Gegenüber datiert den Film irrtümlich auf 2007 (statt auf 2008). Wie reagierst du?**

A: Ich sage nichts. War doch nur ein kleiner Irrtum. (1 Punkt)

B: Ich sage nichts. Aber ich merke mir, dass man ihm nicht vertrauen kann. (2 Punkte)

C: Ich klugscheiße dazwischen, indem ich ihn mit einer gewissen Schärfe unterbreche: »Du wirst feststellen, dass der Film 2008 Premiere feierte. Wenn ich mich nicht irre, am 12. November um 22 Uhr. Oder?« (3 Punkte)

D: Ich stehe wortlos auf und gehe. Diese Unterhaltung ist unter meinem Niveau, und diese Leute sind für mich erledigt! (4 Punkte)

17. Du triffst dich zum dritten Mal mit einem neuen Bekannten. Wie begrüßt ihr einander?

A: Per Handschlag. (3 Punkte)

B: Mit einer Umarmung. (2 Punkte)

C: Mit Handgeumarme, also einer unentschiedenen Mischung, wobei man mit dem Handschlag beginnt, um sich dann doch zu einer halbherzigen und ungelenken Umarmung zu entschließen, bei der die Hände in unglücklicher Position am Gemächt des jeweils anderen eingeklemmt werden. (4 Punkte)

D: Mit der Ghettofaust. (1 Punkt)

Auswertung

17-34 Punkte: Nieder mit der Ordnung!

Du kennst echt den Unterschied zwischen Schorle und Schürrle nicht! Und den zwischen Ordnung und Anarchie erst recht nicht. Warum bist du noch mal hier? In Luxemburg sind die Steuersätze doch viel niedriger. Wahrscheinlich hast du nicht mal eine Haftpflichtversicherung, oder? Hab ich mir gedacht. Du bist echt eine Schande – und ab sofort wirst du von allen aufrechten Deutschen geächtet, bis du dich auf den Pfad der Ordnung und Sauberkeit begibst. Kehre um und bereue, Rebell!

35-45 Punkte: Alles (einigermaßen) in Ordnung

Mag sein, dass du ein paar halbherzige Integrationsversuche unternommen und dabei auch ein paar kleine Erfolge erzielt hast. Du bist bereit, einige der größten kulturellen Errungenschaften dieses Lands anzunehmen, wie zum Beispiel das Bier, den Kartoffelsalat und FKK. Aber was ist mit den schwierigeren und kniffligeren Sachen? Du pickst dir bisher nur die Rosinen raus. Das macht dich verdächtig. Also entscheide dich: Ganz deutsch oder gar nicht!

46-57 Punkte: Du bist ein Fan des Ordnungsamts

Du bist schon ziemlich deutsch: Pfand, Apfelsaftschorle und das Zurechtweisen von Leuten, die bei Rot über die Ampel gehen, sind dir bereits in Fleisch und Blut übergegangen. Gute Arbeit! Aber natürlich kannst du dich noch verbessern. Sind deine Fenster wirklich immer auf Kipp? Steht der Speiseplan für nächste Woche schon? Hast du einen riesigen Filzpantoffel neben der Tür hängen, in dem die Hausschuhe für Gäste stecken? Ist der nächste Malle-Urlaub schon gebucht? Also: Worauf wartest du noch? Los geht's!

58-68 Punkte: Du *bist* das Ordnungsamt!

Glückwunsch: Jedes Eckchen deines wohlaufgeräumten Wesens ist dermaßen deutsch, dass echt nichts mehr zu tun bleibt. Beziehungsweise nichts mehr zu machen ist. Du hast dich erfolgreich in einen deutschen Beamten verwandelt und siehst das ganze Leben durch die Brille der Kleingartenordnung. Das hat Vor- und Nachteile: Du bist einerseits dermaßen in der deutschen Mentalität verwurzelt, dass du dich hier wie ein Fisch im Wasser fühlst. Aber wenn du doch noch mal ins Ausland gerätst, wirst du dort übel auf dem Trockenen zappeln. Außer vielleicht in Österreich. Obwohl, nein: Auch in Österreich kommst du nicht mehr klar, du Piefke. Servus!

Feierliche öffentliche Danksagung

Ich möchte zuerst meinen wunderbaren Berliner Freunden danken, die dieses Buch netterweise mit ihren verrückten Ideen, ihren Erlebnissen und ihrem Enthusiasmus bereichert haben: Alex, Stefan, Kate, Rob (der das tolle Cover gestaltet hat), Paul, Linn, Jenny, Manuel, Jan, Kirsten, Nadine, Flo, Max, Sandra, Nozomi und Gregor. Ihr macht Berlin erst zu dem, was es für mich ist!

Mein herzlicher Dank geht auch an all die interessanten Leute, die ich im Zuge der Arbeit an diesem Buch (besser) kennenlernen durfte: Fred, Colin, Claudia, Margit, Dieter, Christoph (Autor von *The Longest Way*, einem Buch, das ihr alle sofort lesen solltet). Und an die Mitglieder meines speziellen Beraterstabs L.E.G. (League of Extraordinary Germans): Andreas, Gabriele, Ruprecht, Lucia, Thomas und Antje.

Danke auch all den Menschen, die mir über die Jahre geschrieben haben, um mir zu danken, mir die Meinung zu sagen, Vorschläge zu machen oder einfach meine Grammatik und Rechtschreibung zu korrigieren – *vielen Dank!* Und sorry, dass ich so unregelmäßig antworte. Mein »Antworten«-Button ist kaputt. Ehrlich! Aber ich bin sehr dankbar für eure Mails (auch die Klugscheißermails) und für euer Interesse an meinem Zeugs.

Und natürlich gebührt auch bei diesem Buch – wie schon bei den beiden ersten – der größte Dank meinem deutschen

Sidekick Annett, die es immer noch erträgt, aktiver Teil meiner absurden Alltagsmomente zu sein (beziehungsweise mich so großzügig damit versorgt). Danke für mittlerweile sieben Jahre gegenseitiger Kulturschocks!

Adam Fletcher
Paul Hawkins

Denglisch for Better Knowers

Fun Birds, Smart Shitters,
Hand Shoes und der ganze
deutsch-englische Wahnsinn

Zweisprachiges Wendebuch
Deutsch / Englisch.
Taschenbuch.
Auch als E-Book erhältlich.
www.ullstein-buchverlage.de

Is Your English not the yellow from the egg?

Is it all under the pig? Well, my friend, you need Denglisch for Better Knowers! Denn hier gibt es wundervolle direkte Übersetzungen all der großartigen deutschen Begriffe und Redewendungen, die bis jetzt als nicht übersetzbar galten. Denglisch macht nicht nur wahnsinnig viel Spaß, es eröffnet auch die Möglichkeit, the Ausländer für the great German language zu begeistern! Er wird sehen: Mit den Deutschen lässt sich gut cherries eating, nothing for ungood.

Bestsellerautor Adam Fletcher erklärt, warum die deutsche Sprache so großartig ist!

ullstein

Zweisprachiges Wendebuch Deutsch / Englisch.
Mit 50 Illustrationen von Robert M. Schöne.
Aus dem Englischen von Ingo Herzke.
144 Seiten. Broschiert
ISBN 978-3-406-66432-8

Wie man Deutscher wird erklärt all die kleinen
Absurditäten, die das Leben in Deutschland so
herrlich machen. Wir lernen, warum die Deutschen
so frei über Sex sprechen, warum sie so sehr von
Spiegel Online besessen sind und warum sie alle
davon träumen, nackt in einem See aus
Apfelsaftschorle zu schwimmen.

C.H.BECK WWW.CHBECK.DE

Schunkeln **is awesome!**

After two best-selling books exploring the quirks of German culture, British author Adam Fletcher finds he's become a pundit for German life. Unsure about his position, and with severe doubts about his own expertise, he decides to take on a series of hilarious integration challenges. Follow him as he traverses the country by Mitfahrgelegenheit and Deutsche Bahn, creates a Schlager song, marches in a Schützenfest, completes a Goverment Integrationskurs, takes a package holiday to the 17th Federal State of Mallorca and much more. Lovingly written, with a lot of British humor and avoiding the usual national clichés, he recounts his adventures of trying to become German. On the way, he reaffirms why this country and its inhabitants have such a special place in his heart.

ullstein

Adam Fletcher is a 31 year old, bald, Englishman. After several years in this fine nation, he'd consider himself almost German, were it not for continued inability to separate his Akkusativ from his Dativ and his plastic recycling from his paper. When not writing books and articles about his adopted nation, he mostly spends his days eating chocolate, and napping. In fact, no matter what time of day you're reading this, there is a 87.4% chance that he is napping. Shhhh! He is also the author of the Spiegel best-selling books *How to be German* and *Denglisch for Better Knowers*.

Adam Fletcher

Make Me German

*One Ausländer's quest to become
the perfect German*

Ullstein

Visit us online:
www.ullstein-taschenbuch.de

By request, some of the names and distinguishing details of
the people in this book have been changed. This is probably
because they are superheroes. Or criminals. Or criminal superheroes. Sometimes, I even changed names at my own request, because I wrote mean things about them and I don't
want them to realise, and hurt me. I have a very low pain
threshold.

Original edition at Ullstein Taschenbuch
1st edition January 2015
© Ullstein Buchverlage GmbH, Berlin 2015
Cover illustration and cover design: Robert M. Schöne
Typesetting: KompetenzCenter, Mönchengladbach
Typeset in ITC Berkeley Oldstyle Std/ITC Officina
Paper: Pamo Super von Arctic Paper Mochenwangen GmbH
Print and binding: CPI books GmbH, Leck
Printed in Germany
ISBN 978-3-548-37559-5

Dedicated to Paul. Thanks for the idea.
Well, actually, all the ideas …

Make me German

In 2007, I boarded a Ryanair flight from London Stansted (nowhere near central London, actually nearer to Cambridge) to Altenburg Leipzig (nowhere near Leipzig, actually nearer to Zwickau). I'd been offered a job in Leipzig and having never been a big fan of the UK, I snapped their proverbial arm off. I'd have snapped their real arm off, if they'd also required it.

To date, I'm pretty sure I've never been as excited as I was sitting on that flight. I was leaving behind the country of my birth, stepping out into the brave unknown and moving to a new and exotic land (well, *new*). I was an explorer of sorts. Just without all the cumbersome maps, research or life-threatening danger that usually accompanies that.

Hurtling through the sky in this winged, anti-gravity tube (I have very little idea how planes work), staring down at the rapidly shrinking mini-island I'd called home for the previous 23 years, I then proceeded to have what can only be described as a mini-breakdown. *HAD I GONE COMPLETELY MAD?* I had no interest in Germany. Which explained why I'd never bothered to visit it even once. By anyone's definition, that was pretty rude. I also didn't know a single person in Germany. Not even one. Not even a friend of a friend of a friend. Not even a second cousin. I also didn't speak a word of the language. I had purchased one of those »Learn German in 15 minutes« CDs and promised myself I'd at least

learn the numbers up to ten before I boarded that plane. Had I? Of course not. I hadn't even learned one, neither *the* number or *a* number. I mean, really, *who has the time*? Ten words of a foreign language?! Madness. I believed at the time that if you learned any words of a foreign language, you immediately forgot the same number of words of your mother language. Maybe they'd even be important words like *and* or *flagellate*. I couldn't afford to risk it! As for learning something about Germany, the country? The only things I knew about it were the names of several football clubs and a patchy world history that involved half a mustache and ended abruptly in the year 1945. Why was I giving up *England*, a country that I knew so well, a culture that was, for all its irritating faults, *mine*? Why was I forsaking something as basic as being able to talk to everybody, no matter where I was, and have them understand me? Why was I moving to a country that claimed to be civilized but didn't even have Marmite or Crumpets?

Breathe, Adam. Breathe. It'll all be okay …

Or it wouldn't, but at least I could still go home again and console myself with marmite crumpets, pretending it all never happened.

The short flight passed, and with it, I relaxed. By the time the door opened to Altenburg airport and I disembarked, I inhaled as much fresh air as my lungs allowed, and I noticed, it tasted just a tiny bit better than English air. Then I walked down the steps and turned to see the groups of people waiting by the fence (Altenburg is not a real airport, it's a field in some woods that Ryanair lands planes on once a day, full of people who have been led to believe it is actually located in Leipzig).

I was Neil Armstrong, making small steps for a man, but large leaps for *AdamFletcherkind*, onto the surface of this strange, foreign land. I hoped to find signs of intelligent life.

I found so much more than that.

That first year in Leipzig was easily the best of my life. I bounced around in a happy little foreign ball of well-meaning ignorance. I was always out of my comfort zone. I talked to everybody I met, clumsily and not always using words they understood, but enthusiastically. I befriended anybody who spoke to me for more than ten seconds. I needed them, I was lonely. Anytime anyone invited me to do anything, I said yes, because it was better than sitting at home on my own each night. I ended up in all kinds of strange places, some I liked and some I hated, like when I was invited to spend an evening with »sound enthusiasts« listening to the sound of boats creaking, that they had recorded at a local harbour, for an entire hour. I fell asleep. Yet, today, all of these encounters equally form the memories that I cherish from my first year in Leipzig. I was never as sociable, never as curious, never as outgoing as I was that year. Everything good that happened in my life was a direct consequence of taking the decision to board that plane and throw myself out into the great foreign unknown.

Now, some seven years later, I realise what moving abroad actually does – *it resets you.* If you live in one place for a long time, as I had in England, you are constantly surrounded by people that speak your language and share your culture, so it's easy to forget how special it is. You see only its flaws and minor inconveniences. Or perhaps even worse, you think that the way you do things there is *the right way.* That there are *normal* people, and *strange* people, and fortunately

9

enough, as chance would have it, you were born into the *normal* tribe, and all those other people over there, from other places, foreign places, with their strange cultures and languages and customs – those people are the *strange* ones.

Then, suddenly, you're somewhere else with a completely different idea of normal. You're dumped into situations where you no longer know the default way to do things; where you are no longer a master of language, a genius of local geography, an expert on the mating customs of your nearby tribe. In the face of millions of people doing and thinking things differently to you, it's only logical to conclude that maybe, there might also be something to their method? That your *normal* is actually just *what you are used to*. While it has become your magnetic north, the reference point to which everything else is aligned; it is nothing more than that. To these other people, your strange and often primitive ways and beliefs are south-south-west.

Over time, you replace words like *normal*, *strange*, *right* and *wrong*, with just one: *different*. This is not the only thing you learn. As you try and fail to complete even the simplest of tasks – buying toothpaste at the supermarket, telling the taxi driver where you want to go, ordering a burger, only without the pickles – you realise that while you left to *reinvent yourself*, the first thing you actually became is a complete child. A time when curiosity and ignorance went hand in hand.

It's magical. No, really! You get a few more golden years of happy, care-free ignorance in a Disneyland of foreign novelty, as sponsored by other people's culture.

The great thing about children is how they are excited by everything. Something as simple as a puddle can give them pure, unrestrained existential delight. There's no special rea-

son that adults lose this sense of simple joy, other than the specialness of puddles gradually gets bludgeoned out of us by endless puddle repetition. Now, when I look down at a puddle, it's not the first time I've seen a puddle. In fact, it's probably about the seven millionth time I've seen a puddle. I might have been more excited six-million-nine-hundred-and-nine-ty-nine-thousand puddles ago. But now, I don't even see the puddle. I see the puddle's effect on my responsibilities. I see wet socks. I see the end of summer. I see old age.

Which is why everyone needs to move abroad! You see, expats get to experience a unique phenomenon, called *Foreigner Vision*. This is like a magic pair of glasses, which we wear every day of our foreign existence. Through its special lenses, we get to peer out at a more interesting, colourful and exotic world. A foreign world. *That's not a puddle*, we think, *it's a foreign puddle. Full of special foreign water. Filling an exotic foreign crevice of an interesting foreign street.* Stepping in it is not just a mild, soggy inconvenience – it's an adventure!

As well as the world being slightly more interesting to you from the inside-out, it's also possible that the world might be a bit more interested in you from the outside-in. Just like children are given special treatment to speak their minds freely, so will you be. After all, you're no longer just an ordinary Belgian or German or Englishman in a rather cramped pool of millions of others. You have something new to offer the people of your adopted nation.

Now you're *exotic*, like a mango.

Suddenly your boring family memories can be retold to your new friends as sprawling cultural exposés. Your simple pub stories can become great, enchanting fables from a romantic, distant land. Indeed, any mundane, seemingly

»everyday« detail from your old life might be exciting to someone who doesn't know it. Soon, you might find yourself enthusiastically recounting the story of crumpets and Marmite like it's *The Lord of the Rings*.

But then, over time, your relationship to your adopted nation begins to change. Before, you would pride yourself on your outsider status; on your abilities to not understand what was happening around you; on being unable to eavesdrop on the people at the table next to you; on not being distracted by the meaning of the T-Mobile advert on the billboard in your street; on not having to be outraged at the latest political scandal. You had a lot of quiet, *you time*.

But as the years roll by, you slowly begin to integrate; by learning the language, and by becoming an increasingly important person in the lives of your partner, friends, colleagues and neighbours. Suddenly, without even noticing, you find that when your partner's Grandma phones, you are expected to talk to her, even just to say a few broken words in your adopted language. The longer you stay in your new nation, the less feasible it seems that one day you might leave. The more you begin to understand about the country you now call home, the more you realise that you still don't know, only, for the first time, this irritates you. You may understand all of the specific individual words in the sentence of the in-jokes of your new friends, but not the cultural references that live within them. Slowly, you're no longer defining yourself by your outsiderness, because you now want to be an insider, one of them.

This process was greatly accelerated for me by what happened in 2012, when I wrote an article entitled ›How to be German in twenty easy steps‹. It set out to explain why I'd

become quite so smitten by Germany and its inhabitants over the previous five years.

Several days later it was published online, and, promptly, the sky fell down upon my head.

The first 100 Facebook likes took less than an hour. By the end of the month, several hundred thousand readers had seen it. The German media discovered it. Here I was, a foreigner, who'd written a love letter to Germany. »People love us? Why? What's so great about Germany?« they asked, and I went to radio stations and tried my best to answer. The twenty step article was covered by many other magazines and newspapers. From the thousands of comments it received, many small debates began as people discussed what for them was and wasn't typically German. Publishers contacted me to enquire if I'd like to possibly turn that article into a book. I said I would very much like that, thanks. The book is still on the Spiegel best-seller list, as I write this sentence one and a half years later.

I'm still baffled by it all.

I always imagined the route to becoming a public figure – to someone who goes on talk shows and whose opinions are reported in magazine and newspapers – must be very well guarded, like that of a bank vault. That between me, in all my obscurity, and *them*, in their wider publicity, there must be a number of reinforced steel doors that open only for certain privileged and supremely talented people. Then to my surprise, I found as I approached the first door with my little How to be German book, that the door was not only unguarded but also wide open. So I just kept on opening and walking through doors until suddenly I came out the other side of all those doors to an audience that stood and clapped,

and a wall of cameras and lights, and I was greeted by the presenter of a chat show, who then sat with me on a couch as we discussed my »best-selling« debut book.

However, success brings its own problems. Firstly, there's the need to rationalise that success. Just as the only person to walk unharmed from a plane crash is going to ask »why me?«, I spent a lot of time asking myself exactly the same. Why was I sitting in a radio station in Berlin and being asked to talk on behalf of sixty three million British people, about eighty million Germans? Could I honestly convince myself that I was the most qualified for that job? The most integrated *Ausländer*? The most knowledgeable about Germany? The best writer? The funniest humourist?

No, I couldn't.

Had I ... watched more than ten minutes of German TV? Seen the inside of a German school? Tried being a *Zimmermann*? Learnt about *Schlager*? Tried *Nordic Walking* or hiking? Travelled the country via *Mitfahrgelegenheit*? Holidayed on Mallorca? Attended a *Schützenfest*? Kissed the head of the Karl Marx statue in Chemnitz? Voted in a German election? Visited more than three federal states? Fluently learnt the German language?

No, I'd not done any of these things. I'd never really even left the East. I can't even speak enough of the language to hold a decent, coherent conversation with anyone older than four years old. I live here and I observe, but observation is not integration, watching is not doing, reporting is not understanding. *I needed to integrate.*

So I spent a lot of this great time in which I had gotten exactly what I'd always wanted mostly just bumbling around thinking I was a fraud. This book is my answer to that feel-

14

ing. It's how I'm going to finally get rid of it so I can sleep better at night. It's the book where I'm going to go from accidental pundit, from surface skimmer, to really, really becoming an expert on the country of Germany (or fail trying). I'm going to learn how many of the things I've written in my first two books are actually true. I'm going to learn what a big fuzzy thing like national identity – one shared by more than eighty million people – actually means.

Isn't that a completely impossible task?

Well, yes and no. Or *Jein*, as a German would put it.

Of course, your experiences and ideas of German identity will be different in many small and big ways from everyone else's. Whether you're a third generation Turkish German with *Migrationshintergrund*, an Erasmus student here for a summer semester, a *Hausfrau* living in a small *Dorf* in *Mecklenburg-Vorpommern*, a farmer in *Brandenburg*, a teenager in a *WG* in a rapidly gentrifying corner of the *Hauptstadt*, or Angela Merkel herself, sitting behind a big mahogany desk in the *Reichstag*, signing off on the laws that govern the actions of all those people. That is obvious and in no way open to debate.

I'm not trying to understand *you* specifically, because you are complex and unique and comprised of your own special blend of neuroses, quirks and inner contradictions that would make such a task completely futile. It's likely even you have no idea who you are, and you've probably spent much more time trying to work it out than I ever could.

But, collectively, I think, through the combination of a country's government, laws, customs, pop culture, cuisine, history, and language, a shared sense of cultural identity *is* created. I think that there is a sort of tacit, broad agreement

about what we expect from each other, what is valued by one particular society, what is — at least statistically speaking — *normal*. We all, together, read, follow, and modify the unwritten contract of what it is to be German just a little each day, in our expectations and behaviours. It's that vague contract and all its various, glorious exceptions, additions, contradictions and small prints that I hope to discover on this journey.

And, like a *Mitfahrgelegenheit* to an unknown destination, driven by a bald Englishman prone to unexpected and unmerited swerving and incorrect comma usage, I'm going to take you along with me on its bumpy ride.

Schützenfest

»I had an idea for your book,« said my friend Alex, »you should come with me to my parents' village for *Schützenfest*.«

»What is *Schützenfest*?« I asked.

»Only the biggest party of the year!«

»Really?«

»Yeah. The biggest party of the year, in very small places. Most *Dörfer* will have their own little local *Schützenfest*.«

»What do they do there?«

»The two most famous parts are the flag waving and shooting competitions.«

»You shoot at people waving flags?«

»No,« he said. »Those two activities are unrelated.«

»Feels like a missed opportunity there,« I said.

»I'll suggest it to the *Schützenkönig*.«

»What the hell is a *Schützenkönig*?«

»Each year, whoever wins the shooting contest is declared *Schützenkönig*.«

»What about the person who wins the flag waving?« I asked, whilst waving invisible flags above my head.

»They probably get some *Schnapps*. Not much glamour in flag waving.«

»Fair point,« I conceded, dropping my invisible flags. »Does the *Schützenkönig* have special attire like a crown, cane, or powers, such as preferential parking?«

»No. Well, maybe a crown. Mostly you just have elevated

status in the *Dorf* for that year. But you also have to buy things for everyone. It's really expensive to become *Schützenkönig*. People even take out a kind of mortgage for that. Over the year, you'll usually spend about thirty thousand euros.«

»To recap,« I said. »You enter a shooting contest. If you win, your prize is the chance to spend thirty thousand euro buying people beer and *Schnapps* for an entire year?«

»Yep. It's tradition,« he said, detecting my disbelief. »Traditions rarely make sense.«

»If that's the star prize, I'd hate to think what they do to the people who come second or third in the shooting contest. Presumably they just take them off somewhere and shoot them?«

»Yeah, or maybe they are forced to take part in the flag waving contest. So, anyway, are you in?«

»You had me at shooting contest …«

Schützenfest, I was soon to find out, is a Middle Age tradition. Originally, it was a way of arming each village en masse with enough sharp shooters to protect themselves against »marauding gangs«, as Wikipedia describes them. I know from growing up in an underprivileged town that »marauding gangs« still exist. Although, in my experience, they've gotten lazier since the Middle Ages, and now they tend to just stay put, hanging around outside shops and bus stops, and being known merely as »gangs«.

Alex's father, Dieter, spoke to the town's Mayor to request if I, as an outsider, could take part in the festivities. Based on what ended up happening at the *Schützenfest*, I now believe that Dieter might have possibly mis-sold me to the town of *Neuwerk,* and this is where my problems began. I imagine the

18

conversation between Dieter and the Mayor went something like this (in brackets is what should have been said):

Dieter: »There is this British writer, you know, like JK Rowling, and John le Carré and he is interested in coming here to *Neuwerk* and taking part in our *Schützenfest* as research for a book he is writing about Germany.«

(*There is this British quasi-writer, you know, like Jeremy Clarkson. He's been strong-armed into coming here by my son, Alex, and will write about it in some kind of gift book.*)

Mayor: »Wow, he specifically wants to come to *Neuwerk*? That certainly is an honour. We best roll out the red carpet. What kind of book is he writing? Can he speak German?«

(*He probably doesn't even know where Neuwerk is, does he? What kind of book is he writing? I bet he doesn't know his Der from his Das, right?*)

Dieter: »Yes, specifically to Neuwerk. Presumably some book of anthropological or historical merit. He is a friend of my son Alex, who talks very highly of him. Yes, he speaks German quite well.«

(*He has absolutely no idea where Neuwerk is. It's a book of no historical merit, mostly about himself. Alex says he can't speak German even though he's lived here for centuries, because he is equal parts lazy and stupid.*)

Mayor: »I see no problem with it. Just make sure he sends us a copy of the book afterwards for the library. He can march in the parade with you and the rest of the *Alte Herren*.«

(*I see several problems with it, but let's just get him drunk and doing stupid things for our amusement. Make sure he doesn't send us the book afterwards, we don't have space in the library for every idiot's memoir. He can march in the parade, but at the back, out of sight.*)

Regardless of who they thought was actually arriving, I arrived, with my German girlfriend, Annett. We found the town of *Neuwerk* had gotten dressed up for the occasion. Because of the *Schützenfest*, we were greeted by blue, yellow, red and green bunting hanging across every street, front-gardens done out in displays of flags, and signs for the various local dignitaries and *Vereine* (organisations) that would be celebrating with us. Several old men toddled down the road in their green *Schützenverein* jackets. Another in a black jacket affixed with medals stood and welcomed people arriving at a nearby beer garden.

We discovered just how small *Neuwerk* is when we asked a woman pushing a pram for directions, and this person replied: »Oh, you must be Adam.«

It turns out, though, that this was Alex's sister, Anja. After picking us up, she then brought us to the yellow house where Alex's parents had been living for the past thirty-four years. After an hour spent in the easy, warm company of Alex's mum Margit, who was plying us with near deadly quantities of coffee and cake (as German social custom dictates), Alex's father, Dieter, arrived. At sixty-nine, Dieter has more energy than the average twenty-five year old. Dieter arrived, suited and booted, in his top hat, and took a seat next to me, immediately pouring us our first *Alt* beer. He then, in extreme-detail, began to tell me the entire history of the *Schützenfest* tradition, the proceedings for the rest of the weekend, the rules, the services, the people we would meet, the geographic area, as well as a quick two hundred and fifty year overview of the history of the town itself.

At least I think that was what he said. Dieter's heavy *Mönchengladbach* dialect was causing some problems. From my side of the table the conversation sounded like this:

»*Was machen wir heute Abend, Dieter?*« I'd ask, in my mangled German. (What are we going to do this evening?)

»*Jetzt gehen wir fsfen lkhhdfun gefunfen und die hojhweritgkeit werden hjhfdgeladen und danach zur Kirche asdhen ein jaskdhad.*«

Because it would have been rude to keep interrupting the conversation to ask him to repeat himself for the umpteenth time, I'd just nodded and smiled a lot, like a heavily medicated, but quite happy, mental patient. When I felt I should be contributing something, I'd say one of my stock German phrases, something like »*Sehr toll. Ich freue mich schon darauf*« (Very cool. I'm excited!), while having no idea if I was supposedly excited about doing the washing up, being given a million euros, or attending my own public execution.

Annett would then usually say: »Sounds great, can I come?«

»No,« Dieter would answer. »Men only.«

»Why?« she'd ask.

»Tradition.«

Then, while regaling me with a story about someone or another, Dieter stopped, and nodded at the direction of my notepad, sitting in front of me on the table. I carry a notepad with me at all times. He looked a little offended that I hadn't written any of his historical anecdotes in it. After all, Alex had told him that I was a »writer«. Based on the level of historical detail he was going into, it was fairly obvious to me that he'd not read any of my writing. If he had, he would know that I'm not a proper »writer«. I don't need facts. Or history. Or research. *Research?* What's that? That sounds like real work. The real work of a journalist or a historian. I'm unabashedly pop culture. I mostly write jokes about my girlfriend.

Anyway, not wanting to disappoint him, and reveal I was not actually the hot shot literary A-lister he had been expecting, I picked up my pen and pretended to write what he was telling me, but instead I actually wrote down the funny German words that he was saying (and that I could understand). Words like *Bruderschaftler*, *Zugführer*, *Hauptmann*, *Fahnenadjutant*, and an anecdote from Alex's sister about a German family she met while camping who had a canvas camping chair that they'd cut a big circular hole into the seat of. She asked what they were going to do with it, and the matter-of-fact reply was: »*Kacken gehen*.« (We'll take a dump.)

After a lot more coffee, and even more cake, everyone stood up and walked to a church. At the church, something happened; it might even have been of historical merit. I did ask Dieter, and he did say words, and he did look sad when I didn't write those words down, but none of these things helped in explaining what I saw and Annett didn't come inside, so I couldn't ask her.

However, while the service might have been bemusing, it did offer my first chance to get a look at this year's *Schützenkönig*. Dieter pointed him out to me. He was standing to the right of the central stage, stooped over in a way that hinted at his advanced age, I would estimate that he was in his late seventies. He didn't look like the first person you'd call when confronted with a »marauding gang«. He looked like the first person the marauding gang might call upon though, mostly because he was too old to run away.

After the ceremony we assembled outside the church to enjoy a beer and watch them raise the ceremonial *Schützenbaum*. Which they pretended to do by hand, but really did with a tractor.

In the evening, Annett, Alex and I walked to the neighbouring town, which was sharing this year's festivities with *Neuwerk*. It was sharing them in a half-hearted way though, since it didn't even have a *Schützenkönig* this year. Dieter explained that no-one there had wanted, or more accurately, could financially afford to be *Schützenkönig*, and so they were just skipping that part. However, they had successfully assembled a giant Oktoberfest style white tent with a *Schützenfest* band, long wooden benches, and alcohol. Lots of alcohol.

Upon entering, I expected a fairly raucous, lower-class experience that was rough around its edges, based on all the »proll« comments I gotten from people about *Schützenfest*. But this just wasn't the case. It was actually all quite reserved and middle-class. It soon relaxed, however, and took on the atmosphere of a big wedding, with three different generations on the dance floor. After a few rounds of drinks we were talking to Alex's old school friends, drinking far too much *Korn*[1], and pretending not to enjoy the live band's music choices which jumped erratically anywhere from *Elvis* to *99 Luftballons* to classic *Schlager* songs.

Then, something strange happened. We were with a group of about fifteen people drinking around a long wooden table. Suddenly, twelve of that fifteen (so everyone but Annett, myself and Alex) linked into a primitive chain and began rocking from side to side like drunken sailors.

»What are your people doing now, Annett?« I asked.

»This is called *Schunkeln*.«

---

1 Korn is a type of spirit. It is usually quite cheap. There is a reason for this. I would not strongly recommend it to you. It mostly tastes of wrong turns and regret.

»You've never seen *Schunkeln*?« Alex asked, with an equally dubious expression on this face. »It's German synchronised dancing.« *No, I had never seen Schunkeln.*

Schunkeln was a revelation! I'm not an enthusiastic dancer. I'm sure there's probably a good dancer inside me, but he's mostly just inhibited by the sheer number of dancing possibilities. I've got all these different limbs and appendages that can be combined in infinite ways. But, instead, when I am forced onto one dance floor or another, I'm totally overwhelmed, and mostly just stand there looking uncomfortable, or like I ended up on the dance floor only by chance, having gotten lost on my way back from the toilet. I then shuffle slowly towards the corner and hope this is not one of those modern, blippy-bloopy, electronic songs that young people like and last for thirty-five minutes.

I believe that if you took humanity's smartest dancing minds – I'm thinking the ghost of Michael Jackson, Riverdance's Michael Flatley, a handful of can-can dancers, Shakira and maybe Rick Astley – then rented them a meeting room in a Travelodge, with a portable CD player, a flipchart and some permanent markers, all with the explicit aim of *solving* dancing, *Schunkeln* is the solution they'd come up with. Because it contains everything that's good about dancing – camaraderie, movement, the touching of strangers, while at the same time, removing all of dancing's annoying, hard parts. It's not even physically possible to do it wrong. It's like a happy nirvana state for rhythmically challenged people, like myself.

In fact, assuming you're in the middle of the *Schunkel*, you needn't do anything at all! Once your arms are linked to your neighbours, as mine were to Alex's and Annett's, you can just

relax and sit there and everyone else is just sort of forced to dance you as if you were a primitive *Schunkeln* puppet.

Schunkeln is technically still dancing, but only if dancing were outsourced to India and so needed only the absolute bare minimum of effort and oversight. Which, in my humble dancing-phobic opinion, thus proves that *Schunkeln* is the pinnacle of all human movement and is vastly superior to almost anything, ever. In short, *Schunkeln* is awesome.

After several more *Korns*, and *Schunkels*, we left at around 11pm. I had to be up at 5am, after all ... Why, you ask? That's a good question, and one I'd asked Dieter several times.

»Tradition,« he would reply.

Apparenthy, all parade participants got up at 5am, to get ready and then, at 6am, met together for breakfast (sponsored by the generous/financially reckless *König*).

When my alarm sounded at 5am the next morning, it was a monumental struggle to convince myself to get out of bed. I found that the *Korn* had left quite an impression upon my person, particularly my stomach, which appeared to still be *schunkeling* away. At 5:30am, I did manage to hobble out to the hallway in my boxer shorts, where I was happy to see Dieter was not only awake, but raring to go, and already in full suit and tie. He looked a little bit disappointed at my dishevelled state and said several words, some of which I understood, and suggested that I should get my lazy, English ass moving.

Alex had warned me in advance that if I wanted to march in the parade, I'd need to sport the official uniform of the *Alte Herren* – black suit, black tie, white shirt, black socks, black shoes, top hat, and cane. The only thing I owned from that list was a pair of black socks, and even they were one

third grey. I planned to wear them anyway, because I'm a maverick.

After a quick shower, I dressed, putting on the suit, shirt and tie I'd borrowed from a friend. It was the second time I'd borrowed this outfit and since it worked out great the first time, I didn't think to test it beforehand.

However, I realised, whilst squeezing, pulling, wriggling and cursing my way into it, that this *first time* was some three years ago. I'd eaten a lot of chocolate, and done very little exercise since then. As a result, in certain areas of my body there had been some additional and unwanted physical expansion. Simply put, I'd gotten fat. I could just about squirm my way into the suit, but the belt I'd packed for the trousers now looked the very definition of self-delusion. It was too late to do anything about it now, so I just decided to hold my breath all day and hope for the best.

As I stepped out into the hallway, Dieter was waiting once again of me, this time with the most important part of my uniform – *the weapon*. Everyone who marches carries a weapon of some kind. It can be an unloaded rifle, a wooden gun, or for the bands, just their instruments. In the case of the *Alte Herren*, that weapon was a cane.

»Here is your weapon,« he said, only instead of handing me a cane, he held out a plastic grey umbrella. I didn't want to be ungrateful, but I wasn't sure this would strike fear into the heart of my enemy. I took it and inspected it closely, in case at first glance, I'd missed a button that made it transform into an assault rifle. I had not.

»My weapon is an umbrella?« I asked.

»Yes. Unfortunately, we've run out of canes.«

It felt more like cultural stereotyping. Because I'm English,

and in England it rains a lot. It would take someone of very generous imagination to classify rain as a »marauding gang«. If it rained that day, I'd be the most equipped Gladiator in the *Neuwerk* coliseum. If it didn't, I'd be more like a bearded Mary Poppins in a too small suit and non-regulation grey-on-black socks.

We left to meet the others for breakfast – a lively bunch of seven gentlemen, with ages ranging from sixty to eighty-two.

»Adam,« said one, »you must drink a beer with us over breakfast.«

»Really? Now? At 6:30am?«

»Of course,« he said, holding the opened beer bottle out to me.

»Why?«

»Tradition.«

After breakfast, at around 7am, we assembled together outside. I'd eaten very little, since I was afraid of further stretching the confines of my suit. The procession was very impressive, as several hundred of us had turned out, in various uniforms that denoted which part of the *Bruderschaft* we belonged to. Several more important people were even riding horses, and there was a big horse-drawn wagon which the people too old to complete our marching route could sit in. *Cheaters.*

»Do you know how to march, Adam?« asked Dieter, as we assembled into our ranks. I was getting better at understanding him now after a day in his company.

»Yes,« I lied, because I wanted to look experienced, and … *well, it's just walking, isn't it?*

»Okay great. Then we'll go to the front. Can you button your suit up like the rest of us?« he asked.

»Yes, of course,« I said. I then proceeded to try and button the suit. The suit rejected this idea off-hand. ›*The chocolate,*‹ it said. ›*Remember that? Yeah, sure you do. Fat man. You know, just because they call it Ritter Sport it isn't actually a legitimate sport, right?*‹

»Oh,« said Dieter, looking on and laughing, before sharing the joke with the rest of our little group. It seemed to go down well.

Much like Ritter Sport, in fact.

We assembled into our formation, me with my suit unbuttoned, and practiced marching a little bit and then as the brass band struck into life at the head of the procession, we set off. I thought I was marching very well. However, about thirty minutes of marching later, we stopped for a quick break, which the *Alte Herren* mostly used to tease me for my inability to march.

»I can tell from watching you that you've never served under the Queen,« began the first. »I've seen school girls march better,« added the second. »I'd say you've two left feet, but in your case that would be a compliment,« said Dieter.

Mobbing. Plain and simple. But it was also a sign of the light-hearted nature of the event. After about an hour of seemingly random meandering through the town, possibly just for the joy of waking up as many of its citizens as possible, we arrived at the *König*'s house. Which he'd thoughtfully decorated with signs and bunting and a big thick, thatch entranceway. Maybe he thought we'd miss it. We assembled in rows, facing the front of his house. He then came out, was introduced by one of the men on horseback and proceeded to walk with a group of other VIPs ceremoniously passed us all, then turned around and walked back again. A man on a

horse shouted »*Präsentiere deine Waffe!*« (present your weapons!) to us all and for a moment you could almost have gotten lost in that ceremony of it. But then, someone shouted something like »Frage deine Mutter nach meiner Waffe« (ask your mother about my weapon) in response and a small section of the *Bruderschaft* imploded in laughter and the spell was broken again.

We reassembled and marched all the way back to where we'd started. The religiously inclined amongst us then attended a church service. The *Alte Herren* and I went to a different type of German religious institution called – *die Kneipe*.

At the *Kneipe*, Dieter introduced me, with great reverence, to anyone who was around. The conversation would usually go something like:

»This is our special literary guest from England. He's writing a book about *Neuwerk and Mönchengladbach*!«

»About *Neuwerk*?« this person would reply. »Did you tell him about that *thing of historical merit* that happened *really long time ago*?«

»My book is not specifically about *Neuwerk* ...« I'd say, before getting interrupted.

»Well, Adam. It started in 1812. There was a fire at the ...«, then they'd look at the notepad in my hand, or in front of me on the table and say, »why are you not writing this down?«

»Oh, sorry,« I'd say, grab my pen and write down whatever joke I'd heard one of the *Alte Herren* say when they thought I wasn't listening, and so didn't need to be of historical merit. Such as this joke:

After a night of heavy drinking, a guy wakes up caked in vomit. His wife stands over him, with a face like thunder.

»Oh, great. Looks like you've had quite a night,« she says.

»Oh, err,« he says, looking down at his soiled clothes. »It's not what it looks like!«

»It looks like you've gotten stupidly drunk again and vomited all over yourself and your nice clean clothes.«

»No, that's not what happened,« he protests. »I only had a few drinks. Then I was walking home with Stefan, and he was totally wasted and fell into a hedge. You know what Stefan is like. So I reached in to pull him out and he vomited all over me. Of course I was angry about it, but he apologised and gave me €50 towards the cleaning costs.«

His wife leans over and pulls a crumpled bank note from his top pocket.

»This is €100,« she says.

»Yeah. Well, he also shit my pants.«

The first beer in the *Kneipe* was quickly followed by the second, which was hotly pursued by the third, which was then – against my will and better judgement – followed by a forth. This was heavy drinking for a non-drinker. My conspirators might have been advanced in age, but they were certainly young in liver.

»No more for me, thanks,« I protested. »I'm tipsy already.«

»What's the problem? It's not like it could make your marching any worse,« said one. »I'll get another round in.«

»Nah, I can't handle another drink,« I protested. »I get all grumpy and need to pee every five minutes.«

»Now you sound like a real *Alter Herr*. Stop whinging and drink, it's tradition.«

I began to understand that *Schützenfest* was really just a chance to dress up smart and drink beer. Or in my case, just drink beer.

The only plus side of all the drinking, was that it helped

my German language skills. Dieter was still a bit of an conversational enigma, but I was getting some of it. Usually, when in doubt, I could guess from his body language what he wanted from me. If he got up to go somewhere, there was usually a very good chance I was also supposed to go there too. Sometimes this plan worked flawlessly. Other times it didn't. Like when, at the end of our *Kneipe* drinking session, I assumed he was getting up to rejoin the parade and so I followed him, and ended up following him, in my top hat, to the toilet. Where he looked awkwardly back at me, and I'd quickly tried to act normal, like I was also completely surprised to see him there.

Oh, haha. You too? Peeing. Am I right? Yeah. Peeing. Happens to the best of us. Ha ha. Me too … in my top hat, that's right. I find it really adds some historical merit to the occasion.

After an hour of drinking, we all reassembled. I was enjoying all the maching. I'd never walked as part of a parade before. It was a surreal feeling and felt great to march to the beat of the band, to be part of a mass larger than yourself, but who were synchronised to you. To be able to look out, in front of you, at row upon row of uniformed marchers as far ahead as you can see. At moments like that, you do almost want a »marauding gang« to arrive and try their luck. But that impressive sight of solidarity is quickly undermined when as soon the procession passes anything bigger than a bush, five people break rank to run off and pee behind it (as I also did twice). This is less likely to intimidate an enemy.

Well, unless that enemy is hiding in a bush.

For a full hour we marched, albeit it with frequent, unscheduled pee breaks, before arriving at a church in the next town. Here we were supposed to turn right into the high

street where the real parade would begin, the part all the spectators had assembled to watch. In this small stretch of high street were several hundred of them, as well as the *König* and his dignitaries who were watching on from a specially created stage. As the various different marching groups passed this stage they would break into a real march. A ministry of silly walks style, full legged, fully stretched march. Waiting for this created a bottleneck, and rather than waiting the hour or so we'd need to hang around before our slot would open up, the imaginative members of the *Alte Herren* elected to break ranks yet again and, you guessed it, hit another *Kneipe.*

»Adam, I brought you a beer,« said one of the group, as I arrived back from my twenty-seventh toilet break.

»Great. Thanks.« I said in a manner that was not wholly convincing.

»Dieter, have you told him the story about the Pope and our Schützenfest?« he said. »It's very interesting … No? Well, it all started in 1811, in that time you were not allowed to have – why are you not writing this down? You are a writer, yes?«

I picked up my pen and mostly just wrote the words HELP and DRUNK and WHY a lot. I had also stopped protesting about all the beer that kept arriving in front of me, since it didn't seem to be helping, and I needed to reserve all my energy to walk straight in those rare moments that we were not drinking. In the beginning I thought this *Fest* was about tradition and community. As stated on many of the various flags, under the slogan ›*Glaube, Heimat und Sitte*‹ (faith, home, tradition). From what I saw, it would be more accurate to give it the motto, ›*Saufen, Saufen, Saufen*‹ (booze, booze, booze).

At around 1pm we arrived back just in time for our high street slot. I'd been marching, and drinking, since 7am. I'd eaten nothing more than a *Brötchen*. It was probably the most drunk I'd ever been, at least while wearing a top hat.

Weary and inebriated, we regrouped for this final collective march, and I tried my best to look motivated, instead of drunk and hungry. Annett would be there, and excited to see me looking smart for a change. I could see other members of the group were also flagging – not literally, I'm not sure when the flag waving competition was, since no-one mentioned it all weekend – in enthusiasm. We clustered together, did a final round of handshakes and pats on the back, briefly discussed actually marching, but we were a mixture of too old and too drunk. I was mostly too drunk.

By this point, as we set off, I gave up trying to be in time with the band. That was now, literally, a stretch of a goal, and instead I focused mostly on not falling over, or hiccupping, or having to run away and pee. The rest of the *Alte Herren* seemed similarly troubled. Still, the assembled crowd clapped, waved, and took photos very enthusiastically. Or, rather, one East German girl did.

»You looked very handsome,« said Annett, giving me a congratulatory hug at the finish, »it's nice to see you in something other than that same pair of jeans with the holes in.«

»Yeah, well, tradition,« I said, borrowing the motto of the weekend.

»But why didn't you button your jacket up like everyone else?« she asked, reaching down and attempting to button my jacket for me.

»Oh …«, she said.

Back at the house, as I was packing up, and saying good-

bye to Dieter and Margit, Dieter took a thick tome out from his bookshelf entitled *Gegen Die Gladbacherischen Einwendungen – Geschichte der Pfarre St. Mariä Himmelfahrt, Neuwerk.* Three hundred pages of stories, maps, and diagrams of historical merit.

»This will teach you everything you could want to know about Neuwerk and Mönchengladbach. Take it, it's a gift.«

I wanted to say no. That it would be wasted on me, assuming it had no jokes about *Apfelsaftschorle* or *Fenster auf Kipp* in it. To just drop the ruse and tell Dieter that I'm not a real writer. That if I feel like doing something of historical merit, I'll watch a movie that was released before 1999. That the only traditions I normally follow are paying my rent each month, and eating at the same Asian restaurant twice a week, the one nearest my house.

Instead, I said, »Thanks Dieter, that's really kind of you,« then flicked through just some of the pages I knew I'd never, ever read, and pretended to read them.

»Wow, it's very detailed,« I said.

»Yes, well, it needs to be, doesn't it?« said Dieter, »since you haven't taken many notes.«

On the way back to Berlin, sitting in a speeding metal box provided by our friends the Deutsche Bahn (I have very little idea how trains work), I alternated between rehydrating myself, napping and reflecting on my *Schützenfest* experience. I'd been shown great hospitality and had really enjoyed the weekend, getting to meet many quirky, entertaining people. However, I know why Alex looked uncomfortable at various points. I strongly dislike returning to my childhood town in rural Norfolk, England. There's too many unhappy memories. Too many *Ghosts of Me Past*. For some people, that is

grounding. It's the foundations upon which they've built their sense of self. Personally, it just reminds me of the *Me That I Used to be* before I became the *Me That I Actually Like*.

It's easy to be dismissive of tradition. To think that we no longer need the ceremonies that signify the passing of another major life event. Whether it's a birthday, a wedding, or a *Schützenfest*. But they still have their role. They jolt us out of our day-to-day routine and remind us that time has passed. That we're getting closer to the next personal ceremony in which we'll star, whether it's adulthood, marriage, retirement, or just our own deaths. When done right, events like *Schützenfest* allow us to come together and reinforce the collective values that we hold dear. But if we're going to take on the responsibility of honouring long held traditions, we also have to be brave enough to improve upon them. Tradition is a choice about which of customs from previous generations we decide will be passed on and kept alive by our reverence. There is nothing good about denying women any opportunity available to men. This is the part of *Schützenfest* that I didn't like. There's simply no reason that there can't be a *Schützenkönigin,* or that women shouldn't be allowed to join in any of the *Fest's* events. I hope whenever it is that I celebrate the next one, that this has changed. Until then, I don't think I would want to take part again.

Later in the journey home, Annett turned her laptop towards me so I could see the photos Alex and her had taken over the weekend. After viewing the first four, we were both weeping from laughter, and couldn't continue with the rest. In my head, I'd spent the whole day applauding myself for how well I was managing to fit in. I really thought I blended in, and gave a good account of myself. Now I was being pre-

sented with undeniable photographic evidence that I'd actually spent the day looking like Stan Laurel. I was unbelievably conspicuous. Looking at the photos was like playing the world's easiest game of *Where's Waldo*. I was immediately visible in every picture, just by the angle of my hat. It looked more like an oversized kippah with wings than a top hat, perched as it was on the very back of my head like a headwear afterthought. If that didn't give me away, there was my big silly grin, or my tie which was far too short, because I'd forgotten how to tie it, or the fact that I was the only person in the whole march who didn't have my suit jacket buttoned because I couldn't, or that I was inexplicably carrying an umbrella, as if it were a weapon.

Oh dear.

The only saving grace in all this is that I only found out about it after the event, and so was spared a whole day of feeling like a floating English turd in *Neuwerk*'s *Schützenfest* swimming pool. I was just happy no-one spotted my black socks were actually one-third grey. There might have been riots.

Maybe, ironically, if I can grapple for a positive conclusion amongst my complete failure to assimilate, it's that the humour that it generated might have enough historical merit to live on in *Neuwerk* folklore, even if this book doesn't. Inviting an ill-prepared and ill-equipped foreigner who is unable to march or drink beer might even become somewhat of a »tradition«.

That would make me happy.

The Eight Stages of Learning German

Of course, as illustrated by the frequent language breakdowns during *Schützenfest*, a large part of integration into everyday German life is ~~borrowing a suit that fits~~ learning the German language. If you want to understand a culture, you need to speak its language. Once you have the *what*, even if the *why* remains an enigma, you can at least understand what it is that you don't understand.

I've noticed that when trying to learn German, many foreigners, myself included, will follow a distinct pattern of eight language learning steps. Or, as is more often the case – *eight not language learning steps.* Only once we've completed all eight, can we really call ourselves integrated. Below, each of the eight are presented in the form of an Ausländer's fictional diary.

Stage 1 – Don't learn German

Dear Diary, guess who moved to Germany? Me! Yeah, crazy, right? It's a great adventure. Berlin is just amazing. I was born to live here. I can feel it in my ~~Sailor~~ ~~Sayle~~ ~~Seela~~ *Seele*. I have this super sweet WG by *Sonnenalleye* with this crazy Spanish artist guy and this lesbian couple from Canada who have a dog called MUFFINS. Can you imagine? *I know. Ferruckt!* Yeah, I'm so happy to be out of my home country. Boring! That place was just stifling my creativity. Everyone should travel more. Like me. Anyway, the only problem is that the people here speak something called *German. Who knew?* It's really hard to understand them. I'm not learning that shit. Did you see what Mark Twain said about the *The Awful German Language*? He said it was pretty much the hardest language in the world to learn. I think. It's probably easier to learn Chinese than stupid German. In

stupid German they even have this thing called genders! Did
you know that, Diary? *Der, Die, Das.* Totally crazy. I don't have
time for all that nonsense. I'm probably not going to stay very
long anyway. A few months max, I reckon. No need to learn it.

Stage 2 – Don't learn German

It's been a year already, Diary? *Unglaublich.* See how I said
unglaublich there? You can have that one for free, *Bitte schön.*
Yeah, can't believe I stayed a whole year already. It's been wild.
I love Germany. Especially the beer and the six streets around
my apartment that I know. But I'm still not learning German.
I mean, I already learnt quite a lot. I get by. You know? Basic
conversation. In bakeries, sorry, I mean *die Bäckerei's*! I don't
really need German. I work in English. I mean, when I work. Plus,
I have many German friends... Some of my best friends are
German... Actually, pretty much all my friends are German...
Wait, all my friends are German! Yeah, I'm very integrated. We
even speak a few words of German together, *manchmal. Prost*!
Anyway, I am going to leave pretty soon, I'm sure. A few more
months, max.

Stage 3 – Don't learn German

Two years already, Diary? *Unglaublich.* See how I said *unglaublich* there? You can have that one *total kostenlos, Bitte schön.*
Yeah, can't believe I stayed two years already. It's been wild.
I love the Fatherland. Especially the beer and the nine streets
around my apartment that I know. I love it here, Diary. But then
I'm also getting tired of all those new expats coming in and
totally ruining the *Kiez.* Stupid *Ausländers*, they don't even try
to fit in or learn German.
I mean I'm not like fluent, but I can speak *genug.* Just the other

day someone confused me for a German, when my back was turned to them and I hadn't said anything and I was wearing a hat. Yeah, stuff like that happens all the time. I mean I've tried, of course I've tried. But every time you speak *auf Deutsch* to them, they just reply in English. It's pretty much impossible to speak German to them, they all just want to practice their English with you. Maybe I should pretend to be Russian? *Ypa*! Anyway, I'm going to leave pretty soon, I'm sure, a few more months, max.

Stage 4 – Don't learn German

Three years here already, Diary? ~~Seemlich~~, hmm, no, I mean *ziemlich Verruckt*! See how I said *ziemlich Verruckt*? *Ja*, you can have that one *total kostenlos, Bitte sehr.* I can't believe I've stayed a whole three years already! It's been a techno-filled blur. If I didn't have the 8201 photos of partying that I uploaded to Facebook, I'd not remember a thing.

I still really love it here. Although, if I'm being really honest, Diary – my writing career has not really taken off as I hoped. That novel I planned to write about a foreigner living in Berlin is still in the planning stages. I'm thinking of opening a cafe now, something with cupcakes. I don't know. Let's see. Many options. My lack of German is getting really *peinlich* now, though. I think I'll start learning it. I think I'll do a course at the ~~Vauxhallschooler~~ ~~Vaulkshallsehule~~ *Volkshochschule.* Foreigners really should make the effort to learn German. *Volkshochschule* is a public-funded college thing so it's super cheap, but most of its teachers lost the will to live back in 1973 and now are just going through the motions. It's just round the corner. I start on Monday.

I probably won't stay much longer here though, Diary. A few more months maybe, max.

Stage 5 – *Erste Deutsch Unterricht*

Wow, Diary. It was awesome! It's amazing how much I already knew. I guess you just pick it up over the years, you know? Like osmosis *oder etwas*. The course was good. The instructor didn't speak a word of English to us, right from the *erste Klasse*. *Bin beeindruckt*! So, the beginning class was pretty easy, names, ages, hobbies *und so weiter*. I can't wait for class tomorrow! I'm totally nailing this German thing now, I have no idea why I waited so long to get started? I love *Sprachen lernen! Ich bin ein Donut!*

Stage 6 – German Grammar

UGHHHHHHHH. *OWWWWWWWWWWWWWWWWWWW. OUCHHHHHHHH.*

Sigh.

I hate foreign languages! I hate foreign people! I hate life! But mostly, mostly, mostly, I hate the German language!!!!!! Marky Twain! Oh, Marky Twain. You were so on the money, son. Really. I salute you in your historical rightness. The German language lives only to mock me. To make me feel inferior. My German class is okay, I'm one of the worst, which can be *super peinlich*. I try to do my ~~homework~~, *Hausaufgabe*, but the class is in the morning, Diary. You might not have heard of the morning, since I mention it so infrequently. It's basically all the things that happen before lunch. I know, crazy that they expect people to do anything before lunch, never mind complete tables of irregular, boring verbs. Anyway, learning *Vokabeln* was fun but now all we do is this *total langweilig* grammar shit. If I hear the words *Akkusativ* and *Dativ* one more time I'm going to punch someone in *dem Kopf*. It's *total sinnlos*. The German language is such a dinosaur. And not even one of those good and dynamic

dinosaurs like a T-rex. Just a shit dinosaur that makes no sense –
Vaterkrautasaurus – that sits around confused, trying to
remember the 87 different *Endungen* to its verbs and adjectives.
I missed class today, for the first time. I had a headache and I'd
not done my homework. I'll totally be back there tomorrow
though.

Stage 7 – Language no man's land

I'm sorry to say that I didn't end up going back to class, Diary. I
missed a few with that really bad headache ... more of a migraine really ... a severe one, actually ... probably an untreated
brain tumor effecting my foreign language learning nerve center.
Then, once I'd recovered, I'd missed so many classes, I just
couldn't really go back because I'd have been too far behind. But
it's cool, I've got the books and CDs and stuff, I'm totally going
to study at home. I'll start tomorrow. If I just do one hour a day,
every day, I'll be fluent in six months! Let's do this! I will slay the
German language dragon this time. I'm so ready!!!!

*Author's note: Despite the best of intentions those books will
never be opened. They will sit on a shelf where their primary
function will be the accumulation of dust. This stage can last
for several years and it is only when the weight of public shame
becomes so great, when sheer embarrassment has crushed all
your excuses into dust and you've finally accepted you aren't
going to leave Germany in a few months, that in fact Germany
is your home. Only after all that can you pass through to the
final stage of German language learning.*

Stage 8 – *Endlich (fast) fließend*

Heute habe ich endlich mit Englisch sprechen ~~stoppen~~ aufge-

hört. Egal, wer mit mir redet, jetzt antworte ich nur auf Deutsch. Ist peinlich, ich hasse es, niemand kann ein interessant ~~Gesprich Gesprish~~ Gespräch mit mir habe, weil ich wie ein Kind mit zwei Jahren rede, aber egal, ich muss das machen. Da gibt es keine ~~shortgeeuts~~ Abkürzung, keine ~~exeusigungen~~ Entschuldigungen mehr. Ich möchte hier bleiben. Ich möchte Deutsch sprechen. Ich möchte mit der Familie von ~~mein meine~~ meiner Partnerin sprechen. Es wird nicht einfach sein. Aber, genug ist genug. Ich will *Vaterkrautasaurus* reiten.

Author's Note: This is the final stage. You must refuse to speak English with everyone. Even English people. That's it. Once this realisation is made, it's just a matter of repeated effort, refusal to speak anything but German and the normal passing of time before you'll reach fluency, or at least the working semi-fluency you'll never really need to improve upon. The German language loves you, and supports you, and so do its people. It could always be worse. It could be Russian ...

Everyday German

Of all the challenges in this book, this was the one that Annett was the most excited about, and I the least. So much so, that she would regularly *accuse me* of trying to weasel out of it.

»When does German week start?« she'd ask.

»You mean German weekend, right?«

»Yes, German week.«

»Weekend.«

»Yes, week.«

German weekend was an agreement we had that Annett could combine up all the various taken-for-granted, practical, normal skills that most Germans seem to have as a birthright, but that my inferior English education has denied me, and I'd be forced to learn them over one typical German weekend: How to operate a BBQ, how to open beer with a lighter, how to repair things, how to hang laundry, how to fill a dishwasher logically, how to prepare potato salad.

Annett adheres to a staggering large number of the usual German stereotypes – she loves to plan, she is risk-averse, she is terrified of debt, she wears a high visibility vest while cycling, even in the middle of the day, she's hyper-practical, and with the exception of a violin, there is very little in this life that is as highly strung as she is. However, at the same time, she is also very open, warm, and self-deprecating and possesses this tiny little rebel that is always sitting on her

shoulder, whispering conspiratorially into her ear, encouraging her to sabotage her inner-German.

In fairness, the little rebel is rarely allowed to win and dictate her behaviour, but it's always there, trying, and the daily friction it generates is what makes her so entertaining to be around, no matter how different our two outlooks on the world.

In total, we've lived together for about five years. Precisely because of how different we are, we've spent 100 % of those five years squabbling about who has the right approach to our shared domesticity. The fundamental problem is that Annett and I tend to evaluate things on different scales, and I think this is a wider cultural problem of our two nations. We call this problem *English Romanticism vs. German Pragmatism.*

I'm an advocate of English Romanticism. English Romanticism says that it's not important how well something works, but how it looks. First aesthetics, then function. Not its efficiency, but the honesty of its intentions. Dual single duvets might be practical, but the romance of snuggling together under one large duvet is lost. Carpets might be magnets for dirt, but they are warm and cozy under your feet. Just because it's winter, it doesn't mean it's wrong for a group of women to go out clubbing in mini-skirts. Their goal is to look and feel good, not to be warm. It's not important if you are actually qualified to do something – whether it's cooking dinner or putting up a shelf – nor if you actually do it successfully. What's important is that you try hard and mean well. Whether it ends up burnt to a crisp, or secured with bent nails and cellotape, if you gave it a jolly good go, that's fine by the rules of English Romanticism. Nice one, sit down, have a cup of tea and a biscuit.

For Annett, practicality trumps everything. German Prag-

matism says: only do something if you're going to do it properly. It suggests that you first study the topic. Perhaps you can take a *VHS*[2] course? Or go talk to an expert? Get some specialised tools? It says there's no such thing as bad weather, just bad clothing. Here, try these waterproofs on. There's a flashlight sewn into the sleeve, and an emergency whistle in the collar. It finds beauty not so much in how something looks, but how it functions.

I remember renting us a beautiful hilltop apartment in Haifa, Israel. It was owned by a graphic designer, had a big wrap-around balcony and was beautifully, if sparsely, furnished. I loved it. Annett hated it. There were not enough saucepans, nor surface space in the kitchen, and no comfortable chairs to sit on. The view? Irrelevant to her. What are you going to do with a view? Not prepare dinner, that's for sure.

Recently we wanted to buy a new sofa. For normal people, this might take one trip to IKEA, or a few nights of online research. It took us one and a half years. It was like negotiating the Kyoto Protocol. Both sides had to have their views heard. Concessions were made. Lobbying was done via our friends. For me, a sofa should look sleek, and be as comfortable as possible. It should promote long, lazy nights of snuggling up under a blanket. It should basically just be a better looking upright bed for the living room. However, Annett and *German Pragmatism* wanted something that encourages correct posture and can be easily wiped down. It should not sag when you sit on it, how long could the

---

2 By VHS I'm not referring to a course delivered by VHS video, although I've no doubt of the educational merit of such sources, but rather *Volkshochschule*.

45

cushions possible *durchhalten* if there is already sagging prior to purchase? There should not be spaces down the side of the cushions where loose change and other life debris could fall and breed an evil army of everyday dirt.

Our fundamental differences in domesticity, coupled with my strong innate desire to avoid conflict, have meant that while our relationship is generally quite balanced, in the home, Annett has become the Kim Jong-Un of our *People's Democratic Republic of Wohnung*. She makes all the rules, I break all the rules, and I get punished for that by passive-aggressive post-it notes and signs everywhere, reminding me of her doctrine.

Because Annett, like many Germans, has a mortal fear of mould, and thinks you die instantly if there is any in the apartment, we have to wipe the edges of our bath tub after showering. I forget this 99.7 % of the time, mostly because, in her words, I »don't really care about it and am an insensitive a-hole« who »doesn't take her seriously«. So she has left signs for me in the bathroom. The first was a post-it note, and was, I felt, quite polite – ›Please wipe tub after use,‹ it said. She placed it by the mirror so I'd see it when shaving. It was next to a long standing (or rather long sticking) note that says, ›Clean up after you shave‹. But it proved too subtle and I kept »forgetting« to wipe the tub, so a new, A4, and more urgent sign went up directly above the toilet: »WIPE THE BATH-TUB AFTER USE«. This also didn't work. I saw it once, thought, »oh, Annett's written a new sign,« and then went right back to whistling *Final Countdown, »BABABA BABABA-BA BABABA BABABABA BABABABABABABABABABABA,«* thinking of new book ideas or trying to remember who it was who won World Cup Italia '90 …

So, a third, even larger, A2 sign went up, it says:

WIPE ME!!!! (Or Annett will hurt you!!)

West Germany! West Germany won Italia '90!

Now, where was I? Oh yeah, no matter the size of the sign, thus far, I still always forget to wipe the tub. Probably a bigger sign is being planned. Possibly she'll staple it to my forehead.

It's not just signs, of course: the rest of our apartment is also full of her household practical magic. For example, since I'm »an idiot« who »doesn't pay attention to things«, Annett has devised a system to ensure that I don't keep opening new cartons of orange juice while other cartons are already open. What she does is sit all the cartons next to each other in the fridge door, then she takes a black marker pen, and numbers them all. So the one we are drinking from now is »1«, the one we'll open next is »2« and so on. In case that was not already idiot-proof enough for me, she also rotates the spout of the open carton towards me in the fridge door. The rest are turned away from us, like they've been naughty.

I usually laugh when we're confronted with stupidity, or relax when I'm the customer of an inefficient business offering their services in a shambolic, haphazard manner, because it reminds me of, well, *me*. It makes me feel at home to know other people are as incompetent as I am. Annett just wants to fix them. She claims many Germans actually get »inefficiency headaches«, a physical reaction brought on by having to witness inefficiency.

Because of her controlling and fixing impulses, as the years have gone by, my inefficiencies have so aggravated her, that

47

she's taken over more and more tasks from my daily life. I don't even have a key for our mailbox. I don't even open my own mail. She opens it, reads it, highlights the key parts, dates it and then files it in a special tray on the kitchen side that she's installed. It's called »Adam's in-tray«. She puts forms in front of me with little post-it notes indicating where I should sign. If I actually had any money, it would be very easy for her to swindle it. It's quite possible she's already given herself power of attorney. I know this sounds like a strange arrangement, and certainly presents me as a fairly incompetent individual, and this I would not dispute.

It is what it is. It works for us. *She gets less headaches*.

But there are still conflicts. If the flat is messy, my solution is to pile everything in a corner, and then hide it with furniture. Annett's solution is to wait for it to get messier, document the mess, identify where it is coming from, form a committee, establish a set of new systems and protocols, implement these and meet at a later date for a process review. In the meantime the flat is messy and every surface is covered in paper and other various junk. For her, that's not the problem. The mess is a symptom, not the illness. You don't cure symptoms. Either you fix the underlying issue that resulted in that empty packet of *Ritter Sport*, that *IHK* magazine, or *The Cable of Unknown Origin* being left on the coffee table, or you do nothing. Very often, it is deemed that *I* am the underlying issue.

Annett is prevention, I'm cure. She goes for check-ups. I wait for it to fall off, then bring it in a tea-towel and ask if they can kindly reattach it. She goes to the dentist every six months, I've not been for sixteen years. *German Weekend* would be a chance to try and find a middle ground between

our two world views. For her to teach me *The Correct Way of Doing Things*, by which I mean *Her Way of Doing Things*, by which I mean *The German Way of Doing Things*.

She devised the following itinerary for a perfect, prototypical German weekend:

Adam's Very Fun Prototypically German Weekend

Saturday

8:00am — Brötchenholen (*red string bag required*)

8:30am — Breakfast (*you can wake me up when mine is ready*)

9:30am — Hausordnung and Kehrwoche
— load dishwasher (*logically and without breaking everything*)
— hang laundry (*not like it was once alive and you are now, literally, trying to hang it*)
— learn to use tools (*yeah right, Mr Chimp*)

11:30am — !!!!BuyHausschuhe!!!!! (*ja, endlich!*)

12:30pm — Prepare Kartoffelsalat (*mmmmm lecker*)

1:00pm — Salad and Wurst lunch (*prepare also for me*)

2:00pm — Coffee and Spiegel Online (*I'll be testing you later*)

3:00pm — Repair things/ wash car/ garden work (*Hauptsache you leave the flat so I can get some peace and quiet*)

4:00pm — Sofa and TV (*coffee and cake, for me as well please. I'll be warming the couch for you*)

7:30pm — BBQ in park with friends (*you have to be the Grill-meister*)

Sunday

9:00am	Long Breakfast (*whilst reading a broadsheet newspaper you have to fold a lot and is annoyingly loud*)
11:00am	Wandern (*must be at least 20kms away from the house, ideally in Brandenburg*)
4:00pm	Lazy Sofa Time (*coffee and cake, no prizes for guessing where I'll already be and whether I'll be joining for this one*)
6:30pm	Dinner (*leftovers from BBQ*)
8:15pm	Tatort (*yes, it's boring but so what*)
10:00pm	Moan about going back to work (*in your case you'll have to imagine you have a real job i.e. a job you don't like*)

At 8am on Saturday of *German Weekend*, my alarm rang and, while Annett slept on, I went out to get us some fresh *Brötchen*. Annett told me she did this every weekend when she was growing up, and with a look of nostalgia in her eyes, explained that she always used the same red string bag, which apparently everyone used back then. She made it sound like the entire *GDR* only had one type of red string *Brötchen* bag. Which, baring in my mind they only had one make of car, might well have been the case. Since I didn't have a red string bag, I took a *Stoffbeutel*, which I figured would be the nearest fancy, modern, mass-produced-in-China equivalent.

After returning, I set up the kitchen table like the old days in my first *WG*, tipping anything edible out of our cupboards and presenting it in a diverse spread of excessive abundance. There were jams, six different types of cheese, cooked eggs,

bacon, and that all important staple of English cuisine – *Heinz baked beans*. Since 74% of Germans listen to radio in the morning, I put my laptop on a worktop nearby and did the same.

At 9am, Annett walked into the kitchen as I was cooking the last of the eggs.

»This all looks great,« she said, poking through the cheese selection, »very professional.«

»*Danke*. I even brought you a newspaper,« I said, waving it in her general direction.

»Wow. That's an unexpected bonus.«

»Yeah, well 72% of Germans over the age of 14 regularly read a newspaper, so …«

»How do you know stuff like that?«

»Occupational hazard. How would you describe your mood this morning, *not confident, somewhat confident, fairly confident*, or *confident*?« I asked.

»What kind of a question is that?«

»A strange one, I guess. I'm checking you against the national barometer.«

»I'd say *fairly confident*?«

»Perfect,« I said, dropping my spatula. »79% of Germans report feeling ›fairly confidently‹ each morning.«

»That's, err, useful information,« she said, pulling out a chair to sit down. »Are you excited about your German *Wochenende*?«

»Excited about being your bitch and getting schooled on all kind of boring household type stuff? Not really.«

»That's the spirit,« she said looking round disapprovingly at the mess I'd created. »You've trashed the kitchen preparing breakfast. You can start there.«

After breakfast I began clearing up, and once the surfaces were cleared, I found the *Scheuermilch* and began cleaning. Annett walked in after a few minutes.

»What are you doing?« she asked.

»Cleaning.«

»That's not cleaning.«

»What is it then?«

»Some kind of weird *wellness* massage for dirt,« she said, »that's not how we wipe things.« With that she took the cloth off me demonstrating a fluid motion that moved from the top right corner of the kitchen table, to the bottom left, trapped the dirt, transported it, and then at the surfaces edge, flipping the cloth over, securing all the dirt its short journey across to the bin. »This is how we wipe properly« she said, shaking the cloth out over the bin.

I was impressed. That technique, while a bit anal and requiring both memory and discipline, did seem more efficient. I'd given dirt an easy ride for many years, but now things were going to be different. There was a new, more efficient Adam in town. Or more accurately, in the kitchen.

I continued cleaning. Once the kitchen sparkled, I moved on to hanging laundry. Annett had complained for years about my technique. She stood with me at the clothes horse. First, she took a dry towel off it for demonstration purposes.

»This is how we fold towels. First, end to end. Then in half again, neatly! Then, lastly, fold into three. See?« presenting me with the finished specimen.

»That is how I fold the towels!« I said.

»That's how you think you fold the towels. Reality begs to differ.«

»Well, reality can go do one.«

»So,« she said, taking a wet t-shirt from the pile of freshly washed clothes, and turning it the right way out, »with hanging laundry, your system should maximise air flow, minimise wet surface on wet surface touching and plan ahead for how the clothes will be stored in the wardrobe.«

»That's what I do already,« I protested.

Annett rolled her eyes, picked up a pair of jeans from the pile and demonstrated a simple technique for hanging them on the clothes horse that, as reluctant as I am to admit it, involved far less fighting and scrunching than my own, *patent pending* method.

»Now, we turn all clothes the right way out before hanging, so they're ready to go directly into the wardrobe. Shirts go on hangers, that helps get the creases out and once dry you can hang them straight away.«

After a few minutes, all the clothes were hung and looked very neat and smug.

»Now, we open the window in here, and then the window in the living room, this creates a nice *Durchzug,* through the flat that helps the clothes dry.«

»Who is this *we* that you keep referring to?« I asked.

»Oh,« she said, pausing to think about it for a few seconds, »by *we*, I think I'm referring to *humanity*. Everyone in the world who isn't you, and therefore has the benefit of common sense.«

She moved over to the dishwasher for the next part of my education. »Now, the trick with the dishwasher is work from back to front, and large to small. What you do, is more like trying to squash a fat man into a suitcase. If he's in, and the lid closes, everything's fine, ask no questions. But nothing gets clean that way.«

I had to admit, she managed to fit more in by first planning where to put it all on the counter top. Watching Annett fill a dishwasher is like watching a pro-gamer playing kitchenware Tetris.

After cleaning the bathroom and vacuuming the rest of the flat, I found her camped out on the couch drinking coffee.

»How long have I been cleaning for?« I asked.

»About an hour.«

»Oh, *Sweet Jesus*. Feels like two weeks. Cleaning is so boring. I have no idea how the average German *Hausfrau or Hausmann* can do it for four hours and eleven minutes each day.«

»They probably have a bigger apartment than us.«

»Indeed they do. The average German rental apartment is 70.6m^2. Ours is about 60m^2.«

»Are you going to keep telling me these stats?«

»Would you like me to?« I asked.

»No,« she said, putting her headphones back on and returning to her laptop.

Next came the part of German weekend that she was most excited about. She'd let me know this by bombarding me with emails, Skype messages or SMSs for the previous weeks that contain just one word over and over again – *HAUS-SCHUHE*. She's spent nearly every day of our five years of cohabitation trying to convince me to buy house shoes. I think she's always viewed me as *part boyfriend, part dirt distribution device*. I love the feeling of being barefoot, and so wear nothing on my feet indoors and flip flops outside for about seven months of the year. I've tried to explain this to her, that it's *English Romanticism* again. That my love of being barefoot is a sensual kind of love that supersedes concerns over walk-

ing speed, dog poop and physical comfort. But she doesn't quite get it.

Hausschuhe seem to be a divisive issue in any relationship. I heard this story from my friend Stefanie: in the company that she works for, it was clear that two of her colleagues had a crush on each other, and had been flirting for weeks before one of them finally made the first move. He invited her over to his place for dinner. When she arrived, he greeted her at the door, wearing his *Hausschuhe*, and as she entered, he presented her with a guest pair for herself. The date itself was fine enough, but she just couldn't look past the *Hausschuhe*. It was »like being on a date with my father,« as she would later describe it. The girls in the office convinced her to try again, and this time to meet somewhere other than his place. So, a week later, they had a second date, this time for dinner at her place. When he arrived, he had a red rose in the one hand and his *Hausschuhe* in a carrier bag in the other.

Needless to say, this was their last date.

Now, not all women would have that reaction, of course. If a date of Annett's arrived with his *Hausschuhe* in a carrier bag, she'd marry him on the spot. He'd not even have time to get them out of the carrier bag, never mind on his feet.

Since Annett set the rules of German Weekend, however, it finally gave her the chance to force me to go *Hausschuhe* shopping. We got on our bikes and headed to the nearest *Deichmann*.

»Some women,« she said, as we stood in the *Hausschuhe* aisle surveying the many options, »get turned on by muscles, money, athletic prowess. For me it's practicality. Now, these,« she pointed to some slabs of wood with straps, »are your

classic *Birkenstock* style *Hausschuhe*. Extremely practical and more comfortable than they look.«

»I would certainly hope so,« I said. »They look like they were recently chiselled from tree bark by a primitive civilisation.«

»Yet a civilisation advanced enough to understand the importance of *Hausschuhe*, which means they're already more evolved than you. Now, these ...« she said showing me a grey pair of comfortable looking, soft slippers, »are also an option, but have a very old-man style.«

»I'm forty years too young for those,« I said, retuning them to their shelf.

»Next, are Crocs, they're not really *Hausschuhe* in the classical sense, some people like them. I guess I'm more of a traditionalist.«

I had to admit, they did look pretty radical. I imagined they'd ruffled many a feather in *Hausschuhe* circles.

»Try these on,« she said, handing me the most comfortable looking pair from the Birkenstock area.

»They're alright, I guess,« I said, turning them in front of the little foot mirror, hoping one side might be less ugly.

»Sold!« said Annett, taking them off my feet and marching with them towards the *Kasse*.

How had it come to this? Hausschuhe? When had I become an adult and, more importantly, why had no-one stopped me?

Back at the flat, wearing my new *Hausschuhe*, Annett and I began preparing her legendary *Kartoffelsalat*. This is prepared from an old family recipe, and she makes it for almost all social occasions. In fact, it's so well known and loved in our friend circle that it is usually explicitly requested at events. Since I like neither mayo, onion, gherkin, or mustard, how-

ever, potato salad has very little to offer me. But she felt it was important for my integration that I learn how to make it to her hallowed family recipe. It was surprisingly easy to prepare, and I only bled into it a little bit after cutting myself peeling the potatoes. The end result tasted okay, I guess, if you like that kind of thing (I don't really, which I believe I've already mentioned). However, because I like you, I've included her family *Kartoffelsalat* recipe at the end of this chapter.

After lunch (*Kartoffelsalat* – did you see that coming?) Annett's itinerary stated I should be washing or repairing our car, and working in the garden.

»But, unlike 77 % of German households, we don't have a car,« I said.

»How about the basement? That's a right mess, maybe you could potter about down there?«

»That'll work,« I said, »after, I'll clean and repair my bike. That's kind of my *car*.«

Now, our basement is mostly where we leave things we hope people will steal. Basements are so unsafe in Berlin, there is almost no point in even locking yours, since it'll only be an hour before someone bends the mesh back and steals something. Often I'm annoyed when I go down there and people haven't stolen some piece of junk I've put there with the express aim of having it pilfered. Thieves these days, they don't know their born. Not like the thieves of my day. They'd have even stolen the mesh.

I cleaned it out, rearranging it to make more space, and then back above ground, I filled up a bucket of hot water and began cleaning my bike. Like probably 99 % of Europeans homes, we have that cheap red IKEA toolset, in which 81 % of the contents have been lent out, lost or broken. I took what

pitiful tools were left from it outside with me to the *Hof*, for it was time to DIY. Usually, Annett does all our DIY and assembles all our furniture. But how hard could it be?

I took the adjustable spanner and tightened anything that looked like it might like to be tightened. Someone else was working on their bike in the *Hof*, and lent me some oil for my chain. By the time I'd finished my bike looked brand new.

»Hey, that looks much cleaner,« said Annett coming down to inspect my handiwork.

»I know. Great, right?«

»What,« she said and pointed at my front tyre, »are you going to do about that?«

»Yeah, the tyre guard has snapped off there. That just happened this week.«

»That's harder to fix. It really needs welding back together again,« she said confidently, as if she were a regular welder.

»I did have one idea.«

»Oh no,« she interrupted. »Cellotape?«

»Bingo.«

Annett touched her forehead dramatically, looking pained, a stance I'd describe as *young starlet is struck down with migraine before big performance.*

»This won't end well,« she said, »I'm going back inside before I get another of those headaches.«

The evening progressed nicely. I learnt how to operate a BBQ, poisoning none of our friends. On Sunday I joined a *Wandern* group I found online and struggled and moaned my way through 20 kilometres of the Brandenburg countryside. Well, 20 kilometres was the goal. I didn't have any suitable shoes and got blisters almost immediately so I abandoned the hike at about 12 kilometres. The nature was very nice though,

I guess. I'm not really into nature. I'd tell you more about it, but I don't really know how to describe it. I only know the name of two different types of tree – Bonsai and Oak. I didn't see any Bonsai trees, which means I saw a lot of Oak. There was lots of green stuff everywhere, like leaves and grass and stuff. That was good. And birds. Birds are good. At one point I saw a cow. Cows are good, they make cheese. Also, cheeseburgers. I also saw a tree where Apples were just growing, like they do in the supermarket, but anyone could just take them, for free. I didn't, because if they were any good I'm sure they wouldn't be giving them away for free. I probably won't go hiking again. At least not until they have WiFi and more comfortable seating.

In the evening, I mostly moaned about my blisters and looked up the names of some other trees from the comfort of the couch. *Willow, Sycamore, Chestnut, Maple*. There are many different types of trees. I think at least twelve. Then we ate cake. Annett complained about having to return to work on Monday (I pretended to have a real job so I could also moan). Then we waited for, and mostly yawned our way through *Tatort*. They caught the killer. It was the one you suspected at first, with the shifty eyes, but then since the show's writers knew you suspected him, they spent the next thirty minutes trying to make you suspect someone else until you almost forgot about that first suspect, but then – crucial clue, blah blah, police chase, *case closed*.

With the weekend at an end, we discussed my progress.

»Okay, so now the weekend is over,« began Annett, »you've learnt some new skills and that's good, but now it's time to look at your weekly routine and how you can develop from here. Ideally, you should start drinking coffee, even if you

don't like the taste, as it'll probably grow on you and it's a big part of the German *Entspannung*. The holy afternoon coffee and cake ritual. I'd also like to see you introduce a meal plan, laying out the meals for each day of the week in advance, which makes the weekly shop easier and gives you less to think about each night. Ideally, you'd display it on the fridge. This is called a *Speiseplan*.

Now, at the moment you are getting up at 8:30am, that's okay, should really be earlier but since you don't have a conventional job, we can let it slide. Now first thing in the morning, as you arrive at work, or in your case, wherever it is you go all day to google yourself, you should spend the first fifteen minutes reading *Spiegel Online*. This is essential. Lunch should be taken at 12pm on the dot, in a *Kantine* of some kind. The food should not be good and neither should the service, otherwise it undermines the authenticity of the German *Kantine* experience.«

»I know,« I said, »they are like culinary purgatory.«

»After lunch, back at your desk for another ten or fifteen minutes of *Spiegel Online*. Then eat your dinner at exactly 6pm, although many people like it earlier, we always had ours at 5:30pm on the dot. Now, for your evenings, really you should join a club of some sort. Ideally two, one for sport, like badminton or swimming, then another non-sport *Verein* such as *Chor*, *Skat*, *Schrebergarten*, or something political. In general, I'd like to see more structure and advanced planning. You are too whimsical.«

»What's wrong with whimsy?«

»Whimsy is okay. There's a time and place for whimsy.«

»When is that then?« I asked.

»Childhood.«

Annett's Family's Super Secret (But Also Frustratingly Vague) *Kartoffelsalat* Recipe *(additional notes by Annett)*

It's like the mysterious formula for Coca-Cola, or the secret KFC spice blend, just with more gherkins. Passed on from generation to generation of her families' women, while its origins are unknown it is tried, tested, and loved. Enjoy!

Ingredients   *(serves 4-5 potato enthusiasts)*:
- Lots of Unpeeled Potatoes   *(just fill up your biggest saucepan with potatoes, that should be enough)*
- 500ml Mayonnaise   *(any sort will do)*
- 250g Chasseur Sausage   *(or something similar will also work)*
- 1 Onion   *(red or white is fine)*
- Half an Apple   *(red or green is also fine)*
- Gherkins   *(as many or as few as you like)*
- 1 Tablespoon Mustard
- Salt and pepper   *(some)*
- Sugar   *(the super secret and unexpected but very necessary ingredient, just a pinch)*

Preparation:
1. Boil potatoes.
2. In the meantime, cut all the other ingredients into very small cubes and mix in a large mixing bowl with the mayonnaise and the mustard *(pro tip: the Gherkin water is also very tasty, use some of it to rinse out the mayonnaise container, then pour that into the bowl as well)*.
3. Add salt and pepper liberally, as per your liking.

4. Remove the now soft potatoes from pan, peel (ideally when they are still a bit hot), then cut them into medium-sized cubes and add immediately to the rest of the mixture.
5. Stir seasoning where appropriate with further salt/pepper and the final smidgen of sugar.
6. Enjoy *Kartoffelsalat* induced food orgasm.
7. Forward recipe on (*sharing is caring*).

German TV

While TV is often maligned by us young, trendy, Internet types, it is still a ridiculously prevalent, influential and truly mass form of media – unparalleled in its ability to penetrate the average home. If you want to understand a nation, watch its television. You'll learn its humour, its values, its likes, its dislikes, and its fears. TV is still the medium of the *Menschen*.

Of course, that doesn't mean it's any good. Although it might be, as – apart from a few episodes of *Tatort* – I've never watched any. It was time for that to change. I decided to challenge myself to watching ten hours of German TV a day, for seven consecutive days. I'd treat it like a full-time job, only a bad one that makes you work weekends and watch *Bauer sucht Frau*.

The reactions to this challenge amongst my friend group were understandably mixed, ranging from »not exactly science, is it?« to »you poor thing – German TV is terrible«. And, lastly: »You know, when you're a kid and you say stupid stuff like ›when I grow up I'm going to get paid to watch TV‹. Are you telling me you've actually managed to do that?«

Well, yes I have.

On the first day of the challenge, I sat down on the couch in the kitchen, flicked my PC monitor's TV mode on and began watching. I decided to just let the flood of entertain-

ment wash over me, and, while German friends were preparing a list of the best, worst and most *08/15*[3] TV, I decided that for day one, I'd not plan more than an hour ahead using the TV listing magazines I'd bought (yes, they still exist, I was also surprised).

The first show I watched was something called *Sturm der Liebe* on ARD. It appeared I'd walked somewhat late into the plot, as the characters all seemed to know each other already and most of them were angry with each other about something or other – love, jealousy, betrayal, all the usual human suspects. While I wouldn't say I was enthralled by it, I was at least entertained. With one hour completed and sixty-nine to go, I felt somewhat optimistic about this challenge. Sure, it »wasn't exactly science«, but it trumped many of my previous jobs, such as putting lids on boxes for nine hours in a Turkish Delight factory, and working on the checkout at Tesco.

Then, in hour two, all that early confidence was violently assaulted when I experienced the pit of human despair that is German scripted reality TV with *Family Stories* on RTL and *Verklag mich doch* on Vox.

It was far worse than Tesco, Turkish Delight and even »science« combined.

If it's called »scripted reality«, it implies, at least to me, that both *scripted* and *reality* must have fairly equal billing. This is not the case. German scripted reality is 99 % scripted, 1 %

---

3 For non-German readers: 08/15 is a German expression that means very average or unremarkable. Allegedly it is named after the MG 08/15 gun and the tedious training therewith that the soldiers of the First World War endured. Possibly it says something about the world that guns can be considered very average or unremarkable.

reality. The 1% that constitutes reality must be that the shows feature humans.

Those humans might not look nor behave like actual humans, but, at least, they appear to share our same base anatomy. Eyes, ears, limbs etc. Interestingly, they were not quite the colour of normal humans though. At first, I thought something must be wrong with the contrast of my telemonitor, since the people starring in these shows had a distinctly orange hue. Like an Oompa-Loompa or a carrot. It was the orange of sun beds and fake tan bottles. They also all seemed to sport some combination of piercings, tattoos and hairstyles of multiple, unsubtly blended colours. Or, at least the women did. The men tended to have shaved hair on the sides, then – like they'd planned to come back for the top part later but had gotten distracted by something shiny and just never quite got round to it – left thick gelled clumps on top of their heads.

They were a weird looking, yet homogeneous bunch, and that included the participants of the next show, *Shopping Queen*. *Shopping Queen* is about women who really like shrieking enthusiastically. They put on some clothes, shriek, take off the clothes, shriek, buy the clothes, shriek, ask how much time is left, shriek, go back to the studio, shriek, put on the clothes they've bought, shriek, present them to three other people who shriek, then give them a score, causing everyone to shriek, one then wins, and wait for it, *shrieks*. Everyone then goes home to their normal daily lives of clubbing baby seals, or drowning kittens in a bucket (at least that's how I imagine it).

In the afternoon, it turned out that I had little choice but yet more scripted reality. First up was *Im Namen der Gerech-*

tigkeit, then *Familien im Brennpunkt* followed by *X-diaries – love, fun and sun*.

Throughout all of this, Annett would come periodically into the kitchen and sit with me.

»What're you watching now?« she'd ask.

»*Familien im Brennpunkt*.«

She'd try to watch it, and then her face would scrunch up like she was sucking a wasp. »Ow, ow, ow. My brain.«

»I know. Horrible, right?«

»How many hours do you have left?«

»65.«

»Poor you,« she'd say, before walking out again to leave me suffering alone.

So with a headache, a bad mood, and a nagging feeling that my day invested in trash TV had not brought me any closer to understanding the German condition, I went for a walk. I'm not the sort of person who normally goes for walks. In fact, I'm the sort of person who tries really hard to not go for walks. So it says something for my fragile mental health that I really, really, really, enjoyed that walk, and how much I didn't want to come home to my telemonitor. However, I did come begrudgingly home, because *Berlin Tag und Nacht* was on at 7pm and there was no way I was going to miss that. Several friends had included it in their list of the worst of German TV. So it was a must watch. Plus, I had a personal connection to it. Since I'd once starred in it.

Well, sort of.

A few years ago, by coincidence, I'd been in a bar which I often frequent for the sole reason that it's the closest possible bar to my house (are you picking up hints about my laziness?). One night, a film crew arrived with several heavily

tattooed orange people, that after today, I now know are called *Reality TV Stars*. They offered us a free cocktail if we would stay and be in the background shot for a scene they were filming. We were told to look shocked when a few seconds after filming a fight would break out between one group of orange people and the other. We said yes, because, *free cocktail*. Then, one of our group – a friend of Annett's, and an unhinged character at the best of times – decided after drinking his free cocktail to have an attack of conscience about accepting anything from a show, that, in his words, »celebrated stupidity«. I'd never heard of the show, and, like I said, *free cocktail*, so I kept quiet. Sadly, he didn't, and instead started loudly berating the orange people with wide necks for what they were doing to popular culture. He decided he would pay for his drink after all and then we had to quickly leave because the biggest of the orange people was getting agitated and it was just a matter of time before one of them swung a big old orange fist into his little, narrow, principled face.

I now know after watching a full hour of *Berlin Tag und Nacht* (which was difficult and painful and depressing in a way unlike any show I'd seen thus far, at least outside of watching England take part in a penalty shootout) just what he meant. The show doesn't celebrate stupidity, but only because it doesn't have the intelligence to. It's simply, indescribably, horrifically, *bad*. I also now know why they had to tell us extras that we should look »surprised« when the fight broke out in the bar. Since, assuming we'd already seen an episode of *Berlin Tag und Nacht*, we'd know that the entire show is just one long fight scene, inter-spliced with soft-core female nudity. So the fact that a fight would break out in the

bar was a foregone conclusion. What would have actually »surprised« us, is if the scene had involved the cast just sitting and drinking happily, or playing a game of scrabble together.

With nine hours completed, I made a plan for tomorrow's viewing, and Annett and I went out to meet a friend for drinks. We talked, lost track of time, and, when we would have kept talking, I made my excuses and headed home. Socialising was of secondary importance this week and *Markus Lanz* was on at 10:45pm. Markus Lanz is a chat show most remarkable for its unremarkableness, but it was on my 08/15 list. It was, well, as expected – *meh*.

The next day, my friend Alex had agreed to let me watch TV at his place. He had a real TV, which has more channels than my fake one. Plus he had tons of DVDs and was a member of a service called *Watchever,* which has a lot of on-demand content. He also has a nine to five job. Which means he would be out of his apartment each day.

It was strange to arrive at Alex's so early. Usually, like vampires, we only met each other at night for drinks. He handed me several remotes and then helped me plan a day's viewing.

»Oh, *Frauentausch* is on in a minute. You should watch that. Many people watch it ›ironically‹,« he air-quoted the word ironically.

»How do you watch something ›ironically‹?« I asked, repeating the air-quote.

He thought about it for a moment, »I have no idea. Give it a try.«

Alex left for work. I laid myself on his couch and began with *Frauentausch*. Since they have a version of this in most

countries, I'll skip an explanation of it (a large clue to its content is present in the show's title). I tried to watch it »ironically«, but actually I quite liked it. I may have even liked it »ironically«, I'm not sure. It's such a fine line.

The only other notable show I watched on day two, was the last one, *Gute Zeiten, Schlechte Zeiten*, a classic German soap opera. However, I must have caught its cast of beautiful, miserable people on a bad day, as there appeared to only be *Schlechte Zeiten* occurring. Indeed, I had no idea beautiful people could have so many problems! I'm going to be extra-extra nice to all the beautiful people I meet from now on, since I know now how genetically burdened they actually are.

That evening I was invited to a birthday party, so I had a chance to get away from the challenge. It's a weird feeling to have to tell your friend that you'll come late to their birthday evening because you have to wait until *Gute Zeiten, Schlechte Zeiten* is finished, but I did it anyway.

By the time I arrived, news of my challenge had already spread via Annett, who'd been there a good few hours. So although I didn't have to watch TV, I did spend the whole time having to talk to different people about it. Most of the conversations went like this:

»I heard about your challenge. How's it going?«

»Badly,« I'd wince. »Just 5 more days.«

»You poor thing. 10 hours a day? *Unvorstellbar.* German TV is *wirklich so schlecht.*«

I got so much sympathy you'd have thought I'd lost a loved one, or got cancer of the eyeball. Not that I had to sit around on my couch watching *Shopping Queen*. Although some people might find comparisons between *Shopping Queen* and cancer of the eyeball.

But I did also get a good tip from my friend Manuel. »Are you having a cheeky *Bierchen* while you watch?« he asked.

»No. Is that like a thing?«

»Of course. Anyone watching TV in the day is having a little cheeky *Bierchen*.«

»Well, as a rigorous, dedicated researcher of the German condition, I guess I'll have to as well then. What time do they start drinking?«

»About 11am.«

»So straight after breakfast, then?«

»I don't think many of them are eating breakfast. Some *Pommes* maybe. A Snickers. Can of red bull ...«

»Okay, I'll start a bit later. Around 2pm.«

On my way to Alex's on the third day, remembering Manuel's advice, I stopped at my local *Späti*[4]. It was a curious feeling buying three beers at 9am, but judging by the two guys already drinking a beer outside, and the total look of indifference on the *Späti* owner's face, it was for them just another day. In fact, when I arrived at Alex's there was a not very subtle drug deal taking place in the alleyway next to his house. All in all, it was just another productive morning in Kreuzberg, Berlin. I did my bit for the local economy by sitting back on the couch, opening a pack of *Erdnussflips* and watching *Frauentausch*.

The morning slipped quickly by, and as 2pm rolled around

---

4 After receiving blank looks in Köln to my question of »where is the nearest Späti?« I've learnt this word is not used in all of Germany. In Berlin it refers to a Spätkauf, a Kiosk, and in Cologne they call it »Büdchen«. In English, a newsagent. Small shops that you mostly find yourself in at 2am buying beer, ice-cream, and a copy of Kicker magazine, whilst wondering where it all went wrong in your life.

I put in a DVD of *Switch*, a comedy sketch show, and cracked open my first beer of the day. I can't say it helped with my enjoyment of *Switch*. But then I can't say it hindered it either.

So I had a second.

Again, this was inconclusive.

So I had a third.

Then I fell asleep watching some cooking show called *Topf-geldjäger* (saucepan-money-hunter). In hindsight, while there are obvious beer/TV synergies, for me personally – *bad idea*.

Day three ended back at home on the living room couch waiting for the start of *Germany's Next Topmodel*. It was also the first time Annett decided she'd join for an evening of TV watching. She didn't. After a scene in which one model cried because she was told to cut her hair short and she didn't want to cut her hair short, Annett said, »I'm sorry, but I can't take this anymore,« and left. I looked at the clock, she'd lasted eleven minutes. Which left me to do the last two hours and forty nine minutes alone.

What I found most irritating about the show was their misunderstanding of the concept of *sexy*. A word they use at least two hundred times per hour. If I was given a euro every time someone said the word »sexy« on an episode of *Germany's Next Topmodel*, within a year I'd be rich enough to afford all the plastic surgery it would take me to actually be-come Heidi Klum. *Germany's Most Dangerous Drinking Game* would be watching the show and taking a drink every time anyone said the word *sexy*.

I found myself getting increasingly irate, sitting alone, and shouting at the screen, »HEIDI, YOU CAN'T JUST CON-DENSE THE WHOLE OF HUMAN ATTRACTION DOWN TO JUST ›SEXY‹ AND ›UNSEXY‹!!! Sexy is subjective and

different for everyone. There is no objective scale. When you say ›make it sexier‹, or ›I didn't find it sexy‹, or lastly, ›find another type of sexy, not sexy sexy, cute sexy‹ – this is not helpful.«

Day four's most memorable was classic-German-TV-old-people-nonsense-on-a-boat-series, *Traumschiff*. I quickly learnt that *Traumschiff* is about as subtle as a brick to the groin. Here's a scene from the start of the episode I watched:

An old lady stands on the dock, as everyone's luggage is being boarded. She gets a photo of an old man out of her bag, looks at it forlornly as sad music plays, and then returns it to her bag.

A staff member arrives, and greets her.

»Is this your first cruise?« the staff member asks.

The sad music returns. The old lady looks across to the distance.

»Yes, my husband and I had dreamed about it for so long.«

Staff member then checks the passenger list manifest where fortunately from a list of hundreds, possibly thousands of the ship's guests, she is able to identify the woman in exactly one second.

»Ah, but I see here you have only a one person cabin.«

»Yes. My husband died two years ago.«

»Don't worry, here you will quickly meet other guests.«

In *Traumschiff*, storylines just crash down from the sky on top of the characters' heads. It's a wonder it doesn't snap their necks. Back-story is just slapped in whenever needed. People reveal their biggest fears and personal traumas to people before they've even told them their names. The passengers carry so much emotional baggage it's a wonder the whole ship ever makes it out of the harbour. Or that, whilst at sea, it manages to avoid the giant, looming iceberg that is the show's complete lack of subtlety.

Day five began with two episodes of *TV Total*, and then

with nothing else interesting on TV, I reached for another of my friends' worst of German TV list. It was *Familie Dr Kleist*. In my five days of TV watching, I'd already learnt that there were many shows on German TV about doctors. German culture has a deep respect for academic qualifications, I think, since it is, at its core, a nation of giant *Klugscheißers*.

With such a high importance placed on being right, on doing things properly, and correcting even the most mild and irrelevant factual indiscretions, it's natural that certain professions are valued above others, because they get to do more of this than other people. I think this is the reason that the most popular study course in Germany is law. Lawyers get to *klugscheiß* with impunity, since they can *klugscheiß* utilising the full force of the law. Even if they are wrong, they are usually wrong in such a complicated and intimidating way that the average person will believe any word they say and pay any *Abmahnung* that they send.

Doctors are no different, they *klugscheiß* with science, and so I sat down looking forward to *Familie Dr Kleist*, and some good old-fashioned German qualification porn. Oh boy, did *Familie Dr Kleist* offer up quite the orgy! It's got a handsome, bourgeois, rural doctor with broad shoulders and good teeth. As one would expect, he comes with an attractive, slim, blonde-wife-attachment, and several additional beautiful, thoughtful (mostly blonde) child-add-ons. He uses the power of medicine (and extreme earnestness) to heal sick people. If he wore sandals and referred to his patients and children as *disciples*, he would basically be *Dorf Jesus*. The show was like watching an hour long cringe. The only thing missing was having the children refer to him as »Herr Doktor Vater«.

Day five drew to a close. I had been going to bed each

night with a TV headache and been having trouble sleeping. But this night, knowing I had just two more days to go, I slept like the good Doctor himself had knocked me out with a dose of his overwhelming solemnity.

Since I was getting bored at home watching TV on my own, I had asked two friends, Nozomi and Gregor – the other people in our friend circle that I knew both *owned a TV* and *regularly watched it* – if I could maybe come by and see out day six with them. Annett also decided she would join, and (you may not be surprised to read) decided since this was now an official social occasion that she'd also prepare a potato salad. I brought a bottle of *Rotkäppchen* and a pack of *Erdnuss-flips*. Because they go well together. Don't judge me. It felt great to not be watching TV alone, and to now know enough about the channels and shows to be able to join in the evening's discussion. By midnight, and the end of my penultimate day of the challenge, I'd watched twelve hours of TV, a personal one day record. It hurt. I finished with a headache, as per usual. I don't think it was inefficiency related.

The next day I woke up like a little happy English boy on Christmas day. Scampering out to the living room, I looked at my telemonitor and laughed. For today was *day seven*. The last day! I could have my life back! I would never need to watch German TV again!

The final day, I'd already decided, would be devoted exclusively to *Tatort*. Since *Tatort* is so important to the hearts and minds of the German people, I felt it deserved an entire day of its own. I decided to watch five episodes back to back, constituting a solid seven and a half hours of *Tatort*, ending at *a public viewing* with a group of friends who meet in a bar in Kreuzberg each week to watch it together.

I started with some classic episodes on YouTube. I'm not proud to say that I was a little hung-over from the night before, so found them hard going. After one episode, I gave in and lay down on the kitchen couch, put the laptop on a stool next to me, so I could continue listening, while resting my weary eyes.

»You don't look like you are doing much watching,« said Annett as she walked into the kitchen.

»I'm listening,« I protested. »Watching, but for the ears.«

»That's cheating.«

»It might be, if I didn't make the rules,« I said.

»*That's* cheating.«

»Shhh. I'm listening.«

The rest of the five episodes followed a similar pattern of partial interest. Then it was evening, and after seven and a half hours of listening to *Tatort*, with a certain reluctance, I climbed on my bike and headed off to the bar for a final one and half hours' worth that would signal the end of the challenge.

In a nice gesture of egalitarianism, the location of each *Tatort* moves week by week. Even Germany's two ugly stepsisters Switzerland and Austria are invited to the ball. Unfortunately, the episode I'd picked to watch publicly was one from Luzern, Switzerland. In the five episodes I'd already watched that day I would guess I understood approximately 60% of the dialogue.

While my general *alltags* Deutsch is sufficient, it crumbles quickly under any kind of difficult, specialised questioning or vocabulary. Such as criminal vocabulary. There's just rarely a need in my trips to the *Späti* or nearby Asian restaurants to use words like *Erpressung* (extortion), *Täter* (perpetrator),

Haftbefehl (warrant), *Mord* (murder), *Festnahme* (arrest), *Leiche* (corpse), *Ermittler* (investigator), or *Verdächtiger* (suspect). Although since writing this chapter, not wanting to forget all this useful new vocabulary, I began saying things like, »I'm just nipping out for Sushi. It'll only be ten minutes, assuming I'm not *erpresst* by a *Täter* later *festgenommen* following a *Haftbefehl* for *Mord* initiated by an *Ermittler* for which he is the main *Verdächtiger*. You want something? *Tierleiche*?«

It became clear in the first few minutes of this Luzern episode that 60 % was going to be a best case scenario. I didn't seem to be the only one in our group that wasn't hooked. They were having more fun parroting the lines back in their best Swiss-German accents than actually following the plot.

I realised just how little of the show I'd understood when the closing credits played, and I'd completed my challenge, but I still didn't know who the killer was. This caused uproarious laughter in the group, who I think suspected I'd invested one and half hours rather foolishly. They should have seen how I'd invested the other sixty eight and a half.

In the end, to summarise my experiences with *Tatort*, I think that it is a uniquely German triumph. It cuts through local rivalries, local dialects, classes, and economic backgrounds. It's a short, shared moment in the collective German experience. The enjoyment of *Tatort* is not really something you can understand logically. It's more like a murderous weekend trip to another part of Germany. A giant murder mystery dinner party played by millions. It's a way to raise a mirror to wider German society. A mirror being increasingly cracked by on-demand, digital, streaming services. This is

why *Tatort* is important. Its viewership is probably only likely to decrease from here on out and once it's gone, there will be nothing else like it coming to replace it.

As for what *Tatort* says about Germany? Well, I think quite a lot, actually. Think about all the various rules that have developed around *Tatort*. Rules that are almost, almost never broken. It's always one and half hours. It's always Sunday at 8:15pm, no other channel puts up a good show against it. It's accepted that this is *Tatort's* slot. The opening and closing credits must always remain the same. There should always be a murder, and this should occur within the first five minutes. There should always be resolution, the murderer must be caught. Then there are also unofficial cultural norms, like that everyone should guess who the murderer is at 9pm.

I think all this speaks to the German condition. It's first – *we define lots of rules.* Then, second – *within this restrictive frame we have built, you are free to be very creative.* I think this kind of *Tatort Effect* you can see in action in many other are-as of daily Germany life. You can have Til Schweiger episo-des where in one episode as many bullets are fired as in a year of normal episodes. That's fine. But he wants to change the title credits? *No way.* We're willing to be flexible, but there are limits. If we're flexible on everything, then what'll happen? Anarchy. It's the German desire to rebel, but in a heavily insured, controlled, *Abistreich, akademisches Viertel* manner. To allow creativity, but only within certain predefi-ned experimental areas that can't disturb the overall *Ordent-lichkeit* of the whole.

The ~~Ten~~ Seven Commandments of German Television

1. Thou shalt not watch Arte.

A funny thing happens if you criticise German TV. Usually people will nod and say things like »yes I know, *furchtbar* isn't it?«. Then, without fail, they say »but what about *Arte*? *Arte* is good.«

Then, if you ask them what they watch on Arte, they'll look panicked, urgently need to use the toilet, or they'll just change the subject. *Because they don't actually watch Arte.* No-one does. Arte is the TV channel equivalent of *Citizen Kane* or *Hotel Rwanda*. Movies that would have sat in your Netflix queue for years, back in the DVD-by-post days, but which you would keep pushing down and replacing with *Jumanji* or *Fast and Furious 4*.

»Anything on the box?«

»Arte has a documentary about a Scandinavian harbour. VOX has *Promi Shopping Queen*.«

»Good old *Arte*. I love *Arte*. Saving German TV, one documentary about Scandinavian harbours at a time. Hmmmm. Let's start with *Shopping Queen* first though. We'll swap to Arte later if we get bored.«

Spoiler alert: They don't swap to Arte.

2. Thou shalt not admit to being Television.

German TV is always trying to pretend it is not TV. Particularly in scripted reality TV scenes, which appear so fake you can almost imagine the director saying: »Okay – next up, *Begrüßungsszene*. Host, you arrive at the front door, wipe your feet on the mat, that'll look authentic. Wait?

There's no doormat? Get a doormat. The doorbell's not working? How are we going to create an authentic *Begrü-ßungsszene*? *Idiots*. Fix the doorbell. That doormat looks too new, dirty it up. Authenticity, people! So, anyway, as I was saying – host arrives, wipes feet, compliments the home, rings doorbell, you answer, say ›Herzlich willkommen zur Familie blah blah‹.«

It also explains why so many shows are set in a fake *Kneipe* environment. Or a faux-living room. The guests are told to act not as if they were guests on a TV show, but as if the host had just called them up spontaneously and invited them over to hang out, split a pizza, drink a beer.

This is not TV. We're at home. Or we're in a bar. Who put these cameras here? Get rid of them. They're disturbing this completely normal evening amongst friends. Günther, please pass me a Salzstange.

3. Thou shalt Denglisch.

Watching German TV is like being forced to use a broken, rebellious, English-only *Babelfish* from *The Hitchhiker's Guide to the Galaxy*. You hear sentences like, »Hey Leute. Das ist ein *no go*. Es ist einfach *too much*. Hört mit all dem *bullshit* auf.«

Babelfish, why are you just arbitrary changing certain words into English? There's a perfectly good German word for »too much«. »Sexy. Voting. Commiten. Style. There's no better way to fly. Like us on Facebook. Come in and find out!«

STOP IT! STOP IT! STOP HURTING THE GERMAN LANGUAGE. WHAT DID IT EVER DO TO YOU?!

4. Thou shalt subtitle regional dialects.

In the UK, you'd never subtitle someone who is speaking a regional dialect. No matter how much the viewer might need it, and, trust me, when a Glaswegian with two teeth, a rural welsh farmer, or a builder from Birmingham are being interviewed, everyone but the mother of these individuals will need it. She might also, for a few of the trickier words. But, still, you'd never dare add subtitles to them, because that would be almost like admitting that they aren't speaking real, understandable English. Which of course, to a lot of people, they aren't, but that's not your right to say. What are you, the language police?

No. But on German TV? Totally acceptable. The person is from *Bavaria*? Or *Saxony*? That ain't no *Hochdeutsch*! *Sub 'em*.

5. Thou shalt shake hands.

There is a test in cinema to gauge sexism. It's called the *Bechdel test*. To pass, a film must have two named female characters talk to each other about any topic other than men. Because most films are written by men, and most men know very little about women other than that they (some-times) like men, they tend to be given very superficial roles. German TV should have its own version of the *Bechdel test*. Imaginatively, I'm going to christen it – *the Fletcher test*. For a show to pass the Fletcher test, there must be fifteen con-secutive minutes in which no-one shakes hands with anyone else.

I'm used to excessive handshaking in Germany, I don't even think about it anymore. If I arrive at a party, I head straight for the kitchen, where I know 90% of the party's guests will be smoking, then I shake hands with anyone I can find. Then

when I leave, I do it all over again. Because this is Germany. But that's in normal life. It is in pseudo formal settings where the German's love of handshaking can really be let loose. Like on German TV, paradise for anyone with an open palm fetish. It might sound like any show would pass *the Fletcher test*, but just try it. You'll be surprised.

6. Thou shalt be regional.

English TV is always accused of having a southern, London-centric bias. German TV seems to do a much better job of sharing its air time democratically. *Tatort* is a good example of this, but so are all the local stations. When visiting a friend in Pirna, Saxony, I was shocked to discover there are even hyper local mini TV stations like *Pirna TV*. Since nothing happens in Pirna, we ended up watching a human interest segment about graffiti on the local church, which could be summarised as – *there is graffiti on the church ... there should not be graffiti on the church ... who did this graffiti on the church ...? Bastard.*

7. Thou shalt covert thy neighbour's vice.

I've always found it strange that in such a developed, other-wise progressive country like Germany, so many people still smoke. Then I watched late night German TV, which, with the amount of smoking and drinking, feels like a long adver-tisement for tobacco and alcohol, interrupted only by the occasional bit of sort of, vague, content. Watching it, I found myself having conversations like this:

»I hate cigarettes.«

»They make you smell bad. And they make you die early.«

»But they do make you look cool. Look at how she just

paused, blew a cloud of smoke and then delivered that killer retort.«

»Maybe I could smoke?«

»No, don't be silly, smoking is stupid.«

»Yeah, but so is watching TV.«

»Now they are drinking whisky as well?! How is this even allowed? I thought it's 2014, not a 1950's John Wayne western.«

»Who wants to live until they are old anyway? The end is shit and … involves watching much more TV.«

»Good point. Pass me a cigarette.«

German Bureaucracy

I've always thought that the German stereotype of pointless bureaucracy has been exaggerated, out of a curious mixture of both self-loathing and pride. Sure, there are rules, and often those rules have very long names, and are mostly incomprehensible to anyone that's not studied law for twenty-seven years, and even they'd probably still need a second opinion. But I'm not sure everyday German bureaucratic life is really that much more confusing than that of other nations. Probably getting married in Russia, renting a motor home in France, getting a new license plate in Italy, or buying a power plant in the UK, is just as difficult as cutting a dead tree in your own garden in Germany. So while planning out this book, I didn't intend there to be a challenge about bureaucracy and *Beamte*.

Then, one day, Annett and I had to visit a *Notar* (a notary). Or, rather, I had to visit a *Notar* and Annett came to help me, because I'm foreign and incompetent. The experience turned out to be everything all those mean cultural stereotypes of German Bureaucracy had promised – and so much more. Suddenly I thought maybe those stereotypes are true, and that this was an important lesson I needed to learn on my quest for integration. There had been a challenge and I had, unwillingly, taken part in it.

We went to a *Notar* because I wanted to officially register the closing of my business. I forgot the specific reason I felt

my collection of shambolic Internet businesses deserved to be incorporated into a limited liability *Unternehmergesellschaft (UG)*. I think a mixture of delusions of grandeur and a desire to disprove the notion that you can't polish a turd. Or in this case, incorporate one.

Since then, I'd had the business for about a year in which I'd mostly just horribly failed to correctly prepare my taxes in the new, more complicated way required, made very little revenue and received a lot of letters from various acronyms like IHK, IHS, STI, GEZ, etc, telling me I owed them money for services that they had not given me, but would have given me if I'd asked.

Which I hadn't.

Imagine if every time you walked past a restaurant a waiter ran out and gave you a bill for €2 and you said, »but I didn't order anything!« and then they said, »well, you could have … we were here and ready to provide you with things. Plus, the law states you have to pay anyway. That'll be €2.« That's what having a business in Germany feels like.

I was now very excited to be closing it, although I knew that this process would probably be difficult and involve me having to pay a whole variety of new Government shysters money for providing me services I'd neither needed nor used. At least with the *Notar* I would get to meet this person first, and he would shake my hand and probably offer me a coffee before reaching round for my wallet.

The *Notar's* office was on the third floor of a posh building in an area of Berlin that we never visit because it's just full of boring, posh buildings of *Notars* and lawyers and other harbingers of legislative doom. We entered into the office's hallway. In the first door on our right sat a volumi-

nous woman, typing at her desk, who, jolted at my arrival in her doorway.

»How did you get in?« she asked.

I looked back towards the door, then back at her. *Was this a trick question?*

»Via the door,« I said.

»The door was open?«

No, but fortunately we packed our invisibility cloaks.

»I opened it.«

»The door is not supposed to be open.«

»Oh. Err,« I paused, unsure of the correct response. »Sorry?« I tried.

I'd hardly picked the lock or judo chopped it down.

Her face didn't soften. »I'm supposed to let you in,« she said, getting up and nudging me back towards the hallway with her unsubtly aggressive body language.

»Well, then, take a seat,« she said gesturing with an open palm back over my shoulder to the seats in the hallway. I turned to them, and then we both saw that Annett was already sitting.

»Oh,« she said.

I could tell this was not what she wanted to say. ›*Do you people think I just turn up here each day for fun? Yeah, sure, it's worked out this time, you've let yourselves in and this woman here has successfully sat herself down without incident. But if everyone started doing that, it'd be chaos in here, wouldn't it? There'd be doors opening and closing, banging, seats being sat on, not being sat on – it'd be a free for all, and little old me, well I'd be out of a job wouldn't I?*‹

»Thanks,« I said, and took a seat next to Annett.

The receptionist stomped back to her desk, the floorboards creaking under her feet.

For the next fifteen minutes nothing happened. No people came in, no people left, no-one moved.

»That was a bit weird, wasn't it?« whispered Annett.

I didn't even reply, because I was trying very hard not to do anything else wrong. I thought about fleeing, so weird was the atmosphere, but I wasn't sure if I was allowed to use the door again on my own or if I'd need to call her to come and operate the handle for me.

Then, out of the opposite office, scuttled a woman. A curious, hunched, depressed looking creature, a bag of bones wrapped around an ill-fitting blanket of humanness that beetled across the hallway to the office down the far end.

Then she scurried back, clutching some documents. At no point did she make eye contact.

This, we would later learn, was the charming Frau Braun. A Gollum-like figure, scurrying angrily around the dark tunnels of German bureaucracy.

For the next fifteen minutes nothing happened. No people came in, no people left, no-one moved.

»Do you think they forgot about us?« I asked.

»How could they?« whispered Annett, »we're the only people here.«

»I'll just ask.«

I knocked on Frau Braun's open door and walked in. » I'm Mr Fletcher, I had an appointment at 11.«

»*Ja*,« she said. A gap emerged which I expected her to fill with words, which she didn't. Opposite her desk was a vacant chair. So I sat on it. I saw while in the process of sitting on it, from her face, that this was a bad idea, but mid-sit I couldn't abandon the plan, I had to see it through confidently.

»Please don't sit,« she said, as my confidence shattered.

»Oh. Sorry,« I said, leaping up again as if the chair was red hot. I was in her nest. She didn't like me being in her nest.

»I'll bring you the documents. You can wait outside.«

Shortly after she scuttled out with the documents and then returned to her chambers. We filled them out in the hallway. Then, nothing happened. Minutes passed.

»I'll just drop them in to her,« I said to Annett. »That'll be quicker. She probably doesn't know we finished that quickly.«

I knocked and entered the nest again.

»*Ich bin fertig*,« I said.

»Okay, *Herr Fletscher.*«

I took a seat again, not to antagonize her, but because I thought she'd go over the document with me, that this was the service I was paying her for.

»*Bitte nicht setzen*!« she said, angrier this time.

»Ah. My bad.«

»You can sit outside.«

»Oh.« I got up again sheepishly and returned to the hallway to retake my seat next to Annett, who I could see was clenching her fists. Annett is extremely protective of me, and will hunt down and dismember anyone who dares even look at me the wrong way.

»How can she speak to you like that?« she said. We had to whisper, since her office was just a few meters away, it's a well known fact that when people lose a sense, their other senses become heightened. Frau Braun had sure lost her sense of humour.

»You're just a little, friendly English man,« continued Annett, reaching for my hand. »There's no need to be so mean to you. But I don't think you should go into her office again.«

»I'm just trying to speed things up. I've not got all day.«

Annett pondered this briefly. »Yes, you do.«

»Oh, yeah. I suppose I do. Well, I don't want to spend it here in the naughty corner of the hallway.«

Then a door at the end of the hallway opened, and a short smiling man with round glasses appeared. He looked like a happy little mole. He looked briefly at the receptionist and then entered Frau Braun's lair to pick up my documents.

»Herr *Fletscher*,« he greeted me with a firm handshake, »follow me please,« and he gestured towards his office. Annett followed us.

So many people call me *Fletscher*, I've long stopped correcting them. It even says *Fletscher* on our mailbox, since they replaced my handmade sign, correcting their previously incorrect one, with another incorrect one.

The *Notar* was a lovely, friendly man. The difference between him and the other two was overwhelming, and almost knocked me off balance. It was as if he felt a need to directly compensate for the social shortcomings of his two staff members, with his abundant positivity, in a way that would break us all even.

»Mr *Fletscher*. You're from England, yes?« he asked as we took a seat at his round table.

»Yes.«

»Where exactly?«

»Norwich.«

»Where's that? Near Bournemouth? I visited Bournemouth once, summer of '79, I think. I had a great time.«

»That's nice. You should go back, see how it's changed.«

»I'd like to, but I'm very busy here,« and with that he nodded vaguely in the direction of the room.

»I can see that,« I said, following his gaze which was sort of in the direction of a bookshelf.

Busy with what? Reading? Owning a room? Even I owned rooms[5] and I had all the time in the world to go to Bournemouth.

I handed him my passport.

He then made a very theatrical point of checking and rechecking my passport. *Photo. My face. Photo. My face. Up. Down. Photo. Face.* Few border control guards have spent that long scrutinising it.

He slid the passport back across the table and followed it with the form, indicating where I should sign. I then realised why he'd padded out the identity check.

This was the man's entire job.

He checks people's identity, then watches them sign forms. He's a signature supervisor. For this he receives – at least in my case – €65. This place was some kind of *Land of the Mini-Beruf.* One lady controlled the door handle. Another dispensed forms. A third one was paid to watch you sign them.

I returned the form to him. He then scrutinised my signature. I'm not sure what he was comparing it against. Then he made some remarks about how sometimes people sign their names illegibly, and that this makes his job »difficult«.

Difficult? Coal miners have difficult jobs. Nurses have difficult jobs. Child labourers have difficult jobs. You have, at best, two difficult colleagues, both of whom you hired.

With the formalities completed, Annett opened a folder

---

5 By ›own‹, I of course mean ›rent‹. Although, actually, I think the apartment Annett and I rent might just be in her name since my foreignness and highly sporadic income is not really seen as a plus in the cut throat world of Berlin rental real estate.

she'd brought with her, and then began asking him a list of questions she'd prepared.

His response to almost all of them was to bat them away with the back of his hand: »Frau Braun will explain everything.«

Have you met Frau Braun?, I thought. I've had warmer ice showers. Communicating with Frau Braun is like getting blood from a stone, that's secured in a bank vault, on a deserted island, surrounded by sharks, in space.

We shook hands and left. €65 well invested.

Frau Braun was waiting for us in her doorway, I think in an attempt to stop me from entering her cave again.

Annett repeated her questions. Frau Braun, as anticipated, then gave a series of the least useful, most vague answers imaginable. She could barely contain her derision. It was like playing Charades with a particularly unenthusiastic cactus.

Is it a play, Frau Braun? A movie? Two words? The Hobbit?

I think an onlooker would have been unsure if she was assisting us, or was a murder suspect who was afraid of incriminating herself by saying anything other than the legal minimum. Although, in fairness, she did sometimes say something, just not a helpful something:

»Nein.«

»That's not part of our work.«

»We don't concern ourselves with that.«

»You'd need to call the Finanzamt.«

»No idea.«

»You need to concern yourself with that.«

I tried to imagine the three of them at their yearly Christmas party. The over-sized receptionist would guard the door, letting everyone in at the allotted time and not before. The

party would take place in a hallway. Frau Braun would scurry around dispensing arsenic punch, »I don't concern myself with Christmas,« she'd explain. »Nein. You must call Santa.« The *Notar* would repeatedly check everyone's IDs, telling them stories about the summer he'd spent checking IDs in Bournemouth in 1979, and then making them sign his Christmas card over and over again while he watched. *He liked to watch.*

Meanwhile, back in reality, we were still in the corridor squeezing blood from Frau Braun's stone. It was uncomfortable. The situation, not the corridor, which was all one could realistically expect from a corridor. Eventually, Annett ran out of questions for Frau Braun to not answer.

»The invoice,« said Frau Braun, »is prepared.« She indicated the document in her hand. I reached out to take it.

»Nein, Herr *Fletscher*,« she said, moving it quickly away, »we'll post it to you.«

»I can just take it if you like, since I'm here.«

»No, we'll post it.«

»Okay, that makes sense,« I said in a tone that made it clear that I felt it didn't, which is the closest an English person gets to an open conflict.

With our business now completed and my patience spent, I fully intended to just turn and walk away. I wouldn't even have shaken Frau Braun's hand. But then, as I was turning to leave, Annett reached out and shook her hand, thanking her. So I did as well. I was afraid that if I didn't Frau Braun would place some kind of ancient mystic curse of bureaucracy on me.

On our way out, we passed the receptionist's room.

»Wait,« she said, struggling to get up from under her desk, »I'll let you out.«

Which she then did. Using the handle. Of the door. She pushed it down. The motion was quick. But I think I understood it.

Annett and I looked at each other as the door closed behind us, but said nothing until we were two floors down. Annett cracked first. She sat down on the staircase, and what began with a vigorous head shake usually employed to express disbelief, which soon descended into an uncontrollable laughing fit.

»That was like a Kafka short story,« I said. »If someone had turned into an insect, it would have all been there.«

»I think Frau Braun is two thirds of the way through that process,« said Annett, wheezing from lack of breath.

»She is all the jokes, stereotypes and exaggerations of bad German customer service wrapped into one scuttling, death-star of a package.«

»I'm sure it's been a *veerrrrry* long time since she concerned herself with anything,« said Annett.

»The more I think about it,« I said, shuddering, »the less I like the idea of her concerning herself with me anyway. I imagine she'd concern herself with me in the same way the Ebola virus might.«

A LONG, EXPANSIVE AND DETAILED GUIDE TO GERMAN CUSTOMER SERVICE

It does not exist.
The End.

Okay, so that's a slight exaggeration, but only slight. German customer service is mostly an oxymoron, in which you, the oxygen-consuming customer are always treated as a moron.

Customer service in Germany is mostly just a vague notion – an idea proposed on a post-it note and then quickly lost in the suggestion box of an *Ideenamt* whose last idea was no longer to open its suggestion box. Since there are two sides to every story, I'll now present you both – German customer service from the customer's perspective, and then the German customer from the service person's perspective.

GERMAN CUSTOMER SERVICE PERSONNEL AS DESCRIBED BY CUSTOMERS

German Customer Service Personnel will at all times treat you not so much as a ›customer‹ – one wishing to bestow money upon their place of employment, which will, indirectly, pay their wages – but instead as a hot potato that has inexplicably become lodged within their underwear.

Ouch, Argh, Ow, Ow, There's a customer in there?!? I don't know how he got in there. Quick, get him out. Ouch, ouch. He has questions? F'§ his questions! Go, customer, go! Get lost. Ah. It burns!*

If you refuse to leave, or keep asking them questions (which are German Customer Service Personnel's kryptonite), they have other methods to try and make you go away:

1. Their face.

It will say: *You want things? From me? Can't you see I'm trying to work here?! Does my face look hospitable to your questions? Well, take the hint. I'm going to keep staring. I will turn you to stone. I have only contempt for you in my heart. Ha! That was a joke. I have no heart. That will be my last joke. Leave now. Don't make me sigh. I will sigh …*

(Sigh)
See! NOW LEAVE!

2. Deflecting you to someone else

»Hi, I was wondering if you can help me, I'm looking for a ...«

»No. I can't help you with that.«

»But I didn't even finish my question?«

»Yes, you'd need to ask that to the question department. This is not the question department.«

»It's also not the answer department then, I take it?«

»No. This is the misdirection department.«

»You want to leave a contract? One does not simply leave a contract, Herr Fletscher. Where is your *Abmeldebestätigung*? Call Frau Huber in the *ICH-HABE-KEIN-INTERESSE-MEHR-ABTEILUNG* on 030112323424898989898998.«

Thus begins a process of customer-tag, in which you are knocked around like a small, helpless lifeboat in a stormy sea of other people's *it's-not-my-problem*.

3. Making everything a *Schein* (permit)

In order to make things particularly impossible and awkward for you, Germany attempts to convert everything it possibly can into a *Schein*. This provides an illusion of glamour to the item. That glamour makes it more understandable that you will have to jump through many inconvenient hoops to get it – it's a *Schein* after all.

»You're looking for a USB-Kabel, Herr Fletscher? No problem. I'll just need to see your USBGERÄTEBENUTZUNGS-SCHEIN. Oh, you don't have one? No problem. Take a num-

ber from the machine in the hallway and bring it to Frau Huber in Room 4356.145B. With a stamped addressed envelope, your birth certificate, and a scan of your ELEKTRONIKZUBEHÖRERWERBSERLAUBNIS of course. Her office is open on Tuesdays, during full moons, between the hours of 12:10-12:15am. *Viel Glück damit.*«

How to Annoy German Customer Service Personnel

While it might seem like they have all the power – since you want something from them – your ability as a customer to annoy, inconvenience and irritate is not to be underestimated.

✓ Be Vague
All Germans hate vagueness, especially Germans who are already annoyed by your mere physical presence.

»I'm here about stuff. I'm wondering if you could tell me where to find products? Which Marmalade would you recommend someone new to Marmalade?«

✓ Small talk/ask a lot of questions
Do that annoying thing that small children do, when they ask questions purely for the sake of asking questions, not actually bothering to wait for the answer.

»The weather is nice today, yes? Did you see that thing of historical merit that occurred on the news recently? What's your stance on Coke vs. Pepsi? How about football, am I right? Gentrification. Don't you just hate it?«

✓ Use their names whenever possible

Since many employers require their slaves to wear a name tag, you can also use the weapon of over-familiarity.

»Frau Huber! *Wie geht es Ihnen*? I was thinking about going shopping and I was wondering if, my girl, Frau Huber, would be at work. You know? Yeah. Anyway, see you around, *Hubs*.«

✓ Order *Leitungswasser*[6]

Nothing annoys service staff more than your request for *Leitungswasser*. Sure, they need to make a profit, but that doesn't make it okay to try and charge €2.50 for the most standard, basic liquid commodity in existence. A liquid that is identical to what's on offer from the tap in their kitchen and bathroom, and your kitchen and bathroom, and all kitchens and bathroom. Only, now at an 8000 % mark-up because it comes from a fancy glass bottle.

✓ All of the above, combined

»Ah, Frau Huber! I see you are working the cheese counter today. I'd like to pick your cheese brain, actually. What is the best type of cheese for me? I'm a Gemini, who enjoys long walks. What is your favourite type of cheese, *Hubs*? I'm a cheddar man, ordinarily. Does cheddar work well with salads, Frau Huber? What's your favourite type of not warm, Mediterranean-inspired, weekend salad, Frau Huber? How about this weather we've been having, am I right? *Tschüß*.

---

6 Leitungswasser is just plain, ordinary tap water. Based on the reactions you get from ordering it, you'd think you were asking for a glass of gold, diamonds and unicorn meat.

Oh, I forgot to order, didn't I, *Hubs*? Silly me. I'll take 250 grams of *Leitungswasser,* please.«

CUSTOMERS AS DESCRIBED BY GERMAN CUSTOMER SERVICE PERSONNEL

The average customer is an irritant. Rather than taking five minutes to do some Internet research, bringing the things the website clearly states they need to bring, or, oh, I don't know, using a little something called *common sense,* they instead decide to crash head-first into the orbit of a hard working public professional like myself. A professional merely doing my best, at a job that demeans me, whilst being forced to spend my days dealing with every *nutjob, crank, idiot* and *bore* that comprises *Joe Public.*

Just because it's called *Civil Servant* in whatever superficial, backwards country they come from, doesn't mean I must remain *civil,* or that I'm their *servant.* Equipped with their own trumped up sense of importance, they wrongly assume that they are more than a fleeting, back-of-shot, walk-on, unaccredited extra in the movie *My Day.*

Customers are highly prone to errors of logic. Here are a few of the most common:

1. That they are important
Servicing the customer is not my job. Completing a process is my job. Whether it's answering emails, operating the checkout, stacking a shelf, or dispensing *Scheins.* The customer might well be tangentially involved in that process, but they *are not* that process. The normal function of that process

should not be interrupted for their whim, nor because of their ineptitude.

2. That I am an expert

Just because I'm working on the cheese counter today, I'm expected to be an expert on cheeses? Why? The customer is standing in an aisle. Does that make them an expert on aisles? They have a shopping trolley. Are they experts on shopping trolleys? No, the aisle and the trolley are things they use to get the things they want – food. This job is my aisle and trolley, it gets me the thing I want – *money*. It's not my passion.

3. That I care

Caring is a luxury. Do the customers care about my shitty wages or upcoming exam for my sailing licence? No. Does the customer who just shouted at me ten minutes ago – for something that was in no way my fault – care that I'll be upset for the rest of the day because of it? No. Caring is a luxury that no-one is willing to pay for.

How to Annoy Customers

You cannot hit the customer, this is frowned upon, and they may hit back. But you can metaphorically hit the customer with the following other weapons:

✔ Disinterest

There might be certain phrases you are required to say, such as »Hallo«, »Schönen Tag noch«, or »Payback Karte?«. How-

ever, no-one says how you must say them. Say them all at once with no spaces in between »HALLOPAYBACKKARTE 3.20€SCHÖNTAGNOCH« or like you're a rapidly deflating balloon »HALLO! Payback krt? 320tagnoc ...«

✔ Remind them how busy you are

This lets the customer know that you are important and they are not. Repeating phrases such as »I'm extremely busy«, »I don't have time for that,« and »as you can see, I have a lot to do there« will work well when combined with a desk that contains only a copy of *Bildzeitung*[7].

✔ Time

The customer will want two things from you – either that you work fast so they can leave, or that you work slowly, so as to be thorough. Always be the opposite of what the customer wants. So, for example, if you're working on a supermarket *Kasse* and someone nips in to buy a newspaper, this is the perfect moment to jump up and rearrange the cigarettes, or go barcode blind, or just repeatedly press the till's enter key until it makes an annoying beeping sound and begins a five minute long reboot process.

✔ Refuse to serve them *Leitungswasser*

If the customer requests *Leitungswasser*, behave as if they've just started a conga line at the funeral of your beloved aunt. How dare these walking wallets think they can just come in

---

7 Bildzeitung is a special type of toilet roll that they print news about socialite's love lives onto. Most countries have an equivalent. In the UK it would be The Sun.

here expecting things for free? Don't they know how angry your boss gets when you give out *Leitungswasser*? Options:

A) Tell them no.

B) Find the smallest water container possible, such as a thimble, containing less than a gulp and smile politely as you serve them this.

C) Serve them their beloved *Leitungswasser*, but, from that moment onwards, treat them like a restaurant terrorist who is trying to plot the demise of everything that the service industry stands for.

Mitfahrgelegenheit &
The Deutsche Bahn

One morning, my German teacher Claudia practically skipped into class.

»What are you looking so happy about?« I asked.

She blushed a little. »Well, I met a man,« she said, »last night in a *Kneipe*.«

»Tell me about him!« I said excitedly. I spent most of our classes trying to distract her from the syllabus. I could easily spin ten minutes out of this.

»Well,« she began, »he's ...pretty much perfect! Handsome, kind and funny.«

»There's a *but* coming, right?«

»Right,« she conceded.

»He ...« she stopped, and looked down at her feet. »He ...«

»Out with it already!«

»He ... works for the *Deutsche Bahn*!« she said, in a tone that might be used not for the nation's largest rail provider, but a mass murderer, arsonist, or someone who throws rubbish out of their car window while driving.

»That's a problem?« I asked, confused.

»Of course it is! I hate the *Deutsche Bahn*!«

»But you said he was perfect in every other way?«

»He is. But ... *the Deutsche Bahn*! Anyone but the *Deutsche Bahn*.«

I was used to Germans telling me how much they hate the

Deutsche Bahn, however, until this moment, I think I'd underestimated just how deep that hatred could run.

»So, are you going to see him again?« I asked.

»Yes,« she said, her smile returning. »I'm trying to get past, well, you know, *his problem*. We're going to go out for a meal.«

Knowing Claudia, and her stubbornness, *Mr Deutsche Bahn* would need to be on his best behaviour. Hopefully he'd not to arrive thirty minutes late for dinner due to »leaves on the track«, or ask to see her ID card, or charge her €4 for the restaurant seat reservation, announce each dish in advance at the table – ›*shortly will be arriving Main Course*‹ – and then, when it's time to pay, adjust the price of the meal based not on how long it took to make, how long to eat, what it was comprised of, but just how many other people were in the restaurant while they were eating. *Sänk ju for dinnering wis ze Deutsche Bahn Mann.*

Of course, it's easy to criticise the Deutsche Bahn, and this is a popular German past-time. However, I also think that there is one reason that we all need to be very thankful to them. One thing that they really did right, and deserve credit for.

Mitfahrgelegenheit.

Think about it. If Deutsche Bahn weren't so massively irritating, so incredibly annoying, so expensive and cumbersome to interact with, would Mitfahrgelegenheit have ever become popular? I don't think so. Most people prefer not to share their car with strangers. Admittedly, this is quite a backwards compliment for Deutsche Bahn, but it's a compliment nonetheless, and I'm pretty sure they have to take what they can get in that department.

Many Germans don't appreciate that Mitfahrgelegenheit is a uniquely German triumph. A simple, effective and afford-

able car sharing service used all across the country. There may be similar websites in other countries, but without the mass Deutsche Bahn style hatred of rail providers, and with other discount travel options like buses, there's just no need to share a car with strangers, and so these car sharing services never catch on.

Not so in Germany, where Mitfahrgelegenheit is a very popular, active hub, with nearly a million journeys a month from more than three and a half million members. However, Mitfahrgelegenheit has new competitors, since a law change in 2013 allowed discount bus services to compete directly with Deutsche Bahn. Many of its car owners have told me that they're getting less and less paying passengers since then. Buses are often as cheap, and have various luxurious extras, like a toilet, wifi, and not having to talk to strangers.

So, not knowing how much longer it will last as a viable transport option, and relishing the chance to meet interesting people from all walks of German life, I cleared my calendar for a Mitfahrgelegenheit adventure: every day for five days I decided to get up, pick a random destination, and write about the people I met along the way. I had no idea at the time just how strange, entertaining and also tiring that would be, or how much it would change my attitude to the good old *Bahn*.

On day one, I woke up excited for my first day trip. Looking at various potential destinations to see which had good Mitfahrgelegenheit connections, I decided to visit Jena Paradies. There were at least five different cars going there and back, so finding a spot was easy. I'd never been to Jena Paradies but had, regularly, passed through it on Deutsche Bahn trips and made not very funny jokes about its name. With a name like that, someone, somewhere, is making quite a state-

ment. It had to be a great place and easily worth a five hour long round trip in a car with strangers, right?

That first stranger was a man called Robert, who drove a huge, fifteen year old Volvo Passat. As I sank down into its leather seats, it became clear that this car was bigger than my apartment, and had vastly more comfortable seating. I hoped they'd all be like this.

Robert was an old rocker, with shoulder length blonde hair and black wraparound sunglasses. He was uncomplicated and had a talent for idioms. »I've been living in a WG for the past three months. But I'm just too old for that WG shit now. The main guy is this forty-nine year old unemployed IT specialist. From what I've seen, he's more like a wine specialist.«

Robert worked as a car mechanic, a topic that only seemed to depress him. »*Was lange hält, bringt kein Geld,*« he said, with a tut *(what lasts long, earns little)*. »Cars these days don't last more than twenty years. They're built that way. It's all computers inside. They make them like that so you have to return them to their own specific Garage. I can't fix them.«

»What Garage do you work for then?«

He laughed. »Garage might be a little bit generous. A Turkish buddy and I have more of what you might call a *Hinterhof Operation*.«

I was starting to understand now why he'd called me a few hours before the journey to tell me he was going to cancel it on the Mitfahrgelegenheit website, but it would still happen. This way he wouldn't have to pay the €1.10 fee.

»Do you cancel all your rides on the Mitfahrgelegenheit site to avoid the fee?«

He grinned cheekily at me, flashing yellow teeth. »Yep. They mailed me about it a few times to see if I was having any

problems. I'm having some problems alright, but they're not the sort of problems they mean.«

We arrived in Jena. The weather was beautiful. I asked in the Tourist Office, and it turned out it's only the train station that's called *Paradies*, after the nearby park. The rest of the city is just boring old Jena. What a missed opportunity! I probably didn't need to invest three hours in the car of a stranger to learn this fact. Probably thirty seconds on Wikipedia would have been enough, but if you commit to doing no research at all, you've little choice but to roll with the punches, or in this case, the anticlimaxes. I walked through the *Paradies* park anyway. It was very pleasant. I contributed my bit for Jena's anti-gentrification movement by urinating behind one of its trees. The Tourist Information lady had suggested I should do two things while there – go to the top of the Intershop Tower and visit the Optical Museum. The top of the Intershop tower, affectionately called *Keksrolle* and *Penis Jenensis* by the locals, did indeed offer an excellent panorama of the city from its circular twenty-eighth floor. I was busy enjoying that view and scribbling notes, when an elderly man hobbled towards me, a little unsteady on his feet. »What are you writing down there?« he asked in a deep, booming voice.

»Erm, just some notes, for a book,« I said, looking up from my notebook as he lumbered nearer.

»A book. I always planned to write a book.[8] Never did get around to it though. I made a list, once, of all the things I

---

8 This is the response authors hear 80% of the time they tell people what they do for a living. Usually followed by »Yeah, I'm sure I've a good book in me.« Or a joke about wizards, vampires or sado-masochism.

wanted to do in my life. I counted how long it would have taken me – four hundred years!«

»You must have been an ambitious man then?« I asked.

»Oh, I was,« he nodded. »Still am, actually. But in the end, what do you actually have time for? *Marriage. House. Kids. Grandkids.* I threw the list away in the end. What kind of books are you writing?«

»I write about Germans.«

That got his interest. »I think I'm typically German,« he said, proudly.

»I'm not sure you are. It's not normal to make conversation with bald strangers on the top of tall buildings shaped like a pe–*cookie roll*.«

»It's not normal? Well, at my time of life, what have you got to lose?«

»Good point,« I replied, just before the conversation suddenly turned and jumped off a politically incorrect cliff. Consider yourself warned.

»I think the problem is that Germans are always expected to be so reserved and conscientious. Ever since, you know, *little Adolf*.«

The flippancy of the phrase »*little Adolf*« took me such by surprise, I gasped. He didn't seem to notice this and carried on.

»What's with everyone always trying to make us feel guilty. I was born in 1954, what do I have to feel guilty for? What did I do to the Jews? Nothing. Why should I have to pay money to them? So they can build walls around Israel and blow up schools in Gaza?«

»Do you think many Germans have a similar opinion?« I asked.

»They wouldn't tell you if they did. They're scared to. You Brits are no better, mind. Your empire ended hundreds of years ago, but it's like none of you noticed. You're all still walking around like you're better than the rest of Europe. You can put all this in your book if you want,« he said, pointing down at my notepad.

»Okay. It's not really that sort of book though.«

I tried to make my excuses and leave at this point, but every time I was about to edge away he would start another story, or deliver another vitriolic opinion that pulled me back into the conversation. It was like trying to take your eyes off of a particularly spectacular, intercultural car crash. In the end I made an excuse about having to very urgently catch a non-existent bus. Not that it wasn't an interesting conversation though, however politically incorrect. Living in Berlin, I have the feeling that I only ever meet people with my liberal opinions, having read my sorts of books and watched my sort of films. He was a reminder that there is a Berlin Bubble.

As I headed to the pickup point for my return journey to Berlin, I felt I'd bonded with Jena. It certainly wasn't *Paradies*, but it was quite alright by me. My car on the way back to Berlin was thirty minutes late. No excuse was given. High winds, police investigation, dead body on the tracks, snow, ice, signal failure, crew shortage – these are excuses Deutsche Bahn has given me in the past for their lateness. I felt slightly disappointed that the drivers of Mitfahrgelegenheit were not being as creative.

When it did finally arrive, it turned out to be a small Nissan Micra driven by Loreen and her boyfriend Joon Suh, whose parents emigrated to Berlin forty years ago from South Korea. They were medical students. A few minutes after we

joined the *Autobahn*, a car veered across from the left-hand lane in front of us, forcing Loreen to brake hard to avoid a collision. »Typical *Thuringian,* in full suicide mode,« she said, flashing her lights in disgust. »They're all like that, I think because Jena is so terrible.«

Later, once I'd managed to steer them (pun alert) on to happier topics, Loreen giggled as she told me how her and Joon Suh met at university, after spending a day preparing a corpse together. At the end of the day he had presented her a heart, made out of some of the human skin they had removed during the preparation process. »It was really romantic,« she said, looking across at him, in a tender way that should not be encouraged whilst driving 160km/h surrounded by Thuringians in »full suicide mode«.

»Also, it was hairy,« Joon Suh added, before laughing, somewhat like a Bond villain.

I made it home, tired, and achy from having spent six hours in various different modes of transport. However, I'd met more interesting people than expected, and my enthusiasm for the challenge was as high as when I'd started that morning. One down, four to go.

The next day, I awoke, far more tired than anticipated. All that sitting and talking had obviously taken its physical toll. I decided to pick a fairly short trip for the day. By coincidence, I'd recently met someone from Halle, and they'd told me, that for no logical reason at all, Halle has a big Beatles Museum (the band, not the bug). This seemed a worthy gimmick for a day trip and I could be there in under two hours.

My driver from Berlin to Halle was Anne, a thirty-five-year-old blonde graphic designer on her way to a client

meeting. As soon as she heard just how badly I abuse the German language in each and every one of my sentences, she switched our conversation into English, revealing a near perfect American accent, from a year spent there as a teenager.

»I learnt the accent as quick as I could. It was the only way to avoid conversations like, ›Where are you from? Germany? Awe-some! My grandfather Fritz is from Germany! Do you know him?‹ It was an okay time, I guess. But that never-give-up, American Dream style optimism really grated after a while.«

»Do you think there is something like a German Dream?« I asked.

»I think that the German Dream is not to dream,« she said, after a long pause. »I think if Germans are left to dream, they tend to fall on the depressive end of the imagination spectrum. Dreaming of hyper-inflation, war, debt, or some other kind of social catastrophe. I think the German Dream is just to be left alone, anonymous, and with enough insurances to feel untouchable.«

The one hour and forty minute journey to Halle drifted by so fast, and so pleasantly with Anne, I was actually sad when we arrived. We swapped business cards, promising to go for a beer sometime back in Berlin. Will we? Probably not. But I like to think that we might. That lifelong friends and lovers might be made each day from the thousands of strangers climbing into Mitfahrgelegenheit cars. Strangers, who think their shared journey will end at some pre-agreed point – München, Münster or Mönchengladbach, but actually drives on further to life's other major destinations – homes, weddings, children, grandchildren.

My first impressions of Halle were quite good. It reminded me very much of a pre-boom, lower-class Leipzig, my first

German love, and also its closest neighbour. The Beatles Museum turned out to be much more fun than the Optical Museum of Jena.

With a few hours to kill before my ride back, I looked around for a restaurant, and finding nothing but *Spielcasinos*, resigned myself to passing time in the *Bahnhofslounge*. I'd been seated at the bar just a second before I was accosted by a white-haired elderly gentleman in a checked shirt, greedily knocking back swigs from a Chardonnay glass, and sitting on a nearby barstool. In keeping with the other people I'd met on this challenge, he quickly, and almost without prompting, told me his entire life story. His movements reminded me of those coin-operated rides you sometimes see outside supermarkets. Every question I asked him was like putting fifty cents in one of those rides and watching it whir into life, as he lurched towards me, ever closer to my face, more and more animatedly, before powering down and turning back to his wine after he'd finished that particular anecdote.

»*Menschenkenntnis. Schreibkenntnis. Redekenntnis.* In the end, that's all that matters,« he said. »I was a writer,« he let those words dangle for a few seconds, to give them gravitas. »A real writer. Not the shit that the people buy these days. *Literature!*«

I nodded as if I both understood, agreed, and didn't think I was being insulted. »Yes, literature …« I confirmed.

»Now I'm retired. But I'm busier than ever. Than ever,« he repeated for emphasis and pointed his index finger to the sky. »I'm a highly requested funeral speaker. I bury the whole of Halle, I do.« It took me a little while to work out what exactly he was, since I'd never heard the word *Trauerredner* (literally translated – *sorrow speaker*) before.

»I thought the family of the deceased do the speeches?« I asked.

»Ha,« he swatted this suggestion away. »Storytelling is a special talent. To see people for what they really are. Some people have it, some people don't,« he paused to take the final gulp of Chardonnay before signalling the barkeeper for another.

»I have it,« he continued, returning his gaze to me, still scribbling away in my notepad, »I hope you have it, young man.«

I hoped so as well. After about forty five minutes, in which I think I said about twenty words, to his increasingly slurred thousand, I left to catch my ride home.

»You're in your prime. Your intellectual, physical prime. The height of your powers. Use them!« he shouted after me, as I left. I wasn't quite sure what to make of this conversation. In many ways I found it stranger than the one I'd had with the man on the Intershop tower.

My driver on the return journey, Johan, answered questions like he was being billed by the word. This was okay by me. My back hurt. My knees hurt. I was completely exhausted from another day of transport, sightseeing and conversations with strangers. I put my seat back. I looked out at the night sky, let the lights and rhythms of the *Autobahn* wash over me, and tried to imagine I was the protagonist in a Bruce Springsteen song, setting out into the night to escape my fate.

I've lived in Germany for more than six years, and it's therefore very embarrassing that I've never been to the Ostsee. So, a day trip north to Warnemünde was the plan for day three. It would be a good three hour drive from Berlin to Rostock, the nearest city with Mitfahrgelegenheit options,

then thirty minutes via train to Warnemünde, so it would be the most gruelling day trip yet. I found myself up early, yawning repeatedly in the car park of a Lidl, as I waited for a red VW Bus and its driver, Stefan. Stefan turned out to be a tall, skinny, bespectacled hipster of a man in a flat cap and brown cords. I sat in the back of his big VW bus with a Hungarian man called Georg. Georg was in his early 60s, but still had a full head of grey, lightly gelled hair, that curled at the front around a wide, strong face, and a furrowed brow. His nose curved slightly to one side, like it might have been on the wrong end of a fist at some point. Still, he was an undeniably handsome man and a charismatic speaker, even if I'm not sure of the truthfulness of everything he told me.

»I came to Germany in 1978, into the good old DDR,« he said, sentimentally.

»Didn't you miss Hungary?«

»No, not really. I was a criminal there. A high class one, it was all we were really good at back then. Moving to Germany was a chance for me to leave all that behind. I studied for the first time. Data Informatics, I think that's what they called it,« he began laughing at the memory. »Sounds funny right, studying Data Informatics in the DDR? There wasn't really much of it. It was a bit of a farce to be honest, but some farces can be quite enjoyable.« He considered this for a few moments. »So was the DDR itself, in many ways.«

»Are you surprised how quickly the East changed after reunification?«

»Yes. I'm surprised how fast everything develops,« he said, before resting back against his seat, a look of nostalgia on his face, as if replaying all the years back in his mind.

»I've spent a lot of time since then on projects in Poland.

The speed of change there has also been remarkable. Between 1997 and 2004 I was robbed twice at gun point. I was beaten up about ten times. Twice I was left, laying in my own blood, unconscious on the street. I had about fifteen cars stolen. At the time, I thought, who would steal a ten year old car? I learnt the answer pretty quickly in Poland. Now, well, that Poland is long gone. The difference in just ten years takes your breath away.«

The three hour journey had flown by in the company of Georg. I was really surprised just how interesting the people I'd met on this challenge had been. I felt lucky. Where else could I meet a Hungarian ex-criminal who studied Informatics in the DDR and had fifteen cars stolen in Poland, yet bizarrely, continued taking cars to Poland? Certainly not in the hipster cafes of Kreuzberg that I usually frequent. We parted company with a firm handshake.

Warnemünde turned out to be a pleasant way to pass an afternoon. Pretty, white, sandy beaches, that were largely empty on a windy day in autumn. You could eat fish served to you from floating restaurants anchored to the promenade. I think visiting Warnemünde is about buying into the fantasy that you're not in Germany. That it isn't cold. That you really are on holiday. That it is a good idea to take your shoes and socks off and paddle in the frigid October water (it isn't). I spent a few pleasant hours playing my role in this delusion, laying on the sand, with my eyes closed, imagining that there wasn't another long, uncomfortable car journey of more traffic jams, of more road works, of more pop music from more hit radio stations, and of more back pain ahead.

Unfortunately, that fantasy was ended by a heavily tattooed and pierced Australian man called Tony. Tony arrived fifty

minutes late to our meeting point, in a rusty black van, with blacked out windows, and not so much as a word of apology.

»Will this old thing get us all the way to Berlin?« I asked, giving the van the once over, disapprovingly.

»What, *Daisy* here?« he said, tapping lovingly on the frame of the door with his palm. »She's gotten me over 90k kilometres with almost no fuss or bother.«

Inside the van, where I was expecting rows of seats, I found only an old mattress secured with bungee cords and what, sleeping upon it, appeared to be a cat with one eye.

»Where are the seats?« I asked.

»Took 'em out, mate. But there's a wooden ledge there at the back, you can sit on that. I built it myself, I did. Not *the Ritz*, granted, but it'll do the job.«

I hesitated. If I were anything other than an unattractive bald man, there was no way I would have gotten into this van. However, I knew there were no other Mitfahrgelegenheits to Berlin that day. Plus, for all this man's obvious flaws and gruff interpersonal skills, he must be an animal lover. How bad could he really be? Sure, there was also some evidence that he wasn't an efficient carer of said animal, but still, he had one, and it was alive[9].

»Is this your cat?« I asked, admitting defeat and climbing in.

---

9 At the time it didn't occur to me that this cat with one eye might be an elaborate feline murder wingman that he used to lure his victims into his van because they would make the same primitive ›he's got a cat, how bad can he be?‹ fallacy of logic that I made. That thought occurred to me later, on the Autobahn, by which time it was already too late to flee (unintended cat pun). I've since occasionally googled ›Australian offender germany van cat‹ but so far, nothing which means he's either not a serial killer, or a very good one.

»Veronica? No, she's my neighbour's cat. She jumped in as we were heading out, I guess she wanted to go for a ride. Don't worry, she's friendly.«

Veronica, as if responding to his cue, jumped onto my lap.

»I'm assuming there aren't any seatbelts, right?«

»Right.«

»Great.«

At Rostock we picked up the girl that had been promised the seat in the front. It was positive discrimination in action. The last passenger was a young Indian man who was about to begin an MBA in Berlin. I have forgotten both of their names, and from here onwards will refer to them lazily by their gender or nationality. I could see both were sceptical about getting in, the Indian more than the girl, because while she was at least getting a real seat (and quite possibly even a seatbelt), the Indian was offered a situation which included me, a dirty mattress, a cat with one eye, and half a wooden bench which was »admittedly not the Ritz«.

However, with trepidation, and mostly because he had an important meeting to attend in Berlin, the Indian man did climb in the back. I know about his meeting because he regularly reminded the Australian of it whilst asking him to speed up.

»Yeah, alright, *p-a-l*.« said the Australian, »Daisy only goes as fast as she goes.«

About an hour into the journey, Daisy decided she'd gone fast enough and, so, promptly broke down. »The old gal's overheating, *I think*,« said the Australian, lifting the latch to her bonnet, in a motorway rest area, as a cloud of steam escaped into the sky. I had a peak under the hood; it looked old, very old. Robert would have been in his element. But

sadly, neither he nor his Turkish *Hinterhof* buddy were in attendance. Instead, Tony had just me, the girl and the Indian guy and we were pretty busy complaining while doing lunges and stretches, trying to smooth out the creases of our spines.

»She does this sometimes. Anyone have some water?« he asked, staring directly at my Indian co-passenger, busy drinking from his bottle of water, causing him to choke slightly in surprise. Veronica, the cat, then decided to jump out of the van and run off into some bushes. The Australian leapt after her and missed, landing on his front with a loud bump and a »get back here, you shit«. It was a farcical scene. I revised my opinion of him as an animal lover. Before long, we were chasing her through nearby bushes, trying to coax her back into the van. She was very nimble for a creature with only half vision. After fifteen minutes, and all the Indian's water, Daisy started up again. I reluctantly climbed back in, holding the recently recaptured Veronica tightly under my arm, and cursing Tony under my breath. I think we were all cursing Tony, even Veronica.

The time past slowly before the next breakdown. The Indian guy and I made small talk, and played with our phones. By the three hour mark we were in agony, sitting on our wooden plank, wincing at every bump, or taking a rest by sitting on the dirty floor. The mattress had too many suspicious stains, and no sheet over it. My back was screaming angrily at me. I felt like an eighty-year-old man. Actually, I hope eighty-year-old men feel better than I did in that van, otherwise I don't want to become one.

It was almost a relief when Daisy overheated for a second time, and brought us another break in which to get out and

do some more stretches. This time Veronica was not permitted to leave the van, and I donated water to the cause.

As we got back onto the Autobahn, four hours into the journey, I tried to return to Bruce Springsteen road-trip mode, but there are no Bruce Springsteen songs about journeys with shambolic Australians, in vans called Daisy, with cats that have one eye, so that trick of imagination no longer worked. So, instead I thought about the nice Deutsche Bahn train I could have been sitting in. With my legs stretched out, my laptop plugged in, my seat reclined, watching a movie, stealing an occasional glance at the countryside whizzing past me at two hundred kilometres an hour, with easy access to a toilet, and an aisle I could walk through to stretch my legs.

That would be true *Paradies*.

Sure, the on-board bistro would be heartbreakingly expensive. Sure, I'd forget, as always, that my *BahnCard* automatically renews each year, before I could cancel it. Sure, the price would be inexplicably expensive. Sure, the train would be late exactly when I depended on it to be punctual. But would anyone ever ask me to share a plank with a cat with one eye, or my water with an overheating engine? No, no they wouldn't.

»You mind if I let you out here?« the Australian asked, waking me from my daydream, shortly after we passed the first Berlin sign and a long way from anything recognisable as *the city*. The ad had said we'd be dropped off at Berlin *Hauptbahnhof*. This was clearly not the *Hauptbahnhof*.

»Where are we?« I asked.

»Good question. I'm staying at a commune, pretty near here, I think. I'm fairly sure that if you just head down this way for about five minutes, there's an *S-Bahn* station.«

It was more like twenty. I think the Indian man and I would have been angrier, but we were mostly just happy to be free. The total time from pick-up to my drop-off was a little over five hours. Two hours slower than the opposite journey that same morning, and I was still an hour away from home via public transport.

With three days of trips completed, I was, as the Germans like to say, *kaputt*. For the first time in my life I fell asleep on the S-Bahn and missed my stop. After midnight, when I finally did fall through my front door and straight into bed, I'd been gone eighteen hours. I didn't care if I was supposed to have two more Mitfahrgelegenheit day trips – I was done. I had more aches than I could describe. More importantly, I already had more anecdotes than I could remember.

What did I learn? Well, Mitfahrgelegenheit is a good service, an impressive success story, a nice way to meet interesting people, but, personally, my student days are long over. I'm proudly *spießig* now. No matter what Claudia thinks, I'm very happy to be in a long-term, long-distance relationship with the nice people of the Deutsche Bahn.

Mallorca Package Holiday

After all the hard months of attempted integration, it was time for a holiday.

»If you want to experience the closest thing to Germany,« said my friend Christoph, »only *outside of Germany*, you have to go to Mallorca.«

»Why Mallorca?« I asked.

»Because of Ballermann.«

»What's Ballermann?«

»It's like *XXX adult Disneyworld for drunk Germans*. It's a stretch of beach there. Unless your book contains stories of you being drunk, dancing to *Schlager* in the *Oberbayern* or *Megapark*, drinking from a plastic bucket, and having your shoes vomited on, I won't be able to take it seriously.«

Germany has had a long and spirited love affair with the island of Mallorca. Initially a keen recipient of its drunken, lumbering, Schlager-fuelled advances, many casual observers felt the relationship was not entirely honest and forthright in its intentions. That it was merely a fair weather partnership for the Germans, little more than a hot summer fling, while for the Majorcans it was really only ever about separating the Germans from their money.

Today, decades into that relationship, the famous stretch of beach the Germans have nicknamed *Ballermann* still exists, and, while it's trying to tone down its well-documented excesses of previous years, it's no less popular with Germans.

More than 3.4 million visit the island each year, more than any other destination. In fact, thanks to research by travel agent *holidaycheck.de*, we know more about the average German holidaymaker than probably any of us ever wanted to.

For example, 40.1% of German holidaymakers always re-turn to the same place, spending a total of between two and three thousand euros on their holiday, a trip they book on-line an average of 74 days in advance, after up to eighteen hours of Internet research. The most popular form of holiday is the three star, all inclusive.

I worked out that in seventy-four days time it would be the 2nd of May and after some initial »German hotel Mallorca« type internet research, I found one hotel that seemed perfect. I went to tell Annett the good news.

»You booked it already? That was quick.«

»I figured – one big hotel with a pool, or another big hotel with a pool. Can't be that much difference, right?«

»Wrong«, said Annett, shaking her head, »is it a fancy hotel, at least?«

»Erm. *Not really.* It's 3*.«

»Does it have a spa?«

»No.«

»Why did you pick it then?«

»It's near Ballermann, and people complained on the re-view sites that it's full of drunken Germans.«

»So you picked that place?!?«

»It's not really that kind of holiday!« I protested, »We're going to study German vacation behaviour.«

»Yes,« she protested. »But I could have done that from the spa!«

I can imagine that for people with stressful lives, real 9-5

jobs, or young children to supervise, that the idea of a holiday in which everything is prepared for you is very appealing. Where the most difficult decision you have on any particular day of your holiday might be … *Piña Colada* or *Mojito*? That sun lounger in the corner, or the one nearer the pool but with less shade? Where for a week or two you get to do exactly what you want, rather than what you have to do. But Annett and I, don't have that kind of life, so we tend to do the opposite. We usually take stressful holidays precisely because we don't have stressful lives. Now, with our first package holiday booked, this was about to change. In exactly seventy-four days time.

Those seventy-four days passed rather quickly and before we knew it, Annett and I were arriving at Tegel Airport for our flight to *XXX adult Disneyland for drunk Germans*. Or, *Mallorca,* as the big screen in the departures lounge said, much to our disappointment. As we joined the check-in queue, a terse exchange was taking place in a little narrow cafe seating area near us between a father, his wife and their daughter. The daughter looked to be about thirteen, and did not once look up from her phone at any point.

The girl's mother had spiky blonde hair, with one patch at the front that was dyed red in a manner I could not describe as subtle. At first glance, it gave her the appearance of someone who'd recently sustained a head injury.

The father crossed his arms in annoyance as the mother walked back from the counter with a tray of sandwiches and drinks.

»Just great. And what did that cost then?« he said.

»Darling, we were hungry!« protested the wife as she returned to her seat next to their daughter.

»What have you bought?« he said, inspecting the items on the tray one by one, »*Wasser*?«

»Yes, water. What is your problem?«

»We have water at home!« he said. As if he'd sent her out to the market with their last cow and she'd returned with ›magic beans‹. I thought at any moment he might actually give his wife a head injury. Instead, she just turned to face the daughter – I think expecting solidarity from her, but not getting any. They sat in silence after that.

A bottle of water at Tegel airport costs about €2.60, so he might have had a bit of a point. But, still, *you're going on holiday*.

Annett sighed. »I'm glad you got to see this. It's a not untypical German family holiday scene. Dads stressing about finding a parking space before the family's even left. Reminds me a bit of GDR times: kids in the back of the *Trabi* throwing up every fifteen minutes. Parents complaining about prices. Everyone secretly glad when they got home because it would be a year before they'd have to go again.«

A little over an hour later, as we took our seats on the plane, a boisterous group of six Germans sat down, occupying the row behind us, three to each side of the aisle, three women and three men who looked to be in their early forties. Uli, the person behind me, in the window seat, had a faded denim sleeveless jacket, and wore a bumbag, in what I can only assume was a non-ironic manner. The fact that the group was separated by the aisle, three to each side, proved not to be an inconvenience for them, but actually a source of endless amusement.

»How is it going over there, darling?« shouted Uli across to the woman in the opposite window seat.

»Everything's going fine here, and yourself?«

»Also fine. Greetings from the other window seat,« he said.

»Can you see anything interesting from your window?« the woman asked.

»I can see an airport, and you?« laughed Uli.

»Funnily enough, also an airport.«

My attempts at overhearing their conversation got increasingly blatant. I wonder if they noticed me curled over the back of my seat, with my right ear angled to them, my notepad open on my lap. Maybe they thought I was pioneering some kind of new plane yoga – *backwards facing crippled dog*, rather than just writing down everything they said. They managed to entertain me for the whole two hour flight and will be the main source material for my next book – *Germans on a Plane*. Which I assure you will be far more entertaining than snakes.

»*Scheiß drauf…*« they began singing in something like unison, »*Malle ist nur einmal im Jahr!*« (Screw it, Mallorca is only once a year). I'd never heard of this song, and neither had Annett. By the end of the holiday, we'd have heard it more than enough for an entire lifetime. While we didn't know it at the time, it is the official anthem of the Mallorca holidaying German, at least around El Arenal, where we were staying.

The first round of beers was quickly consumed to a chorus of »*Schönen Urlaub!*« and »*Auf Malle!*«, and some advanced German *prosting*. They actually leaned over and *prosted* across the aisle! This didn't really work for the people in the window seats, and they also tripped up someone heading to the toilet. But I had to admire their *prosting* dedication. I had the feeling

123

there'd probably already been some bad luck in their lives, and they were not about to risk seven years of bad sex[10].

They then swapped to a new song, of which I only got the words »Michelle« and »*vergessen*«. I hoped it wasn't autobiographical, and that they hadn't actually forgotten their friend Michelle.

Annett leaned over to me, so they couldn't hear, not that they were paying attention: »Even if I baked these people especially for you, they couldn't have come out any better. They just fit so perfectly my stereotype of holidays on Mallorca.«

We landed. I used the time of the bus ride to practice the sentence »*Können wir bitte ein Zimmer mit Meeresblick haben?*« (Can we have a room with a sea view?) Not because it was linguistically tricky, but because I wanted to sound confident when delivering it. Firm but fair. Like this is the sort of request I make regularly. Which it absolutely isn't. Annett checked several versions, before approving one that was medium dry.

Why did I need this sentence? Well, as an English person, I was brought up to never express a potentially difficult opinion unless my life depended on it, and even then, to offer it up not so much as an opinion, but rather a mooted hypothetical possibility. For my desire or opinion may inconvenience someone else. Better just to say nothing and make the best of what you are given. So, ordinarily, when checking-in I'd have just taken whatever room the hotel gave me and no matter how bad, found a way to convince myself that it was the one

---

10 This is a nonsense German superstition and the primary reason Germans will try to force you in their draconian prosting rituals.

that I had secretly wanted all along. This is a strange but very useful English superpower. The ability to convince yourself that the inconvenience you've just received is in some way cathartic for you. I'm extremely experienced at this, so much so that it's an entirely natural automatic process by now, »*Argh*, our hotel room has bugs!« [*Engaging Superpower*] »How exciting! They'll provide interesting entertainment for us. This will be especially useful since the TV is also not working!«

I could not imagine that this is the way the people of my adopted nation of Germany would behave when they are on holiday. Based on my experiences with them, I felt they would be direct and honest about their wishes during check-in. They may not be given their preference, of course, and they would be visibly annoyed at that, giving the staff member that denied their wish the evil eye for the rest of the holiday, but they would still make the request.

We arrived at the check-in desk. The man's name badge said he was called Ivan. I have no reason to doubt this. He greeted us in German, gave us each a glass of *Sekt*, checked our passports, faffed around on his computer for a while and then after I felt enough of a rapport had been established for him to know that we were decent, tax-paying individuals who regularly called our mothers, I wheeled out: »Können wir bitte ein Zimmer mit Meeresblick haben?«

It didn't faze him at all. He looked up momentarily from this PC, said »Sí, señor« and then returned to it.

I was a little taken aback. *It's that easy to get what you want?* Why didn't anyone tell me that earlier? I'd spent thirty years learning to like what I was given!

»What a nice man. So helpful,« I said to Annett as we

accelerated between floors in a speeding metal box on strings (I have very little idea how elevators work) to our *sea view* room.

»The *Sekt was* a nice touch,« she admitted.

I had conquered my Englishness. I had potentially inconvenienced someone by hypothetically making them potentially give us a different room to that which they had initially intended. *Take that, world!*

We reached the door, I put the key in the lock and then in a ceremonious manner opened it and beckoned Annett in first: »Ma'am, your sea view awaits.« Were it not for my dodgy back, and the fact this was not a movie, I may even have picked her up and carried her across the threshold. After a cursory glance at the room, which was dual function – both *Hotel Room* and *1970's Teak Furniture Museum*, we headed out to the balcony.

»I don't want to burst your bubble,« said Annett, hanging over the edge of the balcony, »but it looks like every room has a sea view.«

I scanned all the rooms to our left. I then looked down at our balcony. I then looked along all the rooms and balconies on our right. I then lent over the edge of our balcony and looked at the floor below us. I was methodical so as to be sure that any potential outrage would be justified.

It was.

The hotel was narrow in the middle and then widened outwards, with the balconies fanning out slightly at a diagonal angle. Every room had a sea view!

»That son of a bitch,« I said.

»Well, he only said ›sí, señor‹.«

»Don't take his side, Annett. I'm tempted to go down there

right now and give him a piece of my mind. Not like with words, or anything, but with my eyes as we pass the reception desk.«

»That'll teach him,« she said.

We headed down to the pool, passing Ivan, *receptionist* and *burster of bubbles*.

»Everything okay with your room, señor?« he asked.

I wanted to say, »I didn't know you could see that much teak furniture without travelling back in time,« but I was crippled, by my crippling Englishness. I actually said: »Yes, lovely. Thank you.«

But *that was not what my eyes said*. My eyes said mean and unrepeatable things. Things like »not really«, »grrr« and »I'm mildly inconvenienced«.

It was time to head to the pool, for we had all-inclusive wristbands and two livers to abuse. The atmosphere outside was not quite what we expected. Neither was the average age of the guests. The Internet was right, they were mostly German, at least 85 %. What it didn't say was that they would be so advanced in age. Even with the two of us as outliers, I'd guess the average guest was fifty-years-old, and no-one was singing »Malle ist nur einmal im Jahr«. However, it was still early.

When we reached the rectangular-shaped pool area, the little hut to the side of the pool was dispensing drinks like there was an impending apocalypse, only for alcoholics. We figured beer and wine would be included with our wristbands, but cocktails? These people were asking for trouble. I quickly knocked back a beer and the first cocktail, completely lost in the novelty of not having to pay for them, *because I'd already paid for them*. All-inclusive is magic. You just go and

order stuff, as much as you want, and then they give it to you, and then, in the exact moment where normally you'd have to pay, you just walk off, because – *it's all free. Because you've already paid for it.* But, since that was ages ago and is inconvenient for you to consider, you just forget it and keep telling yourself – *it's all for free!* Magic.

I checked with Annett and she confirmed my suspicion that the average German would optimize their day to ensure they eat and drink as much as possible, so as to earn back as much of the money invested in the holiday as they can. Apparently this was called »making a profit«. I'm not an accountant, and this was my first package holiday, so I didn't want to scrutinise the logic behind this pseudo-maths. It meant, however, any drink but cocktails was out. For lunch and dinner I would focus on the meat counter. Because the glasses were quite small, I'd order two cocktails at a time, pretending I'd give one to Annett and then, instead, just drinking it myself. After an hour on a sun lounger I had a warm glow and we decided to explore some more of *El Arenal* before I fell asleep.

We were just a few hotels back from the stretch of beach known affectionately by the Germans as *Ballermann*. It's an area that wears its Germanness like a badge of honour. In case you were in any doubt as to the intended audience of its services, a million different signs, posters and people are around to remind you.

German Arzt. Schlagerparty tonite! Wurstkönig. Erotik Show. German Dentist. Currywurst combo.

Even the promenade's illegal souvenir-sellers, peddling fake Ray-Bans, hats and novelty lighters from backpacks and Ikea bags had learned enough German to try and stop you as

you walked by with an »Alles klar?«, »Hey Leute!« or a »Guckt mal!«. Although not all the German they'd learned was appropriate. One, while gesturing towards his fake Ray-Ban sunglasses with an open palm, said, »look look, Adolf Hitler, alles klar?«, which I felt was a confusing and unfocused opening sales gambit that did little to draw attention to his Made-In-China wares.

Walking the streets of *El Arenal* is actually quite stressful. If it's not the flashing signs, sellers, tricksters, pick-pockets, or hair braiders, it's the club promoters like the two that stopped us outside *Oberbayern*, the most heavily advertised, and one of the more famous venues on the *Ballermann* stretch.

»This is Uwe,« said the first. »He's been living here for fifteen years, everyone knows Uwe!«

»Hi Uwe,« we said in unison.

»*Hallo ihr.* Tonight, we've a cool party with *Oli P.*«

»Who is Oli P??« I asked.

»*Oli P! Mann.* Everyone knows Oli P!«

»I thought everyone knew *Uwe*?« I said.

»Ja, both,« said the bouncer, »Oli P is very famous. German TV star. Entrance is only €5 with these special, amazing Party Tickets.« And with that he fanned the tickets out like they were a wad of cash on some late night TV game show. I expected that at any moment I'd be asked to spin a wheel or name the capital city of Togo to claim my prize (Lomé, for anyone interested).

»Okay, but you have to decide now. Later they are not available.«

»Later they are not available?«, asked Annett in a tone that suggested that she thought *later they really would still be available.*

»Correct. Later the entry costs €81235[11],« he said, peeling two tickets from his stash and pushing them into my hand. »So … you're taking two then?«

»No, Uwe,« I said. »But, nonetheless, send our greetings to Oli P.«

We soon learned walking anywhere around *Ballermann* is a groundhog day of exactly this conversation. *People wait outside of Thing, people explain why you should go into Thing, people offer you a reason to go into Thing, but you must decide now in order to get some kind of special offer that »es später nicht mehr gibt«* (that is not available later).

It's like a mixture of Groupon and QVC, where the only products on offer are alcohol and Schlager stars whose careers would have ended in the 1980s, were it not for this single, kilometre long stretch of German revelry, a promenade that time forgot. *Ballermann* is both Party Mecca and pop culture cemetery for the proletariat.

After deflecting some more sales advances we found ourselves in front of the *Megapark*. Mostly because of its colossal size, it was hard not to find yourself in front of it. As we stood at the edge, our faces looking through the glass windows to the party within, Annett's mouth dropped. It was like she'd walked through a magic wardrobe and where she'd expected to find Narnia, she actually found (as Christoph had forewarned) *XXX adult Disneyworld for drunk Germans*. The *Megapark* is basically just RTL 2 in an arena-sized faux Bavarian beer hall of oppressive, drunken stupidity.

---

11 This figure might be inflated, I can't quite remember what price he said, but I believe it had no basis in reality anyway. It was purely used to emphasize the *snap* in the Party Ticket's *Schnäppchen*.

We took a seat in front of one of the big circular high tables, upon which female dancers jiggled around, gyrating in bras and thongs, with bank notes tucked into their garters by the drinkers below them. The drinkers don't always stay below them, though. Occasionally, if they are brave enough, they get up on the table and dance with the girls. At this juncture, I should probably point out that neither Annett nor I have ever been to Oktoberfest, and that neither of us are big drinkers or clubbers, so this may have coloured our *Megapark* experience. I dance once per year, and this is normally organised well in advance. I treat it like a medical check-up, not as something I want to do, but something that is important to get over and done with so that I can convince myself that I am still young and fun before another three-hundred-and-sixty-four days of going to bed early and cuddling[12].

But I wasn't about to make one of those times the *Megapark*, although they tried their best to make me. It's a well-known fact that in Las Vegas there are no clocks or windows, because they break the spell of the surrealism. Time is a thing that affects real life. It tells you when you have to eat, work, sleep. These inconveniently necessary tasks are likely to pull you out of your gambling induced coma of the make-believe and back into the real world of mortgage payments, financial responsibility and dog-walking duties.

The *Megapark* works on a similar premise, only using *Schlager*. The music never, ever, ever stops. Never takes a break, never changes tempo, never even fades out between

---

12 Now that I've read those last few sentences back, I realise that no-one who has written them could possibly, in any way, consider themselves »young and fun«. I'll have to go dancing twice this year then.

songs. There is this relentless, throbbing, repetitive beat. It's like they know that at all times the party is hanging by one precarious thread. That if, for even a second, there is a break in the music, that thread might snap, the spell will be broken and people will look up from their extra-long novelty straws, from their over-sized buckets, and realise where they are.

Annett and I lasted an hour and then headed back to the hotel.

The next day we went to explore Palma, the nearby city. It has a magnificent cathedral, which we didn't visit, but did briefly view from outside, whilst eating ice-cream and trying to make ourselves feel less guilty for not bothering to visit it by saying several times, perhaps to the point of excess, just how magnificent it was. It was magnificent. Have I mentioned that?

On the evening of day three we decided that while we'd be drinking slowly and regularly most days, we'd still not had a proper, raucous night of revelry, or in fact, stayed up later than 11pm, and tonight this had to change. Christoph had required me to attend the *Oberbayern*, so I would attend the *Oberbayern*. But if we wanted to party, we would need to find young people, who knew how to do *that partying stuff* and could guide us.

As luck would have it, I spotted two young guys smoking on the terrace that I'd not seen before. So I strategically placed myself at the next table and awkwardly invited myself into their conversation. This is how we met Ingmar and his brother Henrik, from Hannover. Ingmar was 17 and Henrik, 19. This was their first holiday without their parents. Surprisingly, when you factor in that we were nearly twice Ingmar's age, we all hit it off immediately. They were genuinely lovely, mature people. I couldn't believe how well they got on. While

they mocked each other incessantly, it was always with the warmth and assurance of an unconditional brotherly love. The relationship between my younger brother and myself peaked when I was eight years old and he was five, when we climbed the tree in the back garden together. It's been down-hill ever since (the relationship, not the tree which is, I assume, exactly where we left it and equally vertical).

Not so with Henrik and Ingmar, and after several rounds of free drinks (because we'd already paid for them, remember? *Magic*) it was midnight and time to visit the hallowed *Oberbayern*.

Sadly, when we arrived, Uwe wasn't working the door and neither, on the stage, was Oli P. Instead, what we found was that the *Oberbayern* was just a fairly average, Bavarian-themed club. Room after room of *Schlager*, mostly being enjoyed by people at least three times Ingmar's age. Predictably, the bar staff wore *Lederhosen* or a *Dirndl*. There were many big groups in matching t-shirts. It was *Megapark*, minus the dancing tabletop girls and bemused foreigners who have wandered in like moths, distracted by its oversized flame of debauchery. We danced (my second time this year, so I'm sorted now until 2015), and we sang. Now, I don't know the words to much *Schlager*, but, fortunately, it's *Schlager*. The lyrics of one song, I kid you not, were »Ich will Pommes mit Ketchup, ich will Pommes mit Mayo«, so after some furious note taking, studying, and a self-administered exam in a quiet corner, even I was able to learn them. *Ich will Pommes mit Ketchup, ich will Pommes mit Mayo! Scheiß drauf! Malle ist nur einmal im Jahr.*

When we awoke, slightly hung-over but largely still men-tally and physically intact, it was our final full day and I was resigned to getting Annett to the beach. You might have been

wondering why there was so little *beach* in our *beach holiday*, and I will now tell you. It's all Annett's fault. She doesn't like beaches. I promise that the next quote is entirely genuine and written here word for word as she has said it to me many times: »I hate sand. It's just so impractical.«

This is why we rarely go to the beach. I'm not sure if the impracticality of sand is a problem for other Germans. I hope not, for the sake of your beach-liking partners. You may have seen those lists online of ridiculous things holidaymakers have complained about, such as, »the ocean was too cold« or »the sun was too hot, not like the sun in England«. These sorts of people do exist. I know, because I'm dating one. It's not that Annett is against sand *per se*. However, she'll engage with it only if it promises to behave and to stay at the beach, where it lives, and not to follow us like a lost puppy back to our hotel room, and into our bed. She will, occasionally, even indulge in something frivolous with it, like making a sand castle. But if she removes the castle-shaped bucket from atop the compressed sand, only to find that her monument is not structurally sound – maybe a small part of the corner has imploded – she'll go mental and attempt to discipline the sand and her structurally deficient castle by beating it with her little plastic shovel, and that's that for the beach on this particular holiday.

Curiously, that night, post *impractical sand*, I didn't sleep well. I think, ironically, because there was a small amount of sand in my side of the bed. Maybe Annett had a point after all? I decided not to tell her just in case she made a precedent out of it.

The next day, on our way to the airport, we formed our conclusions.

»I can see why so many Germans holiday on Mallorca,« I began. »There are some fairly nasty bits, like *Ballermann* after dark, but they are easy to avoid. The rest of the island, at least the little that we bothered to visit, was extremely beautiful.«

»In the entire five day holiday we spent just €132. I also think all our effort and dedication at the bar also paid off. All the booze we consumed, or should I say over-consumed ... I'm sure we made a profit.«

»How will we receive this profit?« I asked, »Will they put it directly into our bank accounts? Or post us a cheque?«

»Are you questioning German all-inclusive holiday logic again?«

»No. I wouldn't dare,« I protested.

»Good. Plus, outside of your backwards land of birth no-one uses cheques anymore. We have *Lastschriftverfahren*[13].«

»Would you go back to Mallorca?«

»We're fifteen years too old for the party crowd, and forty too young for a *Rentner Urlaub*. It would probably only make sense if we have kids and could do a family holiday,« she said.

»You don't want kids, do you?« I asked.

»No way!«

»Phew,« I said. »Kids are even less practical than sand.«

---

13 *Lastschriftverfahren* is an extremely idiotic form of payment that involves giving people your bank details and the permission to just go on in there and take money. I learnt this the hard way when someone incorrectly entered their bank account number by one digit and I got charged for someone else's new mobile phone, which it took a long time on a €1 per minute service line to convince the company I neither had ordered, received, nor wanted.

How to be German on Holiday

1. Trust your Animator

Holidays are not a time for logistics. Foreign things work differently. You can't just walk up to a foreign bus and expect to get on it and go somewhere else foreign. How will you know when you've arrived at that foreign somewhere else? It certainly won't look like what you expect, because you don't know what to expect, because it is foreign. How will you get back to the safety of the German-speaking hotel again? Maybe you'll just get lost in a forest and then find a house made of gingerbread, where a witch will try to cook you. That's a thing. I'm sure I read about it on *Spiegel Online*. Best play it safe. Trust in your animator. You could see the Germans queuing up in our hotel each evening after dinner or each morning after breakfast to see which trips were being offered.

»Right and what time is the toilet excursion on?« asks the German holidaymaker.

»The *what* excursion?« asks the confused animator.

»The excursion to the toilet!«

»There is no excursion to the toilet.«

»So I'm just supposed to go on my own to the toilet, am I?!? Well, they are certainly going to hear about this on *holidaycheck. de*!«

2. Pretend you aren't German

I've learned from years of travelling with Annett just how much Germans hate meeting other Germans abroad. It's as if, once they cross the border, they believe themselves to be brave, fearless explorers, the first to have dared to leave behind the comforts of their home nation to explore the new world. This

illusion is shattered when after »breakfasting like an emperor« they climb on the tour mini-bus for an excursion to the nearest national park only to discover that sitting behind them is Stefan and Sara from Wolfsburg, and she has the exact same Jack Wolfskin jacket and backpack.

As a result of this, Annett enforces a strict rule that we are not allowed to speak any German when in earshot of other Germans, so that she can pretend for as long as possible that she is a rare and exotic national flower. As if her origin had not already been revealed to everybody by *her clothing, face, specialist holiday equipment* or *general up-tightness*. Once we were trekking on a glacier in Argentina and met a trainee doctor and stock broker from Frankfurt. Annett had a long conversation with them, in English, despite the fact it was completely obvious to all three of them, that they were all German. In the end, I got so annoyed I broke the spell of denial by saying: »You can also speak German with each other!« This didn't have the desired effect. Rather than allowing them to continue bonding in their native language, instead the conversation abruptly ended, and they all wandered off to find someone else to talk English with.

If they could get away with it, I think holidaying Germans, when asked where they are from, would answer »Central Europe«, then if pressed for more specifics – »*Ecke* Poland, Czech Republic, Austria, Luxembourg, Switzerland, France, Belgium, Netherlands and Denmark«.

3. Bumbag

It was a great joy for me to discover on this trip how many German men, at least on their holidays, still wear bumbags. For a person who isn't *German* and *on holiday*, there are only two socially acceptable times in which one can, without irony, wear a

bumbag – when attending a 90s themed party, when living in a trailer home, or a whimsical combination such as attending a 90s themed party in your trailer home.

This is wrong!

The bumbag is a genius, glorious, majestic wonder. So useful. So practical. You know this. I know this. The fact that we are denied the chance to wear them without prejudice and ridicule is a travesty. There should be an inquest into how the humble bumbag has been so forcefully shunned by the fickle tastes of fashion. We should create a day – *National Bumbag Awareness Day*, where the plight of this once great fashion accessory can be highlighted. Holidaying Germans, you have it so right, you are wise and brave to openly mock accepted rules of style. I'm sorry you *(wider)*stand alone.

4. Beer for Breakfast

The funniest Germans-on-holiday-game you can observe over breakfast is *Beer for Breakfast*. This is when people, in order to prove how unaffected they are by the indulgences of the previous evening, and to stretch the holiday spirit as far as it can be stretched, drink a beer with their breakfast (difficult to deduce from the game's cryptic name). It's a simple game with no obvious winner, beyond (mostly male) bravado. Many of the younger Germans in our hotel played this game over breakfast. As, indeed, did many of the older. It seemed a popular game. Usually, at the breakfast table, at first people would sit down and drink something they actually wanted to drink, like coffee, or orange juice. But then some happy idiot breakfasting with them would announce proudly that they were now going to have a cheeky *Bierchen*. Everyone has a quick laugh and jests about this. But the person's suggestion then creates a quandary. No-one wants beer,

but if this person is going to drink it, then they are going to have to drink it too, lest they be revealed for the t-total sissy that they are. Before you know it, everyone on the table is now gritting their teeth through a morning beer with their muesli.

5. Nikon like a Ninja

I think there is a good reason why you rarely hear an equivalent to »half-hearted« used in the German language. It's because they don't need it. Germans tend to do things properly, or not at all. They are either in, or out, but not rarely caught in-between. So it is with photography during their holiday. Most people would be happy snapping a quick picture on their mobile phone, maybe carrying a small digital camera, or be one of the new modern mavericks taking pictures with an oversized tablet. But this is not professional. This is half-hearted. Like the pictures that will be taken, it's *wishy-washy*. If you want to be respected as a holidaying German, you must have a Nikon camera. A large Nikon camera. It should look like the lovechild of a lighthouse and a telescope. Your job, and it is taken as seriously as a job, is to then use this to officially document as much of your day as possible. You're to be your own paparazzo, aiming to create a complete record for posterity of all that has occurred. Of course, this takes a lot of time and those four thousand photos you took at the bus stop will need to be sorted. This is what your evenings are for. You should position yourself in the hotel bar, spinning the little dial on the back of your Nikon as you flick through the photos, pausing occasionally to show your partner, who will pretend to care, but won't. After you have completed several rounds of this, the editing process will be complete and you can then backup the three thousand, nine hundred and ninety nine bus stop pictures that survived the cull, ready to be shown

during the *photo show*, for which your family and friends are already preparing excuses to not attend.

6. Complain

Germans seem convinced that they complain more than the people of other nations. So many people have told me this, that it has taken special effort and commendable resistance on my part not to believe them. Complaining is just so human, I think people of all nations do it pretty much as often as they can get away with it in polite company, then usually about 25 % more. But then, I took this holiday to Mallorca.

I'm not sure if it's just that *mein Deutsch* is now *gut genug* to understand much more of the conversation happening at other tables over breakfast or at the reception, but there was a huge amount of complaining going on. I heard people complaining about the food, which (I thought) was great. About the weather, which (I know) was great. About the staff, who (other than bubble-bursting *Ivan*) were also great. About the time of dinner; »the first dinner shift is at 6:30pm? That's simply too late. The second shift starts at 8:15pm! 8:15pm? Impossible!«

I also saw someone carry something called the *Frankfurter Tabelle*, which is a list of things you can complain about on holiday and a guide to what % of the holiday costs you can get back if they do occur. Apparently this is printed each year in *Bild* for people to cut out and take with them on their package holiday. I also discovered websites like *Urlaubsreklamation.de* which is entirely devoted to recovering money spent on vacations, and contains a comprehensive black list with a liberal use of capitalisation – »Diese Hotels und Reiseveranstalter sollten Sie MEIDEN!« You win, Germans. You complain a lot. Happy now? No, of course you aren't, that's the point …

Nordic Walking

Nordic Walking is a major German hobby. Some one in every thirty Germans are regular Nordic Walkers. In case you've never seen Nordic Walking, it's basically just skiing, without snow, or walking, plus needless complication. The problem I have with it, is not related to how silly it makes you look. That's fine. I've played both golf and ultimate frisbee. As far as making you look stupid, as an activity, Nordic Walking is pretty mild. My problem with it is in the name, *Nordic Walking*. Because it should obviously be called *German Walking*.

Not just because it's such a popular activity in Germany, but because it, to me, perfectly encapsulates my experience of living here. I don't really care that it was invented by an enterprising Swede, or an ingenious Dane, which one might conclude from the *Nordic* in its name. Even if that were true, and they got the ball rolling in that country, I'm sure it was here, in Germany, where that ball rolled next. Then millions of the middle-aged and elderly limbered up, clustered together and flailed their walking poles at it, until that ball had the momentum to spread to all the corners of this fine, curious land. Nordic Walking's origins might be elsewhere, but its soul is uniquely German.

Why, you may ask? Well, because Nordic Walking takes an existing process, one that works just fine, in this case, *walking*. Then it steps back, looks at that process, and says ›I *don't want to be ungrateful, I mean, I like walking, some of my best*

141

friends are walkers, it's an effective method of getting from A to B, but I'm wondering, if there may be a way that we could make walking just a little bit more serious? I've heard about this thing they're doing in the Nordics with Ski poles ... Basically skiing, just without snow.‹

The end result is the holy triangle of German joy – *Wandern, process optimisation and specialist equipment.* My personal interest in Nordic Walking actually stems all the way back to my first day in Germany. Lost, I found myself walking through Leipzig's Clara-Zetkin Park where I was passed by a group of about ten senior citizens, with their poles flailing. I'd never heard of Nordic Walking before. At first glance I thought that they must have gotten lost on the way to some mountain. Or had been cruelly tricked by a forecast that had promised them much snow, but delivered only glorious, dry, non-slippery sunshine.

Since that day I've now seen Nordic Walkers so often in Leipzig and Berlin that they no longer look strange to me. So much so that sometimes I even forget to make fun of them! Which is a sacrilege. However, since this is a hobby enjoyed by some four million Germans each year, and this book is entitled *Make Me German*, it was time I tried it as well.

It's funny how you make these decisions, and then somehow, from somewhere, the universe just sort of aligns and presents you with the perfect opportunity. That opportunity came during our Mallorca holiday. As I was browsing the activities book at the hotel reception, while talking to the concierge about who makes the worst tourists.

»What tourists cause the most trouble at the Hotel? The English?« I asked.

»The Dutch, *señor*. They are so loud. Getting drunk all the

time. The Germans complain about everything, sure, but they are okay. English people don't really come here, it is too … how you say, *tranquilo*?«

There was nothing *tranquilo* about me when at that very moment, I turned the page in the activities book to find an entire side devoted to Nordic Walking classes. »It says here that there is a 7am Nordic Walking session every Monday at the beach. Is that still happening?«

»It says that? Where?«

»It says it here,« I held the page up for him, »€5. One hour. 7am each Monday.«

»Well, if it says it there,« he shrugged dismissively, returning to his PC.

Unfortunately, it was 10pm on Sunday night and the reservation hotline number said weekdays, 9-6pm. I called it anyway, on the off chance.

»Hola,« a deep, male voice answered.

»Hello. I'm sorry to call you so late. Oh, *err*, can you speak English?«

»Yes. English. *Kein Problem*,« he suddenly sounded less Spanish.

»I was just reading in the activity book of my hotel that you do Nordic Walking at 7am on Mondays?«

»*Nordic walking*?«

»Nordic walking,« I confirmed.

»Nordic walking? Hmm …« he then shouted to someone behind him, »there's someone here asking about Nordic Walking?«

»*Was*?« a woman's voice answered, auf Deutsch.

»Nordic walking!« he repeated.

»*Nordic walking*?« she said it like she was hearing the word

for the first time. Obviously this was not a regularly booked activity, at least not at 10pm on a Sunday night.

A woman came on the line. »Hello. You are interested in Nordic Walking?«

»Yes,« I said. »That seems to be the rumour. It says in the book that you do a 7am Nordic Walking session?«

»7am?!?!« She said it like she was hearing the number for the first time.

»Yes. That's what it says here in the book.« I read out the whole ad from start to finish.

»Well, if it says it there.«

My belief that she had written the ad and I had dialled the right number reached zero.

»Are you running this class tomorrow morning? I would like to take part.«

»I see. How many are you?« she asked.

»I'm one.« That sounded weirdly esoteric, »I mean … it's just me,« I corrected. I could almost hear her mental calculations, balancing *a lay-in* against €5 and deciding it was not worth it.

»I love Nordic Walking. It is how you say? My *big hobby*. So it is okay for me. But if you are really just you – maybe we can do it later?«

»Perfect. Yes. Later would be better for me as well. 10am?«
»Yes. 10am.«

»It really just costs €5?« It seemed extremely cheap. »It hardly seems worth an hour of your time, to just earn €5.«

»Yes. But luckily this is not my, how you say – *primary income*? I love Nordic walking, I go every day for body conditioning. So if you want to come and join, that's no problem for me.«

»Well, if it's at 10am, my girlfriend will also join, so that's €10.«

»Hoopla! I'm rich! See you at 10am.« That was that. We were going Nordic Walking.

At 10am, we were enthusiastically greeted in our hotel lobby by an eccentric Austrian woman named Nora and her German partner, Wilfried. Wearing a Barcelona shirt, he had his hat on backwards in a style popular in the 1990s, and was wearing goggle-style wrap-around glasses usually popular with scientists and pilots called Biggles. All in all, he gave off the curious aura of a fifteen-year-old inexplicably trapped in the body of a fifty-year-old, and trying to make the best of it.

Our instructor, Nora, was a similar age, with two thick black braided pigtails, dressed from head to toe in fitted sportswear, with a special sort of wrap-around sport corset to keep her back straight and her stomach in – a stomach that she told us had swollen slightly since she'd opened a cooking school nearby. Despite agreeing that we could talk German, she addressed Annett in German, and me always in an enthusiastic hybrid mix of both English and German. English when she knew the words, German when she didn't, or when she simply forgot she had intended to talk English. A mix that could only be described as *very anstrengend*.

»So here we have the Poles,« she said, handed us our poles. »Not the people. Ha! *The Walking Poles*. Now most people they are making the Nordic walking very *falsch*. The poles should be facing *rückwärts*,« here she made an exaggerated backwards motion with her own pole, then fully clarified the notion of *rückwärts*. If you're in any doubts, I can confirm that *rückwärts* is indeed the opposite of *vorwärts*.

»Yes, rückwärts,« she said confirming we were both making the right *rückwärts* motion with our poles. »Then they come before your body just a little, *20 Zentimeter maximal*. Now the most important motion, no that's the wrong word in English, sorry, movement, movement not motion.«

»Motion is also correct,« I informed her.

»*Oh?* Is it? The most important movement is the *Überkreuz*. The legs must *überkreuzen*.« She began demonstrating, *überkreuzing* on the spot, with her two poles balanced across a shoulder, like a soldier's rifle.

»Annett, what is *Überkreuz* auf Englisch?« she asked.

»Cross over.«

»Yes, cross over. So we take the legs and we *überkreuz*.«

»So, poles facing *rückwärts, legs überkreuz,* and we go. It is *kompliziert,* yes? Normally you see the old people, they are doing it wrong. They put the sticks just in front and they *tap, tap, tap*.« With this she hunched over and mimicked an elderly person hobbling and tap, tap, tapping down the road outside the hotel. »This is okay, but it is no body conditioning.«

»All this time, I thought Nordic Walking was just walking plus poles?« I said.

»No. Everybody is thinking this,« with this came an exaggerated shake of the head. Everything she did took on this curious exaggerated quality, a bit like normal human expression, but afforded a more generous, theatrical budget.

»It is not. *Nein*. It is a different *Art* to walking. It is more like skiing. You have the same motions like skiing. No, not motion, movement.«

»Motion is also correct,« I said.

»*Oh?* Yes, you have the same movements, yes? You see. Arms back, legs *überkreuz* and you glide. See? *Glide*,« she said

146

as she disappeared down the road gliding and *überkeuzing* like her life depended upon it. Which it might have. Possibly she was actually ninety-seven, but all the body condition and *überkreuzing* had given her the look of a fifty-year-old.

»See? Glide … Now you try.«

It was not easy to glide. Firstly, because we were outside the hotel. People we saw every morning at breakfast, and had attempted to present an aura of casual sophistication to, could have been watching from the lobby. At a minimum, a group of five older Germans were sitting on a wall watching us, with extremely disapproving looks upon their distinguished, elderly faces. I even caught one shaking his head as Annett attempted a glide towards our instructor. Probably, because usually this elderly gentleman just *tap, tap, tapped* with his poles when he Nordic walked and now here we were, young people, with our radical, eccentric Austrian coach practicing an exaggerated swinging, *überkreuzing* motion.

»Yes. Good. But be more like a bird,« she said after I'd attempted my first glide down the road to where she was waiting. »The poles are your, how do you say Annett? *Flügel*?«

»Wings.«

»Yes, *Flügel*. The *Flügel* are behind you. Okay now we go,« and off we went.

When I'd imagined my first ~~steps~~ glides of Nordic Walking, I didn't imagine they'd be through the pedestrian way of the Mallorca party Mecca *Ballermann 6*. Walking through groups of drinkers from the night before, plus a few groups that at 10am were already up and beginning another day's hard alcohol consumption, or past a small group that operated a scam game where you have to find a ball hidden under three halves of potato, or past various tour guides, club pro-

moters, sunbathers, and elderly people out for a stroll were (in decreasing order of gracefulness) – *Nora, Annett, and I.*

Many stopped and looked quizzically at us. Some even shouted things. I hated to think the abuse we'd have gotten if I'd scheduled the lesson for 6pm. No wonder, rumour has it, they usually did this at 7am.

»Adam, be more like a bird,« came the instruction that momentarily distracted me from my own total and all-consuming self-consciousness.

»Float along, poles more behind you, like this. Pump up your feet with each step. Do you see? Step. *Pump.* Step. *Pump. Flügel. Flügel. Glide.*«

I tried. Really I tried. But rhythm is not something with which I am blessed. Unlike self-consciousness, which I have in spades and really wished I hadn't at this particular moment.

»Annett,« Nora had turned her attention to Annett now. She looked on as if she was appraising the work of a young but promising protégé, »very nice. Excellent technique.«

Annoyingly, it turned out Annett was a natural Nordic Walker. I wanted to make a joke about it being in her blood, but instead I settled for occasionally ruining her technique by tripping her up with my poles when Nora wasn't looking.

»Adam. You are doing the backwards with the poles quite *schön*. But it's two separate motions. *Verdammt!* Movements.«

»Motions is also …«

She interrupted me, »Behind, you let go, then you bring the poles in front of you, 20 *Zentimeter* and then you grip again and push down hard. Grip. Push down. Then you can pump with the feet. Bird. Release. Front. Grip. Push down. Pump.« She was smiling at me with the look of an unhinged

kindergarten teacher explaining basic math to the class idiot.
»Easy! See? Just watch me.«

I watched. But I didn't see.

»This is many things,« I said, »but none of them involve the word easy.«

Nora and I walked side by side for another fifty meters, me trying to mimic her and saying a mixture of »Bird«, »Push down«, »Pump«, »Grip« and »Easy«. The last one was a lie. But I must have been convincing, since she decided I was ready for yet another step.

»With your hands, you are not gripping properly once the pole is in front of you. Exaggerate it more. It's the same like milking the cow. Imagine the poles are the *Euter* of the cow. Annett, how you say *Euter* in English?«

»Teet.«

»Yes, the *Euter*. You want the milk, so it's grip, push down on the Euter, then you get the milk.«

This struck me as a rather presumptuous, Austrian-centric analogy.

»I've never milked a cow,« I protested.

»You never milked a cow?« She let that idea settle for a moment. »Oh.«

However, I had opened a fridge door in a supermarket, gripped the handle of a milk carton, and pulled. I figured it was probably similar and focused on that.

»Okay, now you go on ahead again, Adam, and I'll watch you.«

I tried to be a bird. I really did. I used to live in New Zealand and so I know there are a lot of utterly useless birds there, that can neither fly nor defend themselves. Cute, Darwinian throwbacks. I focused on them. Nora's face said I

was not entirely successful. I think it was at this point that she wrote me off as a pupil and focused instead on Annett.

»Yes! Very good, Annett,« she smiled. »Pump more. Pump. Milk it. Yes. Excellent.« Someone nearby shouted »*schöne Technik*« at Annett, who was practically beaming in all this praise and didn't appear to be at all self-conscious. I think, in the end, I made it easy for Annett by being utterly useless, which made her spirited efforts seem almost valiant by comparison.

At this point, we'd still not seen a single other person Nordic Walking, but many, many drinking. Perhaps they also considered that a sport. *German drinking? Nordic Drinking?* I was too busy with my inner shame to ask. We continued to walk, *nordically*. People continued to watch, *quizzically*. I mostly just walked, *normally*, holding my poles above the ground until Nora would turn around and then I would quickly continue my *wounded bird* meets *Forrest Gump* impression. *Jenn-nay! Jenn-nay! Wait!*

With our hour's introductory lesson nearly up we began heading back to the hotel. I was surprised that I even had some muscle ache in my arms from all the morning's *birding* (that's a joke for German speakers).

Once we made it back to the hotel, Wilfried was waiting for us. We handed off the equipment, exaggerated how much fun we'd had, took a business card and promised we'd book another session when we came back to Mallorca. I didn't tell her that would probably be in thirty years, when we'd be the right age for it, and she'd have been in her eighties. Although, actually, I can still imagine her out there on the promenade in her eighties, striding with perfect posture, along the *Ballermann* to a chorus of »pump«, »*überkreuz*«, »milk« and »glide«.

»See, it's easy! Do the motions, I mean, movements.«

Would I go Nordic Walking again? *No.* Not if you paid me, and you've had to pay me much more than €5. But I did finish with a far greater respect for it. It is more than just walking plus poles. It requires vastly more coordination, at least to do it properly. Too much coordination, and therein lay its problem. But, because of this memorable session with Nora, I will no longer mock Nordic Walkers I see in Berlin, or *German Walkers* as they will be known when my campaign to rename it succeeds. Although, I may now stop them to critique their technique.

»Call that an *überkreuz*? Pathetic. What do you mean, you've not milked a cow before? *Nach hinten. Nach hinten!* You're all tap, tap, tap, that's your problem.«

Schlager

»Are you going to write anything about *Schlager* in your book?« asked my friend Colin, who used to work for Sony.

»*Schlager*? Nah. It's just cheesy pop-by-numbers for the elderly,« I said.

He shook his head. »That's what they all say. *Schlager* is easy to underestimate.«

»I thought it was mostly a musical graveyard of over-sentimental pop?«

»Nah. As a genre it has more variety than people give it credit for. It's also a massive seller. At Sony we used to make fun of this smaller *Schlager* imprint called *Ariola*. Then the yearly sales report came out and *Ariola* had easily beaten every other imprint. We stopped laughing at them after that.«

»I have the feeling once you've heard five *Schlager* songs, you've heard all *Schlager* songs. There is the part where you clap. There is the sing-along chorus, oh, wait, here comes the word *Liebe,* again.«

»You're doing *Schlager* a disservice. Prove how easy it is then. I *dare* you to create a *Schlager* song for your book.«

»You are daring me? What are we? Twelve-years-olds? Should I shout *HASHTAG YOLO* before I do it?«

»You can shout whatever you like. As long as you actually do it.«

»I could do it. I'm pretty sure all you need is a basic under-

standing of rhyme, a drum machine, and a German vocabulary of *Liebe*, *Sonne*, *Mond* and *Himmel*.«

»Well, then prove it! Words are cheap, my friend.«

»Yeah, well, don't tell my publisher that. I don't have much else to offer.«

No-one spoke for a few seconds as I mulled the idea over. »I'd like to do it, but the problem is that I've never written a song and I can neither sing, nor play an instrument.«

»Exactly,« he said, laughing. »It'll be great. A total car crash. Plus you've been dared now. You have to. *HASHTAG YOLO*.«

I took a night to think about it.

I found the idea of publicly singing quite terrifying. But I only had to record the song, no-one said anything about going on tour. Also, I'd always suspected that I have immense and untapped musical talent bubbling tunefully beneath my calm surface. Because of that belief, over the years, I've bought quite a few musical instruments. I usually pick one of these instruments up, hitting, strumming, or blowing as appropriate. Then when I don't like the sound that comes out of it, rather than accepting I'm not actually a music prodigy, I just assume it is faulty and then put it back on a shelf where it lives until someone borrows it from me and never gives it back. To date, because of this system, I've owned two guitars, a clarinet, a ukulele and a harmonica, despite never having learnt a single chord or note on any of them. This challenge might offer me a chance to finally prove my *wunderkind* natural talent, or perhaps, more realistically, convince me not to buy any more useless clutter for my shelves.

I called Colin and told him the good news. I was going to do it, because *#YOLO*. He suggested I start by watching an

hour of the classic German prime time *Schlager* show *Musi-kantenstadl* on YouTube. He said there was very little about *Schlager* I could not learn from *Musikantenstadl*.

Jesus Christ. What an hour that was.

I assumed the show would open gently, allowing the casual viewer to dip their toe into the genre's shallow end, before being whipped up into a foamy, flag-waving, *prosting*, *schun-keling*, clapping frenzy. But no, that's not *Musikantenstadl*. *Musikantenstadl,* possibly *Schlager* itself, didn't appear to have a shallow end. From the show's opening credits, you don't so much as join the start of the party, as crash land into the raucous end of it. *Musikantenstadl* is a travelling, faux-Alps-Ski-lodge, folkloric, high tempo, *Schlager* freak show. It was an assault on the senses, like getting slapped repeatedly in the face with candy floss and rainbows to a pulsating, unwavering drum beat.

I felt like I was attending a particularly impassioned ser-mon from some kind of *Cult of Simplistic Lyrics.* With Andy Borg, its host, as the singing Jim Jones. This time it's the beers that are tainted, with an over-sentimental past in which men were men and women looked after them. Occasionally, mid-song, the camera would fall on entranced audience members clapping and rocking away in their *Lederhosen* and *Dirndls*, raising a beer in a collective *prost* to the cameras that whizzed quickly past. In this would-be church service, where there would usually have been psalms, communion or con-fession, the Cult of *Schlager* church offered such attractions as non-ironic *Yodeling* and covers of such hit songs as »Alice? Alice, who the f … is Alice?«, in which all the lyrics have been changed to be about Bavarian beer.

I wanted to hate it. I wanted to be horrified. I was pretty

sure that it was horrifying. But, mostly I just found it dizzy-ingly relentless. Lyrically, from the few songs I'd heard, I was already confident I could write one. But I'd never had to write to music. That would be the hard part. *Assuming I actually had some music.* Which I didn't. I could ask for all my various instruments back and then just sort of look at them and hope they arranged themselves – under my perceived expert but completely untested tutelage – into a song. But it seemed improbable. Reluctantly, I realised I was going to need help with the song. I asked around for someone in our friend network with experience in making music. The same person was suggested by several people: Fred. I'd met Fred a few times, and he had a certain look of *eccentric genius*, but I never knew it was a *musical kind of eccentric genius*. Fred is the sort of easy-going, funny person who you can't help being drawn to, whilst at the same time being slightly irritated by because of his quick sense of humour and overwhelming, effortless handsomeness. In short, he's the sort of person who brings out the worst in petty bald men like myself.

However, after a few minutes with him in his *bedio* in *Neu-kölln* (it contains his bed, making it his bedroom, but with nearly all other surfaces devoted to musical paraphernalia, making it a studio) it was clear I'd need to put my genetic insecurities aside. From the energy with which he threw himself into the task, the amount of research he'd already done in deconstructing *Schlager* hits prior to our meeting, and watching him dart manically around the room picking up instruments and demonstrating parts of the *Schlager* for-mula for me – Fred was my man. Fred would create a hit. I would piggyback on it and take the glory.

»I think *Schlager* works because Germans listen to every-

thing else in English,« he began, »*Schlager* lets you listen to German music. But it doesn't have to compete directly with English music, because it's its own unique thing, with its own rules.«

»Ok. What is that unique thing?« I asked, picking up a guitar that was laying by my feet. I put it in the official guitar-playing-position on my lap. Fred looked on, now expecting me to play it. Which was a reasonable assumption. However, looking down at it, I was reminded again that I have no idea how. Fred looked on. I plucked at a string or two, nervously.

»I'll just put that back then,« I said, returning the guitar to the floor.

»What was I talking about?« asked Fred. »Why *Schlager* works? Right. Well. It's about feeling content and rooted to where you come from, where everything is okay and the world is no longer big and scary. That works best in your native language.«

»Oh,« he added, »it must also have a 4/4 beat.«

»What's a 4/4 beat?«

»It's a unit of time, four bars. In that time period a different number of beats can occur. With *Schlager*, it's always a four over four beat. It's that thumping constant in the background, usually a kick drum.«

And with that he began clapping, with a big fake grin on his face. Well, unless he really likes clapping. »It's 1,2,3,4 – 1,2,3,4 and we're clapping and we're happy and everyone knows what's coming, yep, again, 1,2,3,4 – 1,2,3,4. You try.«

He was right. You did know exactly when to come in. I did my best to do it wrong, but you couldn't. You could veer just

slightly out of time, only for the beat to find you again and gently right you back into time. There we were, two men in a *bedio*, clapping to the beat of non-existent *Schlager*.

»I dare you,« he said, over our claps, »to find me a *Schlager* song that doesn't have it.«

»Please don't,« I said, still clapping, »2-3-4, dare me to do things 3-4, Fred. It's how I ended up here in the first place, 2-3-4. Can we stop clapping now?«

»Yes,« he said, dropping his hands to his lap.

»How realistic do you think it is that we can create a convincing *Schlager* song?«

»Can you sing?« he asked.

»Ha!« I laughed, »can pigs fly?«

»No. How is that relevant?«

»It's an English ... forget it. No. I can't sing.«

»Then, that could be the problem. But we'll worry about that later,« he said, turning back to his computer screen, and arranging different documents next to each other. I moved over next to him and saw that they were lyrics to different songs.

»What I've done is create a *Schlager* blueprint. It's based on the work of the world's finest *Schlager* performer.«

»Helene Fischer?« I guessed.

»No,« he laughed, »she wouldn't be fit to kiss this guy's feet.«

»Heino?«

»Guess again ...«

»I would, assuming I knew any other Schlager singers.«

»Dj Ötzi!« he said, rolling his eyes.

»Who the fuck is Dj Ötzi?« I asked.

»*Oooh*, that could be a Dj Ötzi song,« and with this he

began singing »Ötzi …Ötzi …who the fuck is Ötzi? La la la la, D-J-Ö-T-Z-EEEE-Y« to the tune of *Who the X is Alice*.

»He's a God,« continued Fred, »a *Schlager* God. No-one has worked as tireless to prove how simple *Schlager* is to pen and produce than Austrian hit machine Dj Ötzi.«

With this, Fred's speakers burst into life, making me jump in my chair, by emitting what I now know to be a 4/4 beat, over which came a succession of vaguely tuneful *oooh's*, *aaaah's*, and *baby's*.

This was Dj Ötzi's seminal masterwork »Hey Baby«. Everyone in the entire world knows this song and everyone over the age of eight hates it, yet would be stuck singing it for days should they accidentally hear it somewhere. It burrows itself deep into your brain, and not in a good way.

We began dissecting three Dj Ötzi hits, the lyrics to which Fred had put side by side on the screen.

»Do you see any similarities?« he asked.

»I see a lot of *ooh's*, and *aah's* and not many, you know, *words*.«

»Exactly. Words are cheap.«

»Why do you people keep …« I said, before being interrupted.

»– It's all chorus. I know people throw around phrases like ›it couldn't be simpler‹, but really, Dj Ötzi proves it couldn't be simpler.«

»Maybe that's why I get tired of *Schlager* so fast. It's all sugar, right? With *Schlager* it's all super sweet chorus. It's not a balanced musical diet.«

»Yeah, it's mostly empty calories. You get full, but there's little actual nourishment.«

»So, what's our song going to be about?« I asked.

»Well, you're the guy who writes nice things about Germany, right?«

»Right.«

»Germans are desperate for that moment when they can sing patriotically about Germany again. For a big sing-along *Deutsch-land, Deutsch-land*. But they're not allowed to do it.«

»As a foreigner I'm allowed to,« I said. So I began brainstorming lyrics in my notepad, which mostly consisted of sing-along-choruses containing few words you'd find in a dictionary, Dj Ötzi had done quite a number on me.

»*Oh-Ah-Apfelschorle*« was the first. *Yes, I know. Sorry.* If you find that lyric painful, it's all downhill from here. »*Oh-Ah-Apfelschorle*« echoed Fred. »Great! That we can use,« and he opened a fourth document, next to the *Best of Ötzi* trio for our seminal masterpiece.

»How about *Deutschland, land of Pfand*?« I offered.

»Perfect.«

Oh yeah. I was a natural.

»I've got an even better idea for *Oh-Ah-Apfelschorle*«, said Fred, »how about Oooh-Aaah-F-K-K?«

»Genius!« I said.

We were on fire. Like Lennon & McCartney. Simon & Garfunkel. *Winehouse & Vodka.*

»Give me more,« he said, and, scribbling furiously away in my notepad, I did.

It was exhilarating, just diving in like this, but then if you stopped for even a second to read back any of the lyrics, also equal parts horrifying. Once we'd written a bunch of them down in our document, Fred focused exclusively on the music. I just tried to stay quiet, so as not to disturb him in the vaguely trance-like state he entered. He'd pop up on the

keyboard, play a few keys, sing the chorus, shake his head, dart across to the accordion, play a few bars, nod, return to the computer, whistle, do something with his music app and then repeat.

Slowly, over an hour, he layered all the little bits of musical something into what would become the basis of our song. He came out of this mini-trance by chucking me a headset and microphone. »It's time.«

»Really? Time to *lay down vocals*,« I said.

»Easy now, Kanye.«

Once we started singing, it became abundantly clear that I can't.

»No. It's *Apfelschor-la*, up at the end.« said Fred interrupting me, »la-la-la-la-la-la-la-la, it's a higher note.«

»Okay. La la la la, up at the end.« I repeated.

There were high notes and low notes? Who knew? The only notes I ever received were angry ones written by Annett. Music was a fascinating new world for me.

Fred stayed surprisingly patient, considering I was butchering every take. While it turns out that saying »laying down vocals« is a lot of fun, actually laying down vocals is extremely tedious. We would read each line a few times, try and harmonise the differences in our English/German pronunciations, then sing it, play it back, then sing it again, then again, then again, then, for good measure, again, and then, one last time, then again, then since we'd formed a habit, we'd do it again, for a final, final time. I heard Simon and Garfunkel used to spend days in the basement singing to each other, watching each other's lips, until they were perfectly in sync. It was a bit like that, only really disorganised, and in a fifth floor *bedio*.

Eventually, after a few hours, Fred compiled it all into a rough cut. *Rough cut*. More great musician vocabulary. So far, my favourite part of the whole project.

»Are you ready?« Fred asked, finger hovering over the play button.

»I'm ready.«

The 4/4 beat crashed in, the pretend crowd began cheering, the intro was building and then, finally, after thirty seconds of build-up, we heard ourselves sing. *We both shuddered*. It sounded like someone was kicking a swan to death. It was clear this was not the vocal work of consummate professionals.

»We sound totally baritone, Fred,« I said, with authority.

His brow furrowed. »Do you mean monotone, maybe?«

»Yeah, that as well.«

After the song finished, he looked at me nervously for a response, I looked to the ceiling, pretending I was carefully mulling it over.

»So what do you think?« he said, when the silence got too much.

I leapt up and hugged him, grinning like a maniac. »Fred, you big, handsome genius! I love it. It's obviously *Schlager*, but you've also added a bit of a Ska type vibe, it's like its own awesome thing. You've invented your own genre! *Fredlager*! It's definitely way better than I imagined.«

The music was perfect. Maybe that was the problem, it was too perfect. The vocals, in comparison, were one very unmelodic man and his eccentric German friend. Fred then began doing his best to tune us (me), and we discovered firsthand the limits of his software, when he exceeded them, and his entire computer crashed.

Before the final recording session, I played the rough cut to just about anyone who would listen. Mostly, they responded enthusiastically. As the long intro built, and the cheering grew, they'd usually already be clicking, or tapping a foot. The instrumentation worked. Then, after thirty seconds, I'd hear the vocals kick in, and see their face contort in pain, like something really heavy had just fallen on their foot.

The problem was obvious. *I was the problem.*

We decided we had to start again. »It's just not right,« Fred said as I arrived at the bedio, while he paced around the room, scratching his head.

»What's not right?«

»All of it. I've had an epiphany. Everything we did last time is wrong. The lyrics are too clever, there are too many words, too many verses. It's like someone inappropriately molested *Schlager.*«

»There are a lot of words, I'll give you that. But words are not cheap. Ours are funny. Can we just kick out a few per line and try it again?« I said.

»That's not going to be enough. We wanted to make *Schlager.* That was your brief. Proper, trashy, sing-along *Schlager.* What we have is too safe. It's flat.«

»So, now what?«

»Back to basics. We need to channel our inner DJ Ötzis. What would He do?«

»Kick out 70 % of the words and replace them with *ooh's* and *aah's*?«

»Exactly,« said Fred, nodding. »We must trust our master. We must follow His way.«

»I don't know, isn't it kind of cheap just to rip off his style?«

»No, it's *Schlager*. *Schlager* is not about originality. That's the problem. We tried to make *music*, when we should have been making *Schlager*.«

Most of what happened next was Fred. Possibly he was influenced by osmosis from my overwhelming yet untapped musical genius. But I can't really take any direct credit. While the lyrics were roughly based on the old song, Fred modified and simplified them all. We stopped worrying about them making sense. We mixed English and German in ways that would have made scholars of either suicidal. We slowed the song down, kept the verses shorter, added an extremely cheesy sing-along chorus which contained the line, »the stars looked like a pretzel«. I felt this was a new low. In contrast, Fred seemed to be on a real high. After we'd finished, I wasn't sure what we'd created, and if I felt comfortable putting my name on it, but Fred was convinced. It was time to sing. Or that thing I do that is a distant relative of singing.

»Your problem,« began Fred, handing me my microphone, »is that you're playing too safe, too controlled. That's why your vocals are so bad, they're flat, you've got to let yourself go, you've got to dare.«

»How do I do that?« I asked.

»Watch this,« with that, he turned to his computer and played a YouTube video of some *Schlager* singer from the 70s. »Hear that thing he does with his voice? The kind of *ooh* and *aaah*, the way he over-pronounces the last syllable of each word?«

»Yeah, he really makes love to those words.«

»Exactly,« said Fred, nodding. »Make love to our words, Adam. Imagine you're on stage. Work the crowd, really give

them something.« With that, he opened his hands out to an imaginary, adoring audience.

I sang, louder and as with as little reservation as a reserved me allowed – »I'm going to really give the people somethin-*ah*, they're gunn-*ah* really like my somethin-*ah*, YEEEE-AAAHHH.«

»That's it,« said Fred, bringing his hands together, »okay, we're ready.«

Last time we sang sitting down. We'd cue the music up almost line-by-line, sing, playback, practice, cue up again, repeat. This time we both stood up, so we could move around and really open our *diaphragms* (Fred told me this word, I misheard and thought he was going to open a diagram). We also sang the whole song from start to finish, then looped it and sang the whole thing again. It was like a real duet. We danced, we looked at each other. There was even one moment when I contributed some instrumentation, by playing air guitar. Finally I'd found an instrument I could actually play.

The imaginary crowd were treated to the gig of their imaginary lives.

One hour and many repetitions later, we collapsed back onto that couch, completely hoarse and feeling sorry for Fred's neighbours, who'd been subjected to nearly a full hour of high intensity off-key *oohh's* and *aaah's* (which now comprised 50 % of the song's lyrics).

But then Fred played the new song for the first time. The music was mostly the same, just with a few instruments removed.

»Great riff,« I said, nodding my head to the beat.

»Thanks,« said Fred. »But that's not a riff.«

»Oh.«

In this new version you immediately understood the lyrics. We sang with swagger and presence and the feeling we were having fun with it. It was the right kind of trashy. I could imagine drunk people in a beer hall singing along to it. You didn't need to know the words, because you instinctively *knew* the words, because it had almost no words. It knew what it was, and it wore its uniform without shame.

It was the uniform of Dj Ötzi. It was the uniform of Schlager.

I had to admit, it was much, much better.

Here are the lyrics to both versions side by side so you can see how much it changed after Fred's epiphany. You can hear both versions and vote for your favourite at *http://makemegerman.net/schlager.*

Deutschland du bist wunderbar (pre-Ötzi)	Final Deutschland du bist wunderbar (post-Ötzi)
I still remember the first day	Deutschland ist so supergeil
When I got up	Wurst und Käse find ich steil
I was listening to Schlager	Ja und das Bier
With an Apfelschorle	Das Bier gehört zu mir
I still remember the next day	Maultaschen und Leberkäs
When I fell in loooooove	Die Berge und die hübschen Mädels
You said »what about Weisswurst«	Hier will ich sein
I said »Alles klar!«	Hier bin ich daheim
I went out to go wandern	When I first came to Deutsch- land
With my Hausschuhe an	There was Schlager in my head
Then I went on to get	The stars looked like a Pretzel
My first Ausbildungsschein	

I found a letter from you
I thought that we would be
friends
But it said »Abmahnung«
And it was covered in stamps

But I was not alone
Because I joined a Verein
It was really praktisch
And I paid no fine

I learnt to be perfect
And also prepare
Got my Versicherung
And my outdoor wear

At a public viewing
We grilled in the park
And we took our Pfand
To the Supermarkt

Then we got home for *Tatort*
GEMA schon bezahlt

Ja, ja, ist doch klar
Deutschland, du bist wunderbar
Ja, ja, ist doch klar
Du bist unser Superstar

You're so smart
You're so wise

I was happy and I said ...
Heeeeeeeeeeeeeeeeey Deutsch-
land
Uuuuuuuuh, aaaaaaaaaah
You need to knooooooooooow
That ich liebe dich!
1, 2, 3, 4, 5, 6, 7, 8

Heeeeeeeeeeeeeeeeey Deutsch-
land
Uuuuuuuuh, aaaaaaaaaah
You need to knooooooooooow
That ich liebe dich!

Deutschland ist so wunderbar
Deutschland ist mein Superstar
Das ist doch klar
Du bist so wunderbar

Klugscheißen ist Repertoire
Und wandern geh'n im Super-
markt
Scheiß auf die GEMA
Und ab zum EDEKA

When I first came to Deutsch-
land
There was Schlager in my head
The stars looked like a Pretzel
I was happy and I said ...

You're the reason
I klugscheiss

I love how you say »Wideo«
And other vords
Like »oberaffengeil«
Baby, you stole my Herz
You say Eichhörnchen
I say Squirrel
»Eichhörnchen!«
»Skvrrl!«

Ja, ja, ist doch klar
Deutschland du bist wunderbar
Ja, ja, ist doch klar
Du bist unser Superstar

Uh Ah
FKK
Lange Schlange bei
EDEKA

Ja, ja, ist doch klar
Deutschland du bist wunderbar
Ja, ja, ist doch klar
Du bist unser Superstar

Heeeeeeeeeeeeeeeeey Deutsch-
land
Uuuuuuuuh, aaaaaaaaaah
You need to knooooooooooow
That ich liebe dich!
1, 2, 3, 4, 5, 6, 7, 8

Heeeeeeeeeeeeeeeeey Deutsch-
land
FKK
You need to knooooooooooow
That ich liebe dich!

Hier will ich sein
Hier bin ich daheim

The only thing left to do was play it to Colin and scoop up all of my *I-told-you-so-YOLO* points. I invited him and a bunch of other friends over for the official song unveiling. First, naturally, I plied them all with alcohol. *Schlager* is the music of the beer hall. It's best served with a side of intoxication. Once they looked glassy-eyed enough, I gathered them together by the speakers.

»So, now comes the moment *you've all*, or rather, *I've* been waiting for. Fred and I have finished our *Schlager* song and you're the first people who'll get to hear it. Colin, if you want to pop the oven on now you can begin baking that humble pie.«

I pressed *play.* The room looked on expectantly as the 4/4 beat kicked in, and Fred's lush instrumentations grew. At the exact moment the lyrics kicked in – when before people had looked personally offended on behalf of their ears – now, they didn't. I saw some foot tapping, some head nodding. Genuine looks of surprise. By the time we hit the chorus and the *hey baby's*, I could see recognition on their faces. Even if they didn't know that the song was a homage to the God of music, *Dj Ötzi*, it still seemed to feel familiar. By the final verse some of the group were already singing along, or clapping and swaying on the couch. I think they did so ironically, but isn't that what the enjoyment of *Schlager* is anyway, for most people?

Colin looked secretly quite impressed. »So what part did you do?« he asked, as the song faded out.

»Well, some of the lyrics are mine,« I said.

»How many?«

»Hmm, from version two, maybe 20%.«

»How about the music? Did you help in its composition?«

»I played air guitar. I also whistled sometimes when we were trying to find the tune, but I think he cut that part. Other than that, all Fred. I'm not so musical, it turns out.«

»Air guitar is not a real instrument,« he said, »so your contribution was basically just turning up, and nearly sabotaging it with your singing, which sounded like the smashing of glass by bricks.«

»Well, it's not as black and white as you are making out, Colin. We were a team, Fred and I. But, I will concede that he was the John Lennon of our team and I was more the ...«

»Ringo?« offered Colin.

»*Yoko.*«

»That sounds more like it. So, do you still think anyone can make *Schlager*?«

I considered it for a few moments, »Well, anyone who has a Fred can.«

»That's true,« he said, pausing for dramatic effect, »but also, cheating. I'll give you an *A* for effort, you did make a song, or rather Fred made a song and you watched him and did your best to ruin it. But, overall, you get a *D-*. Since you mostly just cheated. I don't think you really proved that anyone can make *Schlager*.«

»Really? *D-*? That's better than most of my school grades. Maybe I do have musical talent after all? Hand me that air guitar down from the shelf.«

Fred's Totally Scientific &
Wildly Accurate Schlager Classification System

Firstly, *Schlager* is not a genre. *Schlager* doesn't mean hit. *Schlager* is not simplistic pop by numbers … *Schlager* is *an essence. An idea. A spirit.*

It's the best of anything audible you've ever heard, condensed, compressed, and concentrated into the most potent *sing-a-long-able*, *danceable*, and *schunkel-able* musical potion for the masses. It might be folk, it might be pop, it might even be techno. It's genre neutral. It just needs to be able to move and unite an entire beer tent full of people so drunk they don't recognize themselves anymore.

If you want to make a hit *Schlager* song, you need to adhere to the four universal, undisputable and progressive *Schlager* parameters – *Heimat, Schunkel, Tanz* and *Liebe.*

I. Heimatschlager

Heimatschlager is mostly used at the start of the evening to generate a sense of occasion and promote feelings of belonging amongst the party's participants. *Heimatschlager*'s words must feel personal, so as to resonate with each listener, but be generic enough to include everyone, no matter where they are from. Like a musical horoscope.

Therefore, *Heimatschlager* doesn't rely on words of romance, but, instead – *nature themes*. Everywhere has nature. Even Bielefeld. Lyrics should paint pictures of blue skies, blooming flowers, the white peaks of mountains and fresh, flowing springs. You find a higher concentration of *Heimatschlager* in regions that are rich with such landscapes, such as Austria, Bavaria or the Swiss Alps. Characteristics of *Heimatschlager* – Horns, flutes, sixth and

thirds (for the music nerds: I am talking about intervals now). *Oh, and yodelling. Lots of yodelling.*

Notable Examples: »Heidi, Heidi« – *Gitti & Erika-Heidi*, »Blau blüht der Enzian« – *Heino*, »Ich lieb die Berge meiner Heimat« – *Zillertaler Schürzenjäger.*

2. Schunkelschlager

Schunkelschlager is the intermittent step in every Schlager party. The party lubricant helping everyone glide towards the later *Tanz* and *Liebe* stages. It should break you out of your shell, get you introduced, and, in physical contact with your beer bench neighbours via the egalitarian german lego dance – *Schunkeln.*

What's that? The first indicators of lust and love-making in the lyrics? Some drunkenly flirty behaviour. Cheeky! Your neighbours look nice, don't they? Introduce yourself. Grab their arm. Link them to you. Tilt and then Prost!

Characteristics of *Schunkelschlager* – The kick drum is present, but restrained. There's a hint of that 4/4 clap-along rhythm, but it's the torso that responds to *Schunkelschlager*, not the hands. The bass doesn't jump in 5ths.

Notable Examples: »In München steht ein Hofbräuhaus« – *Franzl Lang*, »Polonäse Blankenese« – *Gottlieb Wendehals*, »Griechischer Wein« – *Udo Jürgens.*

3. Tanzschlager

Wait, how did we get here? Did I really drink all of that in just ... oh. Your disheveled *Schunkel*-moves have now grown into bench-wrecking jumps, twists and thrusts, you no longer worry where your hand goes. Her boobs, his crotch. Cheeky touching is okay now. It's all in good spirits. Talking of spirits ... »Whose round is it? I'll take a *Korn.*«

Tanzschlager compensates for the increased inebriation of its listeners by going easier on the lyrics and heavier on *uh* and *ah*. So that even the most intoxicated can still ~~sing~~ slur along. »Heeeeeeey Baby!«

Characteristics of *Tanzschlager* – The full 4/4 drums have arrived. *Intro?* No. Who needs an intro! *Verse?* No. Who needs a verse? *Chorus? Yes. Chorus!* Lots of chorus. That's what the people want. Repeat it at least 10 times. *Ending?* No. Who needs an ending? Just stop. *Next…*

Notable Examples: »Wahnsinn« – *Wolfgang Petry*, »Das geht ab« – *Die Atzen*, »Geh mal Bier holen« – *Mickie Krause*

4. Liebesschlager

Liebesschlager is the final *last-of-the-night, last-of-an-era, last-of-the-booze, last-chance-to-not-go-home-alone*. It's not about gender. It's not about romantic love. It's about *friendship* and *camaraderie*. It's about moments of triumph and glory and drunken snapshots of the human condition in all its messy inebriated imperfection.

We were here. We lived. We vomited subtly in the corner. This moment is special. This person is special. What's their name again? Uwe? »Hey, where are you going? It's still early… Anyone remember where I live?«

Characteristics of *Liebesschlager* – Slow. Highly Emotional. Pads, Strings, Orchestra. A lot of long and sustained chords while a lonely (and possibly wounded) wolf howls the lyrics.

Notable Examples: »Weu'sd a Herz hast wie a Bergwerk« – *Rainhard Fendrich*, »Gute Freunde kann niemand trennen« – *Franz Beckenbauer*, »Verdammt Ich Lieb Dich« – *Matthias Reim*

The Part Traditionally Known as *The End*

I've thought a lot about this book, and how in particular I might react to its opposite – a book entitled *Make Me English* written by a foreigner trying to integrate into my curious nation of birth. I think I'd be highly sceptical of it. I'd probably, also, be very tempted to judge it before I've even read it. I'd probably decide one or more of the following:

A) It's not relevant to me since I don't define myself as being *English*.

B) There's no way you can *become English*. You either are, or you aren't.

C) What the author seems to think is typically *English* is not what I think is typically *English*.

How can one person, a simple, humble, handsome, bald, comedy writer hope to understand, experience and make resonate for me through mere words on a page something as complicated and multi-faceted as *national identity*?

Now that this book is over, and I've completed my challenges, I'd like to tell you that I've had a jolly good go at it. To list for you all the things I've learned. To present here a kind of rousing, clapping, sing-along, dancing, feel good finale to wrap this book up and leave us all with the feeling we've invested our time wisely.

A sort of *Schlager* ending, if you will.

However, this is not the sort of project you can ever truly finish. I do now know the words of the German national anthem. I can point and name all sixteen of the federal states. I've been to museums. I've watched a lot of TV. I've written a song. I've marched – in a suit and hat that was too small for me – in a parade. I've gone self-consciously naked in a sauna. I've FKK'd at a lake. I've travelled the country by *Mitfahrgelegenheit*. I've learnt who Helmut Kohl, Sophie Scholl, Claus von Stauffenberg, Rudi Dutschke, Willy Brandt, Mickie Krause, Hans-Christian Ströbele, Günther Jauch, Jan Böhmermann, and *Bernd das Brot* are.

But everything I've learnt has only proven to me that the more I learn, the more I now know that I don't know. Every answer leads to further questions. I'm left always feeling like a beginner. I'm sure that I could write another five books just like this one, and still be left with the same feeling that anytime I open my mouth and express an opinion about life here, whether it's just to Annett at dinner, or on a TV show to several hundred thousand people, that it will really only serve to demonstrate my over-whelming ignorance. The issue of national identity is just too complex and multi-faceted. I'll probably never be comfortable in my (occasional) role as Germany pundit.

As a final challenge, I signed up for a sixty hour Government *Orientierungskurs*. I thought it would be a chance to test what I'd learned thus far, and see what the German government thinks it is important to know in order to integrate here. The course is organised by the snazzily named *Bundesamt für Migration und Flüchtlinge (BAMF)*. Very few people attend this course voluntarily. *The Arbeitsamt* sends long-term unemployed foreigners to it as a way of improving their employment

chances, or attendance is required as part of a program for those seeking German citizenship.

Therefore, explaining why *I* wanted to enrol proved a little trickier than planned, and involved me calling and being bounced around various departments of different *Volkshochschulen*[14].

»Hello. Fletcher, my name. I'd like to enrol for an *Orientierungskurs*?« I said. »It doesn't seem possible online.«

»Yes, have *BAMF* sent you?«

»No.«

»So why would you want to do the course then?«

»I'm interested in becoming more orientated,« I said.

»Normally *BAMF* pays. Did you talk to *BAMF*?«

»I didn't. I don't need the course, I'm just doing it for personal interest.«

»Personal interest?« *This seemed like a new concept.*

»Yes. I'd like to see what the German Government thinks is important for me to learn.«

»*Well. Hmm. Ja.* You should probably speak to Frau Huber on 030112323424898989898998. Her office is open on Tuesdays during full moon, between the hours of 12:10-12:15am.«

Unfortunately I was unable to track down Frau Huber. However, eventually, I did manage to enrol.

---

14 I could understand their confusion. I already have a European passport, so I don't need citizenship. While I dress like I'm unemployed – and possibly homeless – technically I'm a »writer«. I don't need to improve my employment chances any more than all writers need to improve their employment chances (there is a reason we became writers in the first place and it's not because we have an abundance of other marketable skills).

Beforehand, I was not looking forward to it. I've had a very unsuccessful relationship with the *Volkshochschule* over the years. I've taken three German language courses with them. In every one I was the worst student. In every one I would sit, counting down how many minutes until I could go home, and hoping the teacher would not ask me to answer yet another question I didn't have the answer to. In every one I would inexplicably, after a few days, get a bad headache – *actually, more of an untreated brain tumour affecting my foreign language learning nerve center* – and, so, for medical reasons beyond my control, I'd drop out. Ahem.

On this course were eighteen other *People of Varied Origin*[15]. Each day of class was like a less bureaucratic meeting of the UN. The big surprise, however, was that no matter the topic – *Alltag, TV, Film, Vereine,* Politics, Tax, Law – I knew, had done, or had seen almost all of it. Often, directly because of this book. *Voting. Joining a Verein. Founding a business. Getting an Apartment. Completing a tax return.* I knew about German music. I'd seen most of the well-known German movies. It became clear from the first class that my German language fluency was also at least twice as good as any of the other participants. I assumed this was because I'd been living here for five and a half years. But then it turned out the two girls on my table – one from Armenia, the other from Chile – had both been here four years, and could barely string a sen-

---

15 One of the first things we learnt is that it's no longer politically correct to use the words – foreigners, Ausländer, or Menschen mit Migrationshintergrund. Instead, we should use Menschen mit unterschiedlicher Herkunft. Probably, as you are reading this, an even wishy-washier moniker is in use, such as hochwillkommene Weltbürger mit zeitweiligem oder dauerhaftem Aufenthaltsstatus in Deutschland.

tence together. Suddenly, the five and a half years I thought I'd mostly wasted, looked to have been, dare I say it – *well invested*?

No longer was I worried about being asked questions by the teacher. I was being asked them all the time. The teacher would ask me the questions no-one else could answer. Almost every time, I knew the answer. I became the class dictionary – fellow students asked me to translate words from English to German, the teacher would ask me to do the reverse. People would slyly copy my answers. At the breaks they'd question why I was doing this course, when I was already »fluent« and knew »all the answers«.

The longer the course went on, the less I had an answer for them. No matter how clueless and ignorant I felt, here was clear evidence that – *I am integrated*. Compared to my classmates, I am an expert on German culture. Germany has already influenced and changed me in innumerable ways; I think I'd just never noticed.

The more I looked, the more signs of integration I saw. The first time I dreamt in German. The first time I used a word like *Verlängerungsbestätigung* without laughing. The first time I instinctively knocked on the table when leaving the bar. The first time I found myself discussing the importance of having a window in the bathroom. Or automatically putting on a scarf when I thought I might be getting sick. Sighing out of annoyance/boredom, because someone mentions the *Dritte Reich*. Taking my shopping bags and *Pfand* with me to the supermarket. Getting (hypocritically) annoyed at other foreigners who live here but don't learn German. Getting excited about *Spargel* season. Biking home from a friend's *Schrebergarten* and seeing a poster – the sort of poster I'd have

seen but ignored for years – for Jan Delay and *actually knowing who that is* because he was a guest on several shows I watched during my German TV challenge.

I know the challenges in this book are not particularly extreme. However, I think it's not by studying the extreme – the outliers, the freaks – that you get insight into the many. They are outliers for a reason. It's not the highlights. It's not the exceptions. It's not the *Oktoberfest*. The *Karneval*. You don't judge the quality of a relationship by how well you get on during the two week yearly holiday, but on the aggregate of hundreds of ordinary, mundane, shared breakfasts, dinners, or plan-less evenings spent on the couch watching *Deutschland sucht den Superstar*. So it is with German culture. It's not in its excesses, but when it's mundane, how it behaves when it thinks no-one is looking, that it has the most to say about the overall German condition.

Now that it is all over, do I think I have become the perfect German? *No.*

There's still a lot of *English romanticism* left in me. I'm still far too polite. Too afraid to inconvenience people. Too self-conscious. Too sarcastic. Too indirect. I can't resist making everything into a joke. I've no respect for authority. These things are unlikely ever to change. However, look at all I've gained: I've learnt to save and budget. I've learnt a second language. I've learnt how my native language works (just don't ask me to spell any of it). I've learnt how to write (although commas are still a bit of a mystery). I've become productive and efficient. I've found a career that I love. I've become vaguely reliable. I now feel guilty when I spend a day at the park instead of working, such is my inner desire for productivity. I've stopped moving every year and actually

built a home. I've observed and engaged with a culture well enough that I've been able to write three books that gently make fun of it.

Have my years in Germany made me a better person? A more respectful, cultured person? *Yes.*

I couldn't have asked for more.

The *How German am I really?* – Quiz

As well as following along with my *Alltags* adventures, you may also be interested in learning your own level of German cultural integration. Are you *typisch deutsch* or do you dance to your own cultural tune? To find out, pick one answer to each of the following questions, total up its points and check against the table that follows.

1. **Rejoice! It's another relaxing German *Sonntag*! How will you spend it?**
A: Washing the car. *Rules, what rules?* (1pt)
B: *Wandering.* (3pts)
C: Eating a never ending brunch with friends, consuming so much food you have to roll yourself back home afterwards. (2pts)
D: Looking at your watch every fifteen minutes to see if it's time for *Tatort*. (4pts)

2. **You are in a room and detect a slight draft. What do you do?**
A: Run away screaming: »Oh my God, a draft, oh my God, it burns. It burns. The sickness is already inside me.« (1pt)
B: Immediately say: »Is there a draft? I think I'm getting sick.« (3pts)
C: Put on your scarf aka *The German Magic Schal of Instant Wellness.* (2pts)

D: All of the above. (4pts)

3. **Which of the following _Haus_ is the most important to you?**

A: Hausschuhe (4pts)

B: Hausaufgabe (2pts)

C: Hausarbeit (3pts)

D: Freudenhaus (1pt)

4. **Every good German knows, when in doubt …**

A: shake hands. (3pts)

B: get insured. (4pts)

C: don't. (2pts)

D: do. (1pt)

5. **What pet name are you most likely to call your significant other?**

A: _Schatz/Schatzilein/Schätzchen._ (4pts)

B: _Lebensabschnittsgefährte._ (1pt)

C: _Mein/e Mann/ Frau._ (3pts)

D: _SCHNUCKIBÄRCHEN._ (2pts)

6. **Whilst walking along the _Bürgersteig_, you accidentally walk into someone. What do you say to them?**

A: _»Achtung!«_ (2pts)

B: _»Vorsicht!«_ (3pts)

C: Nothing. The angry face you'll give them will say more than mere words ever could. (4pts)

D: _»Entschuldigung.«_ (1pt)

7. **Time to become a team player. Pick which *Verein* will get your *Mitgliedschaft*.**

A: *Kleingartenverein* (allotments) (4pts)

B: *Chor* (choir) (3pts)

C: The *Anti-Verein Verein* (a *Verein* for people who don't play well with others) (1pt)

D: *Mieterschutzverein* (2pts)

VEREINE

8. **Your female colleague has a new haircut, you hate it and think it makes her look like a small boy from the 1950s. When she asks your opinion, how do you respond?**

C: Lie and say it suits her. (1pt)

B: Say nothing and look away until she changes the subject. (2pts)

C: Tell her the truth, but in a (German) nice way – »That haircut makes you look like a small boy from the 1950s. Was this intentional? Probably this is the fashion of young people now, *oder*?« (3pts)

D: Tell her the ugly truth because »it's not mean if you are being honest«. (4pts)

9. **It's time to use some of your well-earned six week vacation time, which of the following is your *Lieblings-urlaub*:**

A: 3* all inclusive to *Malle* (4pts)

B: *Wandern* somewhere beautiful and bleak e.g. Scandinavia (2pts)

C: A week at the Nordic Sea (3pts)

D: Backpacking in SE Asia (1pt)

10. **When abroad, what is the primary source of your *Heimweh*?**

A: German Bread (3pts)

B: German Beer (2pts)

C: German Punctuality (1pt)

D: German Efficiency (4pts)

11. **You are at my house and very *durstig*. I place a glass of liquid in front of you. You observe it closely and notice it does not appear to be fizzing. What do you do?**

A: Nothing. Why would a liquid need to fizz? (1pt)

B: Say: »I'm sorry but my *Schorle* appears to be *kaputt*.« (3pts)

C: Drink it, but make a mental note to de-friend me. (2pts)

D: Short-circuit like a robot that's been asked the question »what is love?« (4pts)

12. **Despite eight years of English in the *Schule*, a year's exchange to the US, 97 % of your music collection being in English, and considering Stephen Fry as your lovable honorary Uncle, when a tourist asks you »Excuse me, do you speak English«, how do you answer?**

A: »Nein.« (1pt)

B: »Yes, a little bit.« (4pts)

C: »Wie bitte?« (2pts)

D: »*Wir sind hier in Deutschland, hier muss man Deutsch sprechen!*« (3pts)

13. What name is your Facebook account under?

A: Facebook?! Seriously?! Prism was not just a shape you know. Wake up, sheeple! (1pt)

B: Your name, but divided in some way like An Tje or Clau Dia. (4pts)

C: A pseudonym. (3pts)

D: Your real name. (2pts)

14. Which of the following adjectives best describes your relationship to punctuality?

A: Devout (4pts)

B: Committed (3pts)

C: Indifferent (2pts)

D: Defiant (1pt)

15. The *Strasse* is completely clear, but the *Ampelmännchen* is red. What do you do?

A: Wait, confidently and without shame – *Ordnung muss sein*. (4pts)

B: Wait, but less confidently, hoping a car comes, or a child is also waiting to cross, so that you feel less silly refusing to cross an empty road until a lightbulb gives you permission. (3pts)

C: Cross over. If anyone shouts »Halt!« at you, you can always just pretend to be deaf or an American tourist. (2pts)

D: Impossible. What would I be doing outside my *Wohnung*? (1pt)

16. Whilst casually discussing the movie Slumdog Millionaire, your conversation partner mistakenly states

the movie's release date as 2007, when you know for a fact that it was 2008. What do you do?

A: Nothing. It was just a simple mistake. (1pt)

B: Nothing. But you make a mental note not to trust them from now on, they obviously play fast and loose with the truth. (2pts)

C: *Klugscheiss* them. Immediately interrupt and say »I think you'll find the movie was released in 2008. If I'm not mistaken on the 12th November, at 3pm. *Oder*?« (3pts)

D: Silently turn and walk away. This conversation is done! (4pts)

17. **You are meeting a male friend for the third time, you consider your relationship with them to be *ziemlich gut*, how do you greet each other?**

A: The handshake. (3pts)

B: The hug. (2pts)

C: The hugshake, an indecisive combination of both the handshake and the hug, beginning first with the handshake, then changing your mind mid-shake, morphing the greeting into a stiff hug that squishes the shaking hands in between you. (4pts)

D: Ghetto Faust. (1pt)

The Results

17-34 points – Ordnung must die
You really don't know your *Schorle* from your *Schürrle*, your *Ordnung* from your *Anarchie*. Why do you live here again? You know they pay less tax in Luxembourg, right? You probably don't even have *Haftpflichtversicherung*, do you? I thought not. You are an embarrassment and from this moment on the entire nation of German shuns you, until you promise to change your ways. Repent, rebel.

35-45 points – Alles in (sort of) Ordnung
You have made some vaguely half-hearted attempts at fitting in, with minor success. While you might be willing to embrace some of the best of German culture such as beer, *Kartoffelsalat*, and shameless nudity, you are not fully committed to its intricacies and difficulties. You're playing cultural pick 'n' mix. As a result, everyone is suspicious of you. Pick a side!

46-57 points – Ordnungsamt Besucher!
You're as German as *Pfand*, *Apfelsaftschorle* and shouting at people who commit minor legal infractions like crossing the road on a red *Ampelmännchen*. Good work! Of course, that's not to say that there isn't still room for improvement. For example, are your windows *kipped*? Have you prepared a *Speiseplan* for next week? Do you have a set of guest house shoes hung up by your front door in a larger *Filzhausschuh*? Have you pre-booked next year's *Malle Urlaub*? No? Well, what are you waiting for? *Los*!

58-68 points – Ordnungsamt Beamte!

Congratulations, every corner of your *ordentlich* soul is so German, it can't be neither fixed, removed or motivated to change, yes, you've become a German *Beamte*. This has advantages and disadvantages, you will always feel at home here, but assuming you leave for some reason, you'll be like a fish out of water anywhere else on the planet, other than maybe Austria. Nope, even in Austria. *Servus!*

Earnest public demonstrations of gratitude

I'd like to thank my super awesome cast of friends/ loveable Berlin freaks, who were kind enough to lend me, and this book, their ideas, their anecdotes and their enthusiasm: Alex, Stefan, Kate, Rob (who designed its brilliant book cover!), Paul, Linn, Jenny, Manuel, Jan, Kirsten, Nadine, Flo, Max, Sandra, Nozomi, and Gregor. You make my Berlin, Berlin.

Sincere thanks to all the interesting people I've met along the way who appear as part of these challenges: Fred, Colin, Claudia, Margit, Dieter, and Christoph (author of *The Longest Way*, a book you should all also immediately read). Or the ones who guided me as part of my advisory L.E.G. (League of Extraordinary Germans): Andreas, Gabriele, Ruprecht, Lucia, Thomas and Antje.

To the hundreds of people who have written me over the years to thank me, tell me off, make suggestions, or just correct my grammar – *thank you*! Sorry I reply so infrequently. My reply button is broken, honest. But I'm very grateful for all your e-mails (even the *klugscheiß*ing ones) and your interest.

Of course, this book, just like the two before it, owes its

biggest debt to my German sidekick Annett, who so generously lets me share (and is the primary source of) so many of the absurd little moments in our everyday lives. Thanks for seven years of hugely entertaining inter-cultural friction.